D1365518

RELÁMPAGO

DANIELLE STEEL

RELÁMPAGO

grijalbo pocket

RELÁMPAGO

Título original en inglés: *Lightning*

Traducción: Gemma Moral Bartolomé
de la edición de
Delacorte Press,
Nueva York, 1995

© 1995, Danielle Steel

D.R. © 1998 por EDITORIAL GRIJALBO, S.A. de C.V.
Calz. San Bartolo Naucalpan núm. 282
Argentina Poniente 11230
Miguel Hidalgo, México, D.F.

ISBN 970-05-0927-3

Impreso en Colombia por Cargraphics, S.A.
La edición consta de 10,000 ejemplares.

A Popeye

Mi primera oportunidad, y la segunda,
y mi única oportunidad.
Que la vida te sonría y
te colme de bendiciones.

Con todo mi corazón y mi amor,
para siempre,

OLIVIA

1

Alexandra Parker estiró sus largas piernas bajo la gran mesa de caoba de la sala de reuniones, en la que reinaban los murmullos. Garabateó una nota en el bloc de papel amarillo del bufete y echó una breve mirada a su socio. Matthew Billings era una docena de años más viejo que Alex —mediaba la cincuentena— y era uno de los socios más respetados de la firma. Raras veces solicitaba consejo, pero tampoco era inusual que pidiera a Alex que lo acompañara durante una declaración. Le gustaba su inteligencia, admiraba su estilo y su ojo crítico, y su sexto sentido para las funestas debilidades de la parte contraria, con las que se mostraba implacable.

Alex sonrió a su socio y a éste le gustó lo que vio en sus ojos: acababa de oír lo que necesitaban, una respuesta diferente a la declaración anterior, una mínima variación. Alex deslizó el bloc hacia él y Matt asintió, con el entrecejo fruncido.

El caso era extraordinariamente complejo y llevaba varios años instruyéndose, puesto que se había presentado recurso al Tribunal Supremo de Nueva York en dos ocasiones. Se acusaba de vertido ilegal de sustancias tóxicas contaminantes a una de las corporaciones más importantes del país. No era la primera vez que Alex acompañaba a Matt durante las declaraciones, y se alegraba de que aquel caso no fuera suyo. La demanda la había interpuesto un colectivo de unas doscientas familias de Poughkeepsie por varios millones de dólares, y el bufete, Bartlett y Paskin, la había aceptado justo antes de que Alex se convirtiera en socia.

A ella le gustaban los casos más reñidos, cortos y claros. Doscientos demandantes no eran plato de su gusto. En realidad, más de una docena de abogados habían tenido que trabajar en el caso bajo la dirección de Matthew. Alex también era abogada litigante, y en aquel momento llevaba diversos casos difíciles. Siempre le asignaban los casos que iban a ser más duros y sucios, cuando lo que se necesitaba era un abogado que conociera al dedillo el derecho común y estuviera dispuesto a dedicar cientos de horas a realizar meticulosas investigaciones. Lógicamente, disponía de colaboradores más jóvenes para ayudarla, pero ella quería ocuparse personalmente de cuanto podía. Tenía, además, una inmejorable relación con la mayoría de sus clientes.

Su fuerte era el derecho laboral y la difamación. En ambos campos había llevado buena cantidad de litigios, aunque, claro está, muchos casos se resolvían mediante acuerdo. Alex era una luchadora que conocía a su personal y a la que le encantaba el trabajo duro.

La declaración se interrumpió para un breve receso. Matthew se acercó a ella cuando el representante de la compañía de productos químicos demandada abandonó la sala con todos sus abogados.

—Bueno, ¿qué opinas? —Matthew la miró con interés. Además de ser una abogada brillante y con una gran intuición, era una de las mujeres más atractivas que conocía.

—Creo que te han puesto en bandeja lo que andabas buscando, Matt. Cuando dijeron que nadie conocía entonces los posibles efectos tóxicos de sus productos, mentían. Es la primera vez que se han atrevido a decirlo. Y tenemos los informes del gobierno que datan de seis meses antes.

—Lo sé —la sonrisa de Matthew era radiante—. Han metido la pata hasta el fondo, ¿no es cierto?

—Desde luego. Ya no me necesitas aquí. Los tienes donde querías —Alex dejó caer el bloc en su portafolio y consultó su reloj. Eran las once y media. Volverían a hacer una pausa para comer al cabo de media hora, pero si se iba enseguida aún podría adelantar algo de trabajo.

—Gracias por venir. Siempre es agradable tenerte al lado. Pareces tan inocente que les haces bajar la guardia. Mientras ellos te miran las piernas, yo me ocupo de echarles la red para atraparlos —a Matthew le gustaba hacerle bromas, y ella lo sabía. Matthew Billings era alto y atractivo, con los cabellos completamente blancos y una hermosa mujer francesa que había sido modelo en París.

Le gustaban las mujeres guapas, pero también respetaba a las que tenían talento.

—Muchas gracias —Alex lo miró alegremente. Llevaba el pelo recogido en un severo moño y un maquillaje tan ligero que apenas se notaba. Su traje sastre ofrecía un fuerte contraste con los vivos tonos naturales de sus cabellos rojos y sus ojos verdes—. Para eso precisamente estudié Derecho, para convertirme en señuelo.

—Demonios, si funciona, ¿por qué no? —Matthew se echó a reír, pero cuando uno de los abogados de la defensa volvió a entrar en la sala, bajaron la voz.

—¿Te importa si me marcho ahora? —preguntó Alex—. Va a venir un cliente nuevo a la una y primero tengo que echarle un vistazo a una docena de casos.

—Ése es tu problema —dijo él, fingiendo severidad—, no trabajas lo suficiente. Siempre lo he dicho. Eres una holgazana. Vete, vete a trabajar. Ya has acabado aquí —le hizo un guiño—. Gracias, Alex.

—Haré que mecanografíen mis notas y te las envíen a tu despacho —dijo ella antes de marcharse. Y Matthew supo que encontraría las notas, minuciosas e inteligentes, cuando volviera a su despacho. Alex Parker lo tenía todo para ser una extraordinaria abogada, y no era presumida. Eso también gustaba a la mayoría de la gente.

Alex abandonó la sala en silencio con un breve ademán de despedida cuando regresaron los demandados, y uno de los abogados le lanzó una última mirada admirativa. Sin prestarle atención, Alex se alejó apresuradamente por el pasillo que conducía a su despacho.

Éste era espacioso y decorado elegantemente en tonos grises. Tenía dos bonitos cuadros, unas cuantas fotografías, una planta enorme, cómodo mobiliario de piel y una vista espléndida de Park Avenue desde el vigésimo noveno piso de las oficinas Bartlett y Paskin. Éstas ocupaban ocho pisos y en ellas trabajaban unos doscientos abogados. Era una firma más pequeña que la anterior, de Wall Street, para la que había trabajado al salir de la Facultad de Derecho, pero le gustaba mucho más. En la otra formaba parte del equipo antitrust y el trabajo era demasiado árido para su gusto, aunque le había enseñado a fijarse en los detalles y a investigar a fondo.

Se sentó y revisó media docena de mensajes, dos de clientes y cuatro de abogados. Tenía tres casos a punto de ir a juicio y tramitaba seis más. Además, acababa de concluir dos casos importantes. Era una tarea pesada, pero a ella le gustaba aquel ritmo frenético. Eso era lo que le había impedido tener hijos durante largo tiempo. No veía el modo de adaptar su vida a la maternidad ni creía que pudiera amarlos tanto como a su trabajo. Principalmente actuaba como abogada defensora; para ella significaba mucho proteger a la gente de pleitos frívolos. Nunca disponía de tiempo para nada más, salvo para su maravilloso marido, Sam. De todas formas, él estaba tan ocupado como ella, aunque en el terreno de las inversiones. Trabajaba en una de las compañías más jóvenes y arriesgadas de Nueva York desde sus inicios y había disfrutado de grandes oportunidades como inversor capitalista. Había hecho ya varias fortunas y también había perdido dinero. En conjunto, Alex y su marido se ganaban bien la vida. Pero además, Sam tenía una gran reputación dentro de su campo. Conocía bien a su personal, aceptaba riesgos asombrosos y hacía casi veinte años que todo lo que tocaba prácticamente se convertía en dinero. Hubo una época en que se le consideró el único hombre de la ciudad que podía ganar fortunas para los clientes con productos comerciales, pero había acabado ampliando su campo de acción y eran contadas las veces en que perdía dinero. En los últimos doce años se había metido en el mundo de la informática, había realizado grandes inversiones en Japón, le había ido bien en Alemania y sus clientes tenían grandes paquetes de valores en Silicon Valley.

Alex sabía lo que hacía al casarse con Sam. Lo había conocido justo después de licenciarse en la facultad en una fiesta organizada por su primera firma. Era Navidad. Sam había acudido con tres amigos. A primera vista lo había encontrado muy alto y guapo en su traje azul oscuro, con los cabellos negros cubiertos de copos de nieve y el rostro brillante por el aire helado del exterior. Era un hombre lleno de vida. Cuando Alex notó su mirada, sintió que las piernas le flaqueaban. Tenía entonces veinticinco años, él treinta y dos, y era uno de los pocos hombres solteros que conocía.

Esa misma noche, Sam intentó hablar con ella, pero un abogado de su firma tenía ocupada a Alex y a él lo habían reclamado sus amigos. Sus caminos no se habían vuelto a cruzar hasta seis meses después. La empresa de Sam había pedido consejo a la de Alex para cerrar un negocio en California y a ella la habían designado, junto con otros dos asistentes, para ayudar a uno de los socios del bufete. Sam la había dejado fascinada por su confianza en sí mismo. Era difícil imaginar que tuviera miedo de algo o de alguien. Se reía con facilidad y no temía tomar decisiones arriesgadas. No sólo arriesgaba el dinero de sus clientes, sino todo el negocio. Quería que las cosas se hicieran a su modo, o no participar en absoluto. Al principio a Alex le había parecido un loco, pero a medida que pasaron las semanas empezó a comprender su forma de ser y a admirarla.

También él se sintió fascinado por la inteligencia de Alex, sus profundos análisis y su aguda percepción. Juntos habían conseguido un acuerdo satisfactorio para ambas partes. La compañía afectada había tenido un gran éxito y se había vendido cinco años después por una cifra astronómica. Sam era considerado un joven genio. Alex se estaba ganando su reputación a pulso, más lentamente.

El trabajo de Sam era más vistoso, impresionaba más. Él se movía con soltura en las altas esferas a las que pertenecían sus clientes. De hecho, la primera vez que salió con Alex, pidió prestado el jet privado a uno de sus clientes y la llevó a Los Ángeles a ver la serie mundial de beisbol. Se alojaron en el Bel-Air, en habitaciones separadas, y cenaron en Chasen's y L'Orangerie.

—¿Haces esto con todas? —le había preguntado ella, atónita ante semejantes atenciones. Alex había tenido una relación seria con un chico de su misma edad en Yale, y una serie de citas sin importancia durante sus duros años de estudio. La relación de Yale se había evaporado en el penúltimo curso; hacía tiempo que él se había casado con otra. En cualquier caso, Alex no tenía tiempo para aventuras amorosas, primero quería llegar a ser alguien. La manera de ser de Sam, tan impetuosa, no encajaba en sus planes. Alex se imaginaba con un abogado como los de su firma, alguien que hubiera estudiado en Yale, como ella, o en Harvard, sobrio y tranquilo. Sam Parker, por el contrario, era una especie de cowboy. Sin embargo, a Alex le costaba mucho recordar que no era un hombre como él lo que quería. ¿Quién no iba a querer a Sam? No sólo era inteligente y chispeante, también tenía un extraordinario sentido del humor.

Antes de abandonar Los Ángeles habían ido en coche hasta Malibú y habían paseado por la playa, charlando sobre sus familias, sus vidas y su futuro. Las experiencias de Sam habían sido muy interesantes y completamente distintas a las de Alex. Le había contado, como de pasada, pero con la mandíbula tensa, que su madre había muerto cuando él tenía catorce años y que lo habían mandado a un internado, porque su padre no sabía qué hacer con él. Sam había odiado el internado y a sus compañeros, y había echado de menos a sus padres. Cuando se hallaba en el último curso, su padre había muerto alcoholizado después de arruinarse; pero aquí Sam no entró en detalles. Le contó después que la había pasado muy bien, según contaba, pero Alex pensó que debía haber sido muy duro para un chico de diecisiete años, huérfano además.

Después de diplomarse, Sam había pasado a la Facultad de Administración de Harvard, donde se había enamorado del negocio de las inversiones. El trabajo lo esperaba cuando se licenció, ocho años después.

—¿Y qué me dices de ti? —había preguntado Alex, mirándolo a los ojos mientras paseaban por la playa a la luz del crepúsculo—. Hay más cosas en la vida aparte de las inversiones y Wall Street —Alex quería conocerlo mejor. Acababa de pasar el fin de semana más excitante de su vida, y ni siquiera se había acostado con él.

—¿Hay algo más aparte de Wall Street? —bromeó él, pasándole un brazo por los hombros—. No me lo habían dicho. ¿Qué, Alex? —Sam se había detenido para mirarla. Se había prendado de ella desde el primer momento, pero temía demostrarlo. Los largos cabellos rojos de Alex ondeaban al viento, sus ojos verdes le devolvían la mirada, y a Sam lo embargó un sentimiento que nunca había experimentado.

—¿Qué me dices de las personas? ¿Y de las relaciones humanas? —Alex sabía que no estaba ni había estado casado, pero suponía, por su aire desenvuelto y su aspecto, que debía haber tenido cientos de ligues.

—Para eso no tengo tiempo —replicó él, estrechándola un poco más contra sí, mientras reanudaba el paseo—. Estoy demasiado ocupado.

—¿Y eres demasiado importante? —preguntó Alex astutamente, temiendo que Sam pecara de cierto engreimiento, aunque hasta entonces no había detectado nada parecido.

—¿Quién ha dicho eso? Yo no soy importante, sólo la paso bien.

—Todo el mundo sabe quién eres, incluso aquí. Te conocen en Los Ángeles, Nueva York... en Silicon Valley, desde luego... En Tokio... ¿dónde más? ¿En París, Londres, Roma? Menuda perspectiva.

—Que no es exactamente correcta. Trabajo mucho, eso es todo. También tú. No tiene nada de especial —Sam encogió los hombros y le sonrió, pero ambos sabían que había mucho más de lo que admitía.

—Yo no viajo a California en los aviones de mis clientes, Sam. Vienen a verme en taxi, si pueden. Otros cogen el metro —Alex sonrió al ver que Sam soltaba una carcajada.

—De acuerdo, pues los míos tienen más suerte. Quizá también yo la tenga. Quizá no me dure siempre, como le pasó a mi padre.

—¿Tienes miedo de que te pase lo mismo que a él, que lo pierdas todo? —aquel aspecto de su personalidad intrigaba a Alex, pues era evidente que constituía un poderoso acicate.

—Quizá. Pero él era un estúpido... un buen tipo, pero estúpido. Creo que la muerte de mi madre acabó matándolo. Tiró la toalla. Perdió el rumbo desde el momento en que ella se enfermó. La quería tanto que no pudo superarlo —hacía tiempo que Sam había decidido que a él no le ocurriría lo mismo, que no permitiría que su amor por otra persona lo hundiera.

—Debió ser horrible para ti —dijo Alex con tono compasivo—, a esa edad.

—Uno madura rápidamente cuando se queda solo —replicó él, muy serio, y luego sonrió tristemente—, o quizá no madura nunca. Mis amigos dicen que sigo siendo un chiquillo. Creo que eso me gusta. Me impide volverme demasiado serio. Es absurdo tomarse las cosas muy a pecho, te pierdes toda la diversión.

Sin embargo, Alex era una persona seria, tanto en su vida como en su trabajo. También sus padres habían muerto, aunque de un modo menos dramático que los de Sam, pero en su caso el hecho de quedarse sola le había servido para hacerse más responsable en todos los aspectos. Era como si se sintiera obligada a cumplir lo que habían esperado de ella, aunque ya hubieran muerto. Su padre también era abogado, y se había sentido muy feliz al ver que su hija estudiaba Derecho.

Tanto Alex como Sam eran muy jóvenes y con una brillante carrera. Tenían muchos amigos, que servían para reemplazar a la familia en muchos sentidos, pero Alex pasaba mucho tiempo con amigos de sus padres y familias de sus amigos de la universidad. Los amigos de Sam eran hombres solteros en su mayoría, gente con la que trabajaba, clientes o mujeres con las que había salido.

Sam había besado a Alex por primera vez durante su paseo por Malibú, y había dormido durante buena parte del viaje de vuelta a Nueva York con la cabeza sobre su hombro. Alex lo había contemplado pensativamente, diciéndose que parecía un muchacho larguirucho allí tumbado, pero también que le gustaba mucho, quizá demasiado. Se preguntó si volvería a verlo, si aquello sería el principio de algo más serio, o sólo un fin de semana fugaz. Era difícil saber qué pensaba Sam, que además había admitido que estaba saliendo con una joven actriz de teatro experimental.

—¿Cómo es que no la has llevado a ella a Los Ángeles? —había preguntado Alex, que no temía nunca hacer preguntas importantes.

—Tenía trabajo —había replicado él con sinceridad—, y pensé que sería más interesante conocerte a ti —vaciló, y luego se volvió con una sonrisa que a Alex le hizo perder la cabeza, aunque se esforzó en disimularlo—. En realidad ni siquiera se lo pedí. Sabía que tenía ensayos todo el fin de semana, y ella odia el beisbol. Además, quería estar contigo, de verdad.

—¿Por qué? —Alex no tenía ni idea de lo hermosa que estaba al preguntárselo.

—Eres la chica más inteligente que he conocido en mi vida... Me gusta hablar contigo. Eres brillante, excitante y estás de muy buen ver.

Sam había vuelto a besarla frente a la puerta de su apartamento, pero no había ninguna promesa en ese beso. Fue rápido y casual, y unos instantes después el taxi se había ido. Alex se sintió un poco deprimida al entrar en su apartamento con la maleta. Se la había pasado estupendamente, pero suponía que Sam tenía prisa por volver junto a su actriz. Aquel fin de semana no había sido más que otro de tantos en la vida de Sam Parker, y no creía que tuviera tiempo para Alex Andrews.

Hasta que le envió una docena de rosas rojas a la oficina al día siguiente y la llamó esa misma tarde para invitarla a cenar. A partir de ese momento, y a pesar de que Alex tenía casos difíciles de que ocuparse, a duras penas consiguió concentrarse en su trabajo durante los cuatro meses de noviazgo con Sam.

Le pidió que se casara con él el día de San Valentín. Celebraron la boda un día de junio, en una pequeña iglesia de Southampton, a la que asistieron dos docenas de amigos, que aportaron el calor y la alegría de unos familiares que no tenían. Se fueron a Europa de luna de miel. Se alojaron en hoteles de los que Alex sólo había oído hablar. Estuvieron en París y Mónaco, y pasaron un romántico fin de semana en Saint-Tropez. Sam tenía un cliente que salía con una actriz de cine de allí, así que disfrutaron muchísimo, asistieron a una fiesta en un yate y se fueron a Italia navegando, para volver al día siguiente.

Estuvieron en San Remo, en Venecia, Florencia y Roma. Se marcharon luego a Atenas, donde se alojaron en la casa de un cliente de Sam. Los últimos días los pasaron en Londres, donde fueron a Annabel's y a los restaurantes y clubes nocturnos favoritos de Sam. Curiosearon entre las joyas y antigüedades de Garrad's y Sam le compró todo tipo de ropa divertida y moderna en Chelsea, aunque Alex protestara que no sabría cuándo ponérsela, puesto que no podía ir a la oficina en fachas. Fue la luna de miel perfecta. Cuando volvieron a Nueva York, Alex se mudó al apartamento de Sam, puesto que había conservado el suyo hasta el día de la boda.

Alex aprendió a cocinar para él. Sam le compraba ropas caras. El día en que Alex cumplió los treinta, le regaló un hermoso y sencillo collar de diamantes. Podría haberle comprado muchas más cosas, pero ella no necesitaba más. Estaba satisfecha con la vida que llevaban de amor, amistad, respeto y pasión por el trabajo. En una ocasión Sam le había hablado de abandonar el trabajo, o de interrumpirlo al menos para quedarse en casa y tener hijos, y Alex lo había mirado como si se hubiera vuelto loco.

—¿Y qué me dices de trabajar y tener hijos al mismo tiempo? —había sugerido Sam. Llevaban seis años casados. Sam tenía ya treinta y nueve y empezaba a pensar en tener descendencia. Alex, por el contrario, no se consideraba preparada todavía.

—No me imagino tener a alguien que dependa tanto de mí. Todo el tiempo, quiero decir. Me sentiría culpable por trabajar tanto, no vería nunca a los niños y ésa no es manera de tenerlos.

—¿No crees que podrías bajar un poco el ritmo de tu trabajo por una temporada? —preguntó él, pero lo decía sin convicción.

—Sinceramente, no. No creo que se pueda ser abogada de medio tiempo —Alex había visto a otras mujeres en casos parecidos y todas habían acabado mal de los nervios. Al final volvían a trabajar tiempo completo y se sentían terriblemente culpables por sus hijos, o se retiraban del todo.

—¿Estás diciendo que no querrás tener hijos nunca? —era la primera vez que Alex pensaba en ello seriamente, pero tampoco creía que ésa fuera la solución. Finalmente acabó por decir:

—Todavía no, quizá más adelante.

El tema volvió a salir cuando Alex cumplió los treinta y cinco y parecía que todos sus amigos tenían hijos. Pero se habían acostumbrado a la cómoda vida que llevaban. Alex era ya socia de Bartlett y Paskin y Sam se había convertido en una leyenda en su profesión. Siempre que podían disfrutar de unas vacaciones se iban a Francia, y algunos fines de semana a California. Sam seguía teniendo muchos negocios en Tokio y también en los países árabes. Sencillamente, no parecía haber sitio para un hijo.

—No sé, a veces me siento tan mal... como si fuera antinatural... No sé cómo explicarlo, pero no es para mí, al menos de momento —se justificó Alex, y lo aplazaron otros tres años. Para entonces Alex tenía treinta y ocho años y se había disparado, aunque brevemente, la alarma de su reloj biológico. En la oficina una compañera acababa de tener un hijo; Alex admitió que el bebé era adorable y que ella parecía compaginar perfectamente el trabajo con su cuidado.

Esta vez fue Sam quien rechazó la idea. Le había tomado el gusto a la vida sin responsabilidades paternas. Después de doce años de matrimonio, Sam creía que era demasiado tarde, que ya no aportaría nada. Alex se sorprendió de sí misma al ver lo fácil que le resultaba ceder. Resultaba evidente que no estaban hechos para los hijos. Así pues, olvidaron el tema por completo, hasta que transcurrieron cuatro meses más.

Volvían de un viaje a la India, donde ella no había estado nunca, y Alex se sentía enferma. Temió haberse contagiado de alguna terrible enfermedad. Hacía tanto tiempo que no había estado enferma que se asustó; pero lo que le dijo el médico aún la asustó más. Se lo contó a Sam por la noche con expresión desesperada. Estaba embarazada. Los dos se miraron como si fueran víctimas de la caída de la Bolsa en el 29.

—¿Estás segura?

—Completamente —contestó ella, consternada. Ahora que estaba embarazada por primera vez en su vida sabía con seguridad que no quería tener hijos.

—¿No es cólera, malaria o algo parecido? —hubieran recibido la noticia de una enfermedad casi mortal con mayor alegría.

—El médico dice que tengo seis semanas —a Alex se le había retrasado la menstruación durante el viaje, pero había creído que era a causa del excesivo calor, o por las pastillas contra la malaria, o por la dureza del viaje—. Soy demasiado vieja, Sam —dijo tristemente a su marido—. No quiero pasar por esto. Sencillamente no puedo —estas palabras sorprendieron a Sam, pero lo alivió oírlas.

—¿Quieres que hagamos algo? —preguntó Sam. Siempre había sospechado que su mujer querría niños algún día y había empezado a temerlo.

—No creo que debamos. Me parecería una canallada. Lo que pasa es que no me parece que vaya a tener tiempo ni... ni ganas... La última vez que hablamos lo di por zanjado. Éramos felices tal como estábamos y de repente... estamos en un apuro.

Sam sonrió.

—¿No es irónico? La vida da muchas vueltas —ésta era una de sus frases favoritas—. Bueno, ¿y qué hacemos?

—No lo sé —Alex se echó a llorar. No quería abortar ni tampoco quería aquel hijo. Después de dos semanas de atormentarse, decidieron seguir adelante. Alex se creía moralmente obligada y Sam estaba de acuerdo. Intentaron tomarlo con filosofía, pero no sentían el menor entusiasmo e intentaban hablar de ello lo menos posible.

Cuatro semanas más tarde, Alex volvió a casa temprano una tarde, vomitando y con un dolor tan agudo en el abdomen que literalmente la tenía doblada por la mitad. El portero la ayudó a salir del taxi y le llevó el portafolio. Le preguntó si se encontraba bien y ella insistió en que sí, aunque tenía el rostro del color de la cera. Subió en el ascensor y entró en el apartamento. Afortunadamente se hallaba allí la mujer de la limpieza, porque una hora después Alex tenía una intensa hemorragia en el cuarto de baño. La mujer de la limpieza la llevó al hospital y llamó a Sam a su despacho. Cuando él llegó a Lenox Hill, Alex había entrado ya en el quirófano. Habían perdido a su hijo.

Ambos esperaban sentir un enorme alivio al ver desaparecer la fuente de toda su angustia, pero desde el momento en que Alex se despertó en la habitación del hospital y se echó a llorar desconsoladamente, supieron que no iba a ser tan fácil. Los consumía la pena y un cierto sentimiento de culpabilidad. Todo lo que Alex no había sentido por el bebé no nacido, se desbordó al perderlo. Fue la peor experiencia de su vida y le enseñó algo sobre sí misma que antes no había siquiera sospechado. Todo lo que deseó entonces fue llenar aquel vacío con otro hijo. Sam sentía lo mismo. Cuando Alex se reincorporó a su trabajo todavía no se había recuperado del golpe.

Pasaron un largo fin de semana fuera de casa y charlaron sobre el asunto. No estaban seguros de si se trataba de una reacción exagerada, pero sabían que algo importante había cambiado. De repente no desearon más que tener un hijo.

Sensatamente decidieron aguardar unos cuantos meses, para comprobar si seguían pensando lo mismo. Sin embargo, dos meses después del traumático aborto, Alex comunicó a Sam tímidamente, con alegría apenas disimulada, que volvía a estar encinta.

Su regocijo fue grande, pero cauteloso, pues existía la posibilidad de que volviera a perderlo. Al fin y al cabo tenía treinta y ocho años. Su salud, no obstante, era inmejorable, y el médico les aseguró que no tenían por qué temer.

—¿Sabes una cosa? Estamos locos —dijo Alex una noche, mientras comía galletas Oreo, llenando de migas toda la cama. Decía que era lo único que le asentaba el estómago—. Estamos completamente locos. Hace cuatro meses casi nos suicidamos porque íbamos a tener un hijo, y ahora estamos hablando de nombres y no paro de leer revistas en el consultorio del médico para saber qué tipo de móviles hay que poner sobre la cuna. ¿Es que he perdido el seso o qué?

—Quizá —dijo él, sonriéndole cariñosamente—. Desde luego es mucho más difícil compartir la cama contigo. No sabía que iba a tener que soportar las migas de galletas. ¿Crees que será permanente o es sólo un antojo del primer trimestre?

Alex rió y se abrazaron. Hacían el amor con mayor frecuencia que antes. Charlaban sobre el bebé como si hubiera nacido ya y formara parte de sus vidas. A Alex le hicieron una amniocentesis para comprobar si todo iba bien. En cuanto supieron que se trataba de una niña, decidieron llamarla Annabelle, por su club favorito de Londres y porque era un nombre que a Alex siempre le había gustado. El embarazo fue completamente distinto del primero. Era como si creyeran que los habían castigado por su indiferencia y hostilidad hacia el primer hijo y trataran de compensarlo con una excitación desbordante por el segundo.

Los socios del bufete de Alex le dieron una fiesta justo después de Año Nuevo, y esa misma semana, tan sólo dos días antes de estar fuera de cuenta, abandonó a regañadientes su despacho. Ella quería seguir trabajando hasta el momento mismo del parto, pero no tenía sentido que siguiera ocupándose de casos que dejaría inconclusos, así que se fue a casa a aguardar el pequeño milagro, como ellos lo llamaban. Alex temía aburrirse, pero descubrió que disfrutaba enormemente preparando el cuarto de la niña, doblando su ropita y apilando pañales pulcramente sobre la mesa para cambiarla. Para ser una mujer que infundía miedo y respeto en la mayoría de los abogados cuando entraba en la sala del tribunal, parecía haber cambiado radicalmente. Incluso llegó a preocuparle que sus sentidos se embotaran, que no volviera a ser tan dura, o que no consiguiera centrarse tanto en su trabajo cuando lo reanudara, pero su hija era cuanto le importaba en aquel momento. Se imaginaba abrazándola y dándole de comer, y se preguntaba si sería pelirroja y con los ojos verdes como ella, o morena y de ojos azules como su padre.

El parto habría de producirse en un hospital de Nueva York. Alex quería que todo fuese natural, para saborear cada instante de aquella experiencia porque, a su edad, no se imaginaba repitiéndola otra vez. A pesar de la aversión de Sam a los hospitales, fue a las clases de preparación para el parto con ella y decidió asistir al alumbramiento.

Tres días después de estar fuera de cuenta se hallaban cenando en Elaine cuando a Alex se le rompió la fuente. Se dirigieron rápidamente al hospital, pero los enviaron de vuelta a casa hasta que empezara a tener las contracciones. Hicieron todo lo que les habían dicho en las clases de preparación: Alex intentó dormir un rato, luego se paseó, Sam le frotó la espalda y todo pareció muy agradable y sencillo. Se tumbaron en la cama y charlaron sobre lo asombroso que era todo aquello después de trece años de matrimonio. Sam miraba el reloj de vez en cuando, intentando adivinar cuántas horas tardaría en nacer su hija. Acabaron durmiéndose los dos. Cuando las contracciones la despertaron, Alex se dio una ducha caliente, como le habían indicado, para comprobar si se interrumpían o seguían con más fuerza. Permaneció en la ducha durante media hora, cronometrando las contracciones, hasta que de repente se hicieron más frecuentes. Apenas podía sostenerse en pie al salir de la ducha. Intentó despertar a Sam, pero éste estaba dormido como un tronco y Alex tuvo que sacudirlo con fuerza, llorando histéricamente. Cuando por fin se despertó, dio un respingo al ver el rostro de su mujer.

—¿Ya? —dijo, y saltó de la cama con el corazón latiéndole a mil por hora. Se puso a buscar los pantalones frenéticamente. Los había dejado sobre una silla, pero en la oscuridad no conseguía encontrarlos. Mientras tanto, Alex lloraba de dolor, aferrada a su brazo.

—Es demasiado tarde... voy a tenerlo ahora mismo... —dijo, dominada por el pánico, olvidado todo lo que le habían enseñado. Era demasiado mayor, dolía demasiado, y ya no quería saber nada de un parto natural.

—¿Aquí? ¿Vas a tenerlo aquí? —Sam la miró aterrorizado e incrédulo.

—No lo sé... yo... es... oh, Dios mío, Sam... es horrible... no podré...

—Sí que puedes... en el hospital te darán drogas... no te preocupes... vístete.

Al final Sam tuvo que ayudarla a vestirse y a ponerse los zapatos. Jamás la había visto tan vulnerable ni sufriendo tanto. El portero les encontró un taxi al instante. Eran las cuatro de la madrugada. Cuando llegaron al hospital Alex casi no podía caminar. El médico los esperaba ya. Las comadronas afirmaron que todo se desarrollaba satisfactoriamente. A Alex, por el contrario, no le entusiasmaba el proceso al que ellas se referían como de "transición". A Sam le costó reconocer a su mujer cuando se puso a gritar pidiendo drogas y a chillar con cada contracción. Pero Alex acabó calmándose a medida que avanzaba el parto. Dos horas después de llegar al hospital, Alex empujaba con fuerza. Finalmente le pusieron la epidural mientras Sam la cogía por los hombros y todos la animaban. Parecía durar eternamente, pero sólo faltaba media hora más para que apareciera la cabecita de Annabelle, de brillante pelusa pelirroja. La niña lanzó un gran bostezo y luego, como si se hubiera sorprendido de sí misma, miró a Sam, mientras las lágrimas rodaban por las mejillas de sus padres. Annabelle miraba a su padre como si lo hubiera estado buscando durante largo tiempo. Después le presentaron a su madre. Alex la cogió en brazos, desbordada por emociones con las que ni siquiera había soñado. Se sentía completa de un modo del que sólo había oído hablar. Al cabo de una hora sostenía a Annabelle como si fuera toda una experta y le daba de mamar felizmente. Sam les hizo un centenar de fotos. Ambos lloraban por el milagro que habían estado a punto de perderse. Sentían que un poder superior los había salvado de su propia estupidez.

Sam pasó la primera noche en el hospital con la madre y la hija. De hecho, tanto él como Alex estuvieron la mayor parte del tiempo contemplando a la niña, turnándose para cogerla, tapándola y destapándola y cambiándole los pañales. Sam contemplaba con arrobo a Alex mientras la amamantaba, le parecía lo más hermoso del mundo. Mirando a su hija, estuvieron de acuerdo en que deseaban tener otro hijo. Sam temía que Alex no quisiera oír hablar del tema después de haber pasado por un parto, pero fue ella quien lo propuso, después de que ambos besaran a la niña dormida.

—Quiero volver a hacerlo.

—No hablas en serio —dijo Sam, asombrado pero complacido. Quería tener un hijo varón, pero tampoco le importaría que fuera otra niña tan perfecta y hermosa como Annabelle, a la que no dejaba de tocar los pequeños dedos de los pies, mientras Alex le besaba las manitas.

De vuelta a casa, Annabelle se convirtió en la pasión de sus padres. Sam volvía pronto siempre que podía. Por su parte, Alex se reincorporó al bufete con pesar al cabo de tres meses. Intentó seguir dándole el pecho a Annabelle, pero su horario no se lo permitía. En cambio, sí volvía a casa para comer con frecuencia, procuraba salir a las cinco siempre que no tuviera juicio, para trabajar en casa por la noche, cuando Annabelle ya estaba acostada, y los viernes salía a la una indefectiblemente. A cambio de tanto amor y esfuerzos, Annabelle adoraba a sus padres y era la luz de sus vidas. Carmen se ocupaba de ella durante el día, pero sólo hasta que Alex y Sam llegaban a casa, y Annabelle aguardaba con impaciencia ese momento, demostrándolo con gritos de deleite.

A Carmen le gustaba trabajar para ellos, porque eran personas agradables, y además estaba loca por la niña. Alardeaba mucho de Sam y de Alex, de lo importantes que eran y de cuánto trabajaban.

Sam solía aparecer en las noticias financieras. Había conseguido grandes titulares en los últimos tiempos por los negocios llevados a cabo para importantes clientes. Y Alex había aparecido en la televisión más de una vez gracias a la trascendencia de algunos de sus casos.

En las mentes de sus padres no cabía la menor duda de que Annabelle era una niña brillante, además de guapa. A los diez meses y medio ya caminaba, habló con claridad poco después y se expresó con largas frases mucho antes de lo normal.

—Va a ser abogada —decía siempre Alex a su marido para picarlo. En cualquier caso, ninguno de los dos negaba la increíble semejanza de Annabelle con su madre, de la que parecía una miniatura, incluso en los gestos.

La única frustración que turbaba su felicidad era que Alex no conseguía quedar otra vez embarazada, a pesar de todos sus esfuerzos. Empezaron a intentarlo cuando Annabelle tenía seis meses y siguieron durante todo el año. Finalmente decidieron acudir a un especialista para averiguar si existía algún problema. Después de revisar a ambos, el médico dijo que no existía ninguno. Sencillamente, a la edad de Alex, solía ser más difícil. Cuando Alex cumplió los cuarenta y uno, empezó a tomar progesterona para "mejorar" sus ovulaciones. Al cabo de un año y medio, las hormonas parecían haber añadido más estrés a su vida del que ya padecía. Ella y su marido hacían el amor siguiendo un programa, utilizando un dispositivo que les indicaba exactamente cuál era el momento óptimo para concebir, conforme al aumento de la hormona luteinizante de Alex. Para ello, Alex mezclaba su orina con una serie de productos químicos; si se volvía azul, Sam tenía que volver corriendo a casa del trabajo. Lo tomaban con sentido del humor y los llamaban los "días azules". Lo cierto es que la presión que se derivaba de ello no los beneficiaba en nada en una vida laboral ya de por sí dura.

En todo caso creían que valía la pena y les parecía divertido que después de tantos años de no querer tener hijos estuvieran dispuestos a cualquier cosa por tener otro. Incluso habían hablado de que Alex se inyectara Pergonal, medida mucho más extrema que las pastillas de progesterona, con efectos secundarios. Otra posibilidad era la fecundación *in vitro*, pero Alex creía que a los cuarenta y un años aún podía concebir sin llegar a tales heroicidades, sobre todo teniendo en cuenta la cantidad de hormonas que estaba tomando y que para ella significaban un gran compromiso, porque era una de esas personas que reaccionaban mal a la medicación. Annabelle les había enseñado una nueva vida, con un nuevo vínculo entre ellos y algo mucho más importante que sus dos carreras juntas.

Annabelle tenía tres años y medio. Sus cabellos formaban un halo de rizos pelirrojos, tenía enormes ojos verdes y el rostro cubierto por un suave velo de pecas que Alex llamaba "polvo de hadas".

Sobre la mesa del despacho de Alex había una gran foto de Annabelle empuñando una pala en la playa de Quogue, donde habían veraneado el año anterior. Alex la miró con una sonrisa antes de consultar nuevamente su reloj.

Alzó la vista del trabajo cuando entró Brock Stevens. Era uno de los jóvenes asistentes del bufete. Trabajaba exclusivamente para ella y para otro abogado. Se ocupaba de investigar y de buscar información para los casos de Alex que iban a juicio. Sólo llevaba dos años en Bartlett y Paskin, pero ya había conseguido impresionarla con su trabajo.

—Hola, Alex... ¿tienes un minuto? Sé que has estado muy ocupada esta mañana.

—Desde luego. Entra —Alex le sonrió. Brock tenía treinta y dos años, pero a ella seguía pareciéndole un chico. Era guapo, con el pelo rubio rojizo y parecía el hermano pequeño de todo el mundo. Había estudiado en una Facultad de Derecho estatal de Illinois y había tenido que trabajar para pagarse los estudios, pues procedía de una familia humilde. Brock tenía la misma pasión por la abogacía que Alex, y ésta lo admiraba por ello.

Brock se sentó frente a Alex al otro lado de la mesa con aspecto serio. Iba en mangas de camisa y llevaba la corbata torcida, lo que contribuía a hacerle parecer más joven.

—¿Qué tal estuvo la declaración?

—Muy bien. Creo que Matt ha tenido suerte. El principal demandado metió la pata y ahora lo tiene justo donde quería. De todas formas está minando sus defensas, pero el caso va para largo. A mí ya me hubiera vuelto loca.

—Y a mí, pero es interesante hacer historia con él. Están sentando un montón de precedentes. Eso me gusta —era tan joven, vital y soñador que algunas veces Alex lo encontraba algo ingenuo, aunque fuera un magnífico abogado.

—Bueno, ¿y tú qué tienes? ¿Algo nuevo en el caso Schultz?

—Y tanto —Brock esbozó una sonrisa de oreja a oreja—. Hemos dado en el blanco. El demandante ha estado defraudando al fisco en los dos últimos años. No causará muy buena impresión al jurado. Por eso se resistían a entregarnos sus cuentas.

—Bien. Muy bien —Alex también sonrió—. ¿Cómo lo has descubierto? —habían tenido que presentar una petición para que les entregaran los registros financieros, y finalmente les habían llegado esa misma mañana.

—Es bastante fácil imaginar qué hizo. Te lo mostraré más tarde. Creo que con esto podríamos conseguir un acuerdo, si tú consigues que el señor Schultz lo acepte.

—Lo dudo —comentó Alex, pensativamente. Jack Schultz era el propietario de una pequeña empresa a la que dos antiguos empleados habían puesto sendos pleitos injustamente. Era una buena razón para conseguir cuantiosas indemnizaciones en caso de despido. Pero esos dos acuerdos habían sentado precedente, y habían movido a otro antiguo empleado a demandarlo. El sujeto había robado dinero de la empresa y había cobrado comisiones, pero acusaba a Schultz de discriminación. En su caso, Schultz no quería negociar, sino demostrar que estaba dispuesto a luchar y vencer.

—De todas formas creo que tenemos lo que necesitábamos. Con el testimonio sobre las comisiones del tipo de Nueva Jersey creo que podremos enterrar al demandante.

—Cuento con eso —el juicio estaba previsto para el miércoles siguiente.

—Tengo el presentimiento de que el abogado del demandante te llamará para proponerte un trato esta semana, ahora que tenemos sus registros financieros. ¿Qué vas a decirle?

—Que se vaya al cuerno. El pobre Jack merece ganar esta vez. Y tiene razón, no puede aceptar acuerdos continuamente. Ojalá otros empresarios tuvieran el valor de hacer lo mismo que él.

—Es más barato pagar el acuerdo. La mayoría no quiere entrar en pleitos —no obstante, ambos sabían que en el mundo empresarial se estaba desarrollando la tendencia a luchar y ganar en lugar de silenciar a la parte contraria con indemnizaciones que, en realidad, recompensaban a los demandantes por entablar pleitos injustos. El año anterior, Alex había ganado varios de esos casos, y tenía cierta reputación como abogada de los demandados en tales liti-

26

gios—. ¿Estás preparada para el juicio? —preguntó Brock, aunque sabía que era una pregunta innecesaria para alguien como Alex. Él intentaba apoyarla en todas las formas posibles para que no tuviera sorpresas ante el tribunal. Le gustaba trabajar para ella. Era dura, pero justa, y no esperaba que otros trabajaran más que ella. A él no le importaba pasarse horas y horas preparando sus casos, en los que siempre aprendía muchísimo de la estrategia seguida por Alex. Ella no aceptaba nunca riesgos que pudieran perjudicar a sus clientes, y les advertía con toda clase de detalles de aquello a lo que se exponían.

Brock quería ser socio del bufete y sabía que ese día no estaba demasiado lejos. También sabía que Alex estaría más que dispuesta a recomendarlo, aunque se quejara a veces de que no le quedaría nadie de quien fiarse para hacer el trabajo pesado cuando lo hicieran socio. El otro abogado para el que trabajaba Brock le había dicho que Alex había hablado ya en su favor a Matthew Billings, aunque Alex no lo admitiría jamás.

—¿Quién es ese nuevo cliente con quien vas a verte hoy? —a Brock le interesaba todo cuanto ella hacía.

—No estoy segura. Creo que quiere demandar a un abogado de otro bufete —Alex recelaba de casos como ése, a menos que los creyera plenamente justificados. Ser abogado litigante tenía sus desventajas. En ocasiones se encontraba con montones de personas que intentaban descargar su ira contra el mundo en personas que no se lo merecían. El miserable, el amargado y el avaricioso creían con frecuencia que podrían mejorar su suerte gracias a un pleito. Alex no aceptaba los que no tenían una base sólida, lo que ocurría con frecuencia.

—De todas formas, haz lo que puedas por resolver lo de Schultz. ¿Por qué no lo revisamos mañana por la mañana? Es viernes y me marcharé a la una, pero tendremos tiempo de hacer un buen resumen, y yo repasaré el expediente durante el fin de semana. Quiero leer otra vez todas las declaraciones y asegurarme de que no he pasado nada por alto —Alex frunció el entrecejo mientras apuntaba en su agenda que tenía reunión con Brock a las ocho y media de la mañana. No tenía más citas en todo el día, porque solía reservar los viernes para trabajo de oficina.

—He estado repasando las declaraciones durante toda esta semana. He tomado algunas notas que te enseñaré mañana. Hay algunas cosas que valen la pena, seguro que querrás utilizarlas. También he hecho unas cuantas indicaciones sobre los videos —habían grabado en video algunas de las declaraciones. Era una herramienta que en ocasiones resultaba muy útil y que, cuando menos, exasperaba a la parte contraria.

—Gracias, Brock —éste era una bendición para Alex, que se hubiera visto perdida en un mar de casos sin la colaboración de un buen ayudante. El resto del equipo lo formaba un pasante, que estaba tanto tiempo con Brock como éste con Alex—. Nos vemos mañana a las ocho y media. Gracias por todo ese trabajo —no hacía falta en realidad que se lo agradeciera, era el estilo de Brock, que no estaba casado y disponía de mucho tiempo para dedicárselo al trabajo, fuera de noche, en fin de semana o en vacaciones. Algunas veces, a Alex le recordaba el Sam de los primeros tiempos. También ellos tenían un horario apretado, pero la llegada de Annabelle había supuesto un cambio. Afortunadamente para ella, Brock aún no había llegado a esa etapa. Sabía que Brock había estado saliendo un tiempo con otra ayudante, una joven atractiva que había estudiado en Stanford, pero él valoraba demasiado su carrera para arriesgarse a que se hiciera público un romance que iba en contra de las normas del bufete.

Poco después Alex se entrevistaba con su nuevo cliente. No le entusiasmó lo que le contó. Era un caso de feo aspecto. No estaba convencida, además, de que el demandante dijera la verdad. Le dijo que lo pensaría y lo discutiría con sus socios, pero también que tenía demasiados casos pendientes de juicio para prestarle la atención que merecía y que sin duda él esperaba. Se mostró muy diplomática pero firme, y prometió llamarle por teléfono al cabo de unos días, cuando hubiera hablado con sus socios. En realidad no tenía intención de hablar con nadie. Sólo necesitaba algo de tiempo para meditarlo, aunque dudaba seriamente que acabara aceptándolo.

A las cinco en punto miró su reloj y llamó a su secretaria, Elizabeth Hascomb, por el intercomunicador para decirle que se marchaba. Firmó unas cartas que le había dejado la secretaria, escribió unas cuantas notas y volvió a llamarla por el intercomunicador para darle instrucciones. Minutos después, Liz entró para recoger las notas. Las dos mujeres intercambiaron una sonrisa. Liz era una viuda que se acercaba a la edad de jubilación, con cuatro hijos y seis nietos. Admiraba a Alex por marcharse a casa cuanto antes para estar con su hija, lo que demostraba que era una buena esposa y madre. A Liz le gustaba que Alex le hablara de Annabelle y que le mostrara fotos suyas.

—Dele un beso a Annabelle de mi parte. ¿Qué tal le va en el colegio?

—Le encanta —Alex dejó caer un último papel en su portafolio—. No se olvide de enviarle las notas de esta mañana a Matthew, por favor. Y necesitaré el expediente completo de Schultz en mi mesa cuando llegue mañana. Tengo una reunión con Brock a las ocho y media —Alex tenía miles de cosas en que pensar. El juicio del caso Schultz iba a dar comienzo el miércoles siguiente, lo que le impediría ir a la oficina durante una semana o más. Eso significaba que tendría que ocuparse de cuantos asuntos pudiera antes del miércoles—. Hasta mañana —se despidió Alex. Liz sabía que si surgía una emergencia después de que Alex se fuera, podía llamarla a su casa o enviarle documentos con un mensajero. Alex no perdía nunca el contacto. Cuando se hallaba en los tribunales, llevaba siempre un *beep*.

—Buenas noches, Alex.

Cinco minutos más tarde Alex se hallaba en Park Avenue, frente al intenso tráfico de las cinco. En horas pico se necesitaba cierta agresividad para coger un taxi antes que los demás. Alex cogió uno en dirección norte y notó con sorpresa que hacía un día espléndido, uno de esos días de octubre en que el sol brilla y la brisa sopla caliente pero lleva consigo cierto frescor de otoño.

Cuando hacía un tiempo así, le apetecía caminar, pero no quería perder ni un minuto en llegar a casa. Se metió en el taxi y pensó en Annabelle y su carita traviesa con pecas. Era difícil que no pensara también en un nuevo embarazo. A pesar de que hubieran pasado ya tres años sin conseguirlo, en realidad no estaba preparada para medidas más drásticas, como la fecundación *in vitro*, pues no sabía de dónde podría sacar el tiempo. Todo sería mucho más fácil si ocurriera de modo natural. Su nivel de progesterona era alto, el de la hormona foliculoestimulante era bajo... pero no servía de nada. Recordó entonces que tenía que hacer la prueba "azul" tan pronto como llegara a casa para asegurarse de que no desaprovechaban el momento ideal. Según sus cálculos, iba a ovular ese mismo fin de semana. Al menos no estaría trabajando, o en un juicio, gracias a Dios, se dijo, mientras el taxi avanzaba en medio del denso tráfico.

Quedaron atascados en Madison con la Setenta y cuatro. Alex decidió bajar y hacer a pie las tres últimas calles. El aire resultó agradable después de estar encerrada todo el día. Caminaba con paso vivaz, balanceando el portafolio y pensando en Annabelle. Tal vez Sam se hallara también en casa. Su sonrisa se hizo más radiante al pensar en él. Seguía enamorada después de diecisiete años de matrimonio. Lo tenía todo en la vida: una carrera fabulosa, una hija adorable y un marido al que amaba profundamente. Era una mujer afortunada. Si no quedaba embarazada otra vez tampoco sería el fin del mundo. Quizá optaran por la adopción, o se conformaran con Annabelle. Sam y ella habían sido hijos únicos y no les había hecho ningún mal; al contrario, se decía que los hijos únicos eran más espabilados.

En cualquier caso, Alex era feliz. Pensando en ello llegó a su edificio, sonrió al portero y entró confiadamente en el vestíbulo.

2

Cuando Alex abrió la puerta, el apartamento le pareció extrañamente silencioso. Tal vez Carmen se había quedado con Annabelle en el parque más de lo que solían. Por lo general estaban en casa antes de las cinco y Annabelle se daba un baño antes de la cena. Cuando Alex entró en su cuarto de baño encontró a Annabelle sentada en la bañera como una princesita en medio de una montaña de espuma que casi la ocultaba por completo. Carmen estaba sentada en el borde, bañando a la niña, mientras ésta fingía que era una sirena. No decía nada, sólo "nadaba" de un lado a otro. Utilizar la honda bañera de mármol de su madre no era un hecho habitual, por eso Alex no las había oído al entrar en el apartamento, ya que su dormitorio se hallaba al final de un largo pasillo.

—¿Qué hacen aquí? —Alex sonrió a ambas, feliz de ver a su hija.

—Shhh... —dijo Annabelle muy seria, llevándose un dedo a los labios—. Las sirenas no hablan.

—¿Eres una sirena?

—Pues claro. Carmen me dijo que podía usar tu bañera y tu jabón de burbujas si me dejaba lavar el pelo esta noche.

Carmen sonrió a Alex y ésta se echó a reír. A Annabelle le encantaba hacer tratos y Carmen sentía tanta debilidad por ella como sus propios padres, de lo que Annabelle se aprovechaba, sin abusar.

—¿Y si me baño contigo y nos lavamos el pelo las dos? —sugirió su madre. Le apetecía tomar un baño antes de que llegara Sam.

—Bueno —Annabelle odiaba que le lavaran el pelo, pero empezaba a sospechar que no tendría escapatoria.

31

Alex se quitó el traje sastre y los zapatos de tacón, mientras Carmen iba a la cocina a preparar la cena. Instantes después madre e hija charlaban en la bañera sobre cómo habían pasado el día. A Annabelle le gustaba que su madre fuera abogada y su padre "inventor" capitalista, como lo llamaba ella. Siempre explicaba que era una especie de banquero que regalaba el dinero de la gente; no era exactamente como lo describía su padre, pero satisfacía a Annabelle. Sabía que su madre iba a los juicios y discutía con el juez, pero que ella no enviaba a nadie a la cárcel, lo cual era más sencillo.

—Bueno, ¿qué tal has pasado el día? —preguntó Alex, deleitándose con el baño y sintiéndose como una sirena, también ella, después de todo un día de trabajo.

—Muy bien —Annabelle miraba a su madre complacida. Alex le había dado un beso al entrar en la bañera y se hallaba ahora sentada felizmente junto a ella—. ¿Ha ocurrido algo especial en el colegio?

—No. Sólo comimos ranas.

—¿Que comieron ranas? —Alex estaba intrigada, pero conocía bien la manera de ser de su hija y sabía que no se lo había contado todo—. ¿Qué tipo de ranas? —no podían ser de verdad.

—Ranas verdes. Con los ojos negros y pelo de coco —el "pelo de coco" fue el detalle revelador. Alex se preguntaba cómo habría podido vivir sin su hija.

—¿Quieres decir que eran pastelillos?

—Sí, más o menos. Los llevó Bobby Bronstein. Era su cumpleaños.

—Eso suena muy bien.

—Su madre llevó gusanos de goma y también arañas. Eran muy grandes —Annabelle estaba encantada con la terrorífica historia que había conseguido intrigar a su madre.

—Deben haber estado deliciosos —Alex sonrió a su hija, que se encogió de hombros, poco impresionada por tales delicias culinarias.

—Ha estado bien. Me gustan más tus pastelillos, sobre todo los de chocolate.

—Quizá los haga este fin de semana —"después de que papá y yo hagamos el amor e intentemos darte un hermanito o hermanita", pensó Alex, recordando de nuevo la prueba de la orina.

—¿Qué vamos a hacer este fin de semana? —preguntó una voz familiar. Las dos alzaron la cabeza y vieron a Sam, que contemplaba la enternecedora escena con aire divertido. Se inclinó para besar a su mujer y a su hija, y Alex lo cogió por la corbata y lo retuvo para darle otro beso, a lo que él no opuso la menor resistencia.

—Estamos hablando de hacer pastelillos, entre otras cosas —dijo Alex con tono seductor. Sam enarcó una ceja y se alejó de la bañera para aflojarse la corbata y abrirse el cuello de la camisa.

—¿Algún otro plan para el fin de semana? —preguntó como si tal cosa. También él había recordado la prueba.

—Eso creo —Alex le sonrió. Sam tenía casi cincuenta años, pero seguía siendo un hombre muy atractivo y aparentaba menos edad. Era evidente que el nacimiento de Annabelle no había apagado la pasión que existía entre ellos.

—¿Qué hacen las dos en la bañera con todas esas burbujas? —preguntó a Annabelle.

—Somos sirenas, papi.

—¿Les importa que las acompañe una gran ballena?

—¿Te vas a bañar tú también, papi? —dijo Annabelle entre risitas.

Sam se quitó la chaqueta y se desabrochó la camisa. Instantes después había cerrado la puerta con pestillo para que Carmen no los sorprendiera y se había metido en la bañera con sus dos sirenas. Chapotearon y jugaron los tres. Finalmente Alex salió de la bañera para secar a su hija, a la que había acabado por no lavarle el pelo, y envolverla en una gran toalla rosa, mientras Sam se daba una ducha para quitarse el jabón. Luego él salió y se enrolló una toalla blanca alrededor de la cintura mientras contemplaba a sus dos mujeres con deleite.

—Parecen gemelas —Sam sonrió de nuevo contemplando a sus dos pelirrojas. Alex se había quejado últimamente de que le habían salido unas cuantas canas, pero no se le apreciaban.

—¿Qué vamos a hacer en Halloween? —preguntó Annabelle mientras su madre la secaba. Sam abrió la puerta del cuarto de baño y entró en el dormitorio para ponerse unos vaqueros, un suéter y unos tenis. Le encantaba llegar a casa para jugar con Annabelle y pasar el rato con Alex. No le importaba que su mujer trabajara hasta tarde, sencillamente quería estar a su lado. Pocas cosas habían cambiado entre ellos después de tantos años de matrimonio. Lo único que lamentaba era no haber descubierto antes lo maravilloso que era tener hijos.

—¿Qué quieres hacer tú? —le preguntó Alex, mientras ahuecaba sus brillantes rizos con los dedos.

—Quiero ser un canario —contestó Annabelle con firmeza.

—¿Un canario? ¿Y por qué un canario?

—Son bonitos. Hillary tiene uno. Bueno, también podría ser Campanita... o la Sirenita.

—Iré a F.A.O. Schwarz a la hora de comer la semana que viene y veré qué puedo encontrar. ¿De acuerdo? —entonces recordó el juicio. Tendría que hacerlo antes del miércoles o esperar a que el juicio terminara. O quizá Liz podría encargarse de ir a buscar algo de la talla de Annabelle.

—Entonces, ¿qué vamos a hacer en Halloween? —preguntó Sam, que había vuelto a entrar en el cuarto de baño.

—Podríamos ir a pedir caramelos por el edificio, como el año pasado —sugirió Alex, y Sam asintió. Alex llevaba un albornoz rosa y una toalla del mismo color enrollada en la cabeza. Le puso el camisón a Annabelle, se la entregó a su padre y se dirigió a la cocina.

Había un pollo en el horno, papas asadas en el microondas y ejotes salteados en una sartén. Carmen estaba a punto de marcharse. Se quedaba hasta más tarde cuando ellos salían, pero cuando se quedaban en casa, ponía a punto la cena y se iba. Otras veces cocinaban ellos mismos cuando volvían de la oficina.

—Gracias por todo —dijo Alex—. Voy a necesitar mucha ayuda la semana que viene, Carmen. Empiezo un juicio el miércoles.

—Claro, la ayudaré. Puedo quedarme más tiempo, no hay problema.

Carmen sabía que intentaban tener otro hijo, y la decepcionaba que no lo consiguieran. Le encantaban los niños. A sus cincuenta y siete años había tenido seis hijos y dos maridos, y por el momento diecisiete nietos. Vivía en Queens, pero no le importaba trabajar para los Parker en Manhattan.

—Hasta mañana —dijo Alex cuando Carmen se fue. La mesa estaba puesta y la cena olía maravillosamente. Alex fue a ponerse unos vaqueros y una blusa. Cinco minutos después llamaba a Annabelle y a Sam a cenar. Comieron en la vieja mesa rústica de la cocina, con los manteles individuales bien limpios y las velas encendidas. Algunas veces lo hacían en el comedor, pero preferían la cocina, y la mayoría de las noches cenaban con Annabelle, salvo cuando llegaban tarde o salían a cenar fuera. La niña parloteó hasta por los codos durante la comida. Luego Sam ayudó a Alex a lavar los platos mientras Annabelle jugaba. Cuando él se sentó a ver las noticias, Alex le leyó un cuento a la niña, que a las ocho estaba ya dormida. Alex estaba a punto de sentarse junto a su marido en el sofá de piel del estudio cuando recordó la prueba de la orina, y fue a hacerla. Ésta no detectó aún la subida hormonal que precedía a la ovulación, y no había modo de determinar cuándo ocurriría. De todas formas, Alex sabía que sería muy regular, gracias a las hormonas que estaba tomando, y que se produciría el sábado o el domingo. Les habían advertido que no debían dejar de hacer el amor durante más de cinco días antes de la ovulación, pero tampoco podían hacerlo inmediatamente antes, porque disminuiría el número de espermatozoides de Sam. Su vida sexual había perdido espontaneidad, pero seguían disfrutando de ella, y Sam lo había tomado con muy buen humor. A él le habían dicho que no bebiera en exceso en esos días y que no se bañara nunca con agua caliente ni se metiera en un sauna, porque el calor mataba los espermatozoides. Algunas veces Sam bromeaba con su mujer sobre la posibilidad de llevar hielo en los calzoncillos, como sabía que hacían otros hombres de parejas con problemas de fertilidad. Sin embargo, ellos no tenían un "problema", sencillamente a Alex le costaba quedar embarazada por su edad.

—¿Qué, se requieren mis servicios esta noche? —preguntó con tono de guasa, cuando Alex se sentó en el sofá.

—Todavía no —respondió ella, sintiéndose como una boba, aunque fuera por el mejor de los motivos—. Pero sigo creyendo que será este fin de semana.

—Se me ocurren cosas peores para un sábado por la tarde —dijo él alegremente, rodeándola con el brazo. Carmen solía ir medio día el sábado, así que podían dormir bien al menos una vez por semana.

Alex le comunicó a Sam que tenía un juicio el miércoles siguiente y le habló de la declaración a la que había asistido por la mañana, sin contarle nada confidencial. Y él comentó que tenía un nuevo cliente en Bahrein y un nuevo socio en perspectiva, que le habían presentado sus dos socios. Era un inglés que tenía fama de conseguir acuerdos fabulosos en el mundillo financiero. Sin embargo, a

Sam no le entusiasmaba después de haberlo visto unas cuantas veces y no estaba seguro de querer que entrara a formar parte de la sociedad. Le parecía demasiado pretencioso.

—¿Cuál es su atractivo? —preguntó Alex, siempre interesada en sus negocios. Sam expuso sus ideas para saber qué opinaba ella.

—Tiene muchísima plata e increíbles contactos internacionales. No sé... creo que puede convertirse en un cabrón. Es tan pagado de sí mismo. Se casó con lady no sé qué, la hija de un lord inglés muy importante, pero habla demasiado. No sé. Larry y Tom dicen que es una mina de oro andante.

—¿Han investigado? ¿Saben algo más sobre él?

—Claro. Y todo lo que dice es cierto. Hizo su primera fortuna en Irán. Era íntimo del sha, antes de que cayera, claro está. Se casó por segunda vez. Y supongo que ha estado haciendo dinero desde entonces, a montones. Ha realizado unos cuantos negocios exóticos en Bahrein, conserva unos vínculos muy fuertes con el Medio Oriente y más o menos da a entender que podría intimar con el sultán de Brunei. Francamente, no lo creo, pero Tom y Larry sí. Tengo la impresión de que es como elevarse hasta la estratosfera antes de explotar de tanto poder y dinero acumulado.

—Quizá deberían empezar por un periodo de prueba. Intenta trabajar con él durante seis meses, y luego me dirás si sigues opinando igual.

—Es lo mismo que les sugerí a Larry y a Tom, pero creen que es un insulto para alguien de su categoría. Supongo que Simon no es de los que admiten un periodo a prueba, pero yo no estoy seguro de querer comprometerme con él.

—Entonces hazle caso a tu instinto. Nunca te ha fallado y yo confío en él.

—Yo confío en ti —dijo él en voz baja, inclinándose para besarla. Desde que la conocía, no sabía si la admiraba más por su inteligencia o estaba más enamorado de ella por su cuerpo. Era una combinación irresistible—. ¿Qué te parece si nos vamos pronto a la cama esta noche y practicamos un poco para el fin de semana?

—Eso sí que me atrae —dijo ella, besándole el cuello. Aún estaban a tiempo de hacer el amor antes de la ovulación. Era un tema complejo, pero Alex estaba decidida a superarlo. Además, no duraría siempre. Al final quedaría embarazada, o dejarían de intentarlo y volverían a hacer el amor cuando quisieran.

Sam apagó las luces del estudio y de la sala de estar. Alex lo siguió hasta el dormitorio y se desvistió intentando no pensar en el portafolio que había dejado en un rincón. Pero Sam adivinó lo que pasaba por su mente, vio el portafolio y le preguntó amablemente si tenía que trabajar. Alex se encogió de hombros. En aquel momento su marido era mucho más importante.

Se metieron en la cama, entre las frescas sábanas de Pratesi, compradas en Madison Avenue, que acariciaron su piel. Sam la abrazó con fuerza y ella se olvidó de todo mientras hacían el amor, incluso del tan ansiado embarazo. Se perdieron en el espacio durante un tiempo interminable y doloroso de puro placentero, y luego volvieron con lentitud a la tierra, a la realidad, mientras él gemía suavemente entre sus brazos y se dormía satisfecho.

—Te amo —susurró Alex, con la boca hundida en los cabellos de su marido, mientras él roncaba débilmente. Se quedó abrazándolo durante largo rato. Luego, con mucho cuidado, se separó de él y fue en busca del portafolio. Se sentó sigilosamente en el sofá grande y cómodo del dormitorio para repasar los expedientes y tomar notas durante las dos horas siguientes. Sam no se movió lo más mínimo. Annabelle se despertó una vez, Alex fue a verla, y luego le llevó un vaso de agua. Se tumbó abrazada a su hija hasta que la pequeña se durmió y ella pudo volver a su dormitorio. Trabajó hasta la una. Entonces se desperezó, bostezó y devolvió los expedientes al portafolio. Estaba acostumbrada a trabajar de noche, cuando no molestaba a nadie y podía concentrarse en el silencio del apartamento.

Sam se agitó un instante cuando ella volvió a meterse en la cama. Alex apagó la luz y pensó en su marido, en Annabelle y en su próximo juicio, así como en el nuevo cliente con el que se había entrevistado por la mañana y al que había decidido rechazar. También reflexionó sobre el socio inglés del que Sam le había hablado. Tenía tantas cosas en la cabeza que a veces se decía que era una pena perder el tiempo durmiendo. No obstante, acabó por dormirse. Así seguía, como un tronco, cuando sonó el despertador a la mañana siguiente.

3

El día de Alex empezó como siempre. Sam la despertó con una palmada y un beso. El radio estaba encendido y, como casi todas las mañanas, ella estaba agotada. Cada día parecía abalanzarse sobre el siguiente, acosándola con nuevas exigencias y una tensión constante en la oficina.

Se levantó con dificultad y fue a despertar a Annabelle, que otras veces se despertaba antes que ellos. La niña se desperezó con aire somnoliento cuando Alex le dio un beso y se metió en su cama. Estuvieron riendo y charlando hasta que Annabelle quiso levantarse. Alex la llevó al cuarto de baño, le lavó la cara y los dientes y la peinó. Después eligieron un conjunto que Sam le había comprado en París. Eran unos pantalones de algodón, camisa de guingán y chaqueta a juego, todo de color rosa. Estaba adorable con él y los tenis, también rosas.

—Vaya, qué guapa vas hoy, princesa —dijo su padre con tono admirativo cuando Alex la sentó en la cocina para desayunar. Sam estaba siempre allí, afeitado, duchado y vestido con un traje gris oscuro, camisa blanca y corbata azul marino de Hermès, leyendo el *Wall Street Journal*, su biblia.

—Gracias, papi —Sam le sirvió cereales y leche y empezó a prepararle las tostadas, mientras Alex iba a ducharse. Su vida diaria estaba muy bien organizada, pero era flexible. Cuando Alex tenía una reunión temprano, Sam lo hacía todo, y viceversa. Aquella mañana los dos tenían tiempo de sobra y Alex se había ofrecido a llevar a Annabelle al colegio, que estaba a unas pocas calles de ahí.

Alex volvió a la cocina cuarenta y cinco minutos más tarde, justo a tiempo para tomar una taza de café y una tostada sobrante, y oír a Sam, que estaba explicándole los principios de la electricidad a su hija y por qué era peligroso meter un tenedor húmedo en el tostador.

—¿Verdad, mami? —Sam miró a Alex en busca de apoyo. Ésta asintió mientras le echaba un vistazo al *New York Times* y leía que el Congreso había desairado al presidente y que uno de los jueces que menos le gustaban acababa de retirarse.

—Al menos no tendré que preocuparme por él la semana que viene —dijo Alex con la tostada en la boca, y Sam se rió de aquel críptico mensaje. Las mañanas no eran el momento más lúcido de Alex, aunque se esforzaba por su hija.

—¿Cómo tienes hoy el día? —preguntó Sam. Él tenía un par de reuniones importantes con clientes, y el encuentro con el inglés en el 21 para comer, lo que tal vez sirviera para aclararle las ideas.

—Bastante bien. El viernes es mi día más corto —le recordó Alex—. Tengo una reunión con uno de los ayudantes para preparar el juicio. Y luego tengo que pasar con Anderson para que me haga una revisión de rutina. Después recogeré a Annabelle y nos iremos a Miss Tilly's —el día de la semana preferido por Annabelle era aquel en que asistía a clase de ballet en Miss Tilly's.

—¿Y lo de Anderson? ¿Ocurre algo que deba saber? —Sam parecía preocupado. Anderson era el ginecólogo que trataba a Alex.

—No es nada. Tengo que hacerme un frotis vaginal. Y quiero hablar de la progesterona con él. Con las dosis que me receta me resulta difícil seguir cuerda y conservar mi empleo. Quiero preguntarle si puedo tomar menos, o dejarla por un tiempo. No sé. Ya te contaré lo que me diga.

—Eso espero —Sam le sonrió, conmovido al ver que Alex se esforzaba tanto por tener un nuevo hijo.

—Buena suerte con Simon. Espero que él mismo decida dejarlo correr, o que consigas convencerte.

—Y yo —dijo Sam con un suspiro—. Simplificaría las cosas. No sé qué pensar de él, si confiar en mi instinto, o en su currículo o en mis socios. Quizá sea que me estoy volviendo paranoico con la edad —a Sam le impresionaba que fuera a cumplir los cincuenta ese mismo año. pero Alex sabía que seguía siendo tan brillante como siempre.

—Ya te lo dije anoche: confía en tu instinto. Nunca te ha fallado.

—Gracias por el voto de confianza —los dos cogieron sus respectivos abrigos. Alex ayudó a Annabelle a ponerse el suyo. Apagaron la luz, cerraron la puerta y aguardaron el ascensor. Sam las besó a ambas en la calle y paró un taxi. Alex acompañó a Annabelle hasta Lexington, donde estaba su colegio. Fueron charlando, riendo y bromeando durante todo el camino a pie. Annabelle se metió en el colegio rápidamente, Alex cogió un taxi y se dirigió hacia la zona sur de Manhattan.

Brock la aguardaba ya en su despacho con todos los expedientes necesarios. También la esperaban cinco mensajes que nada tenían que ver con el caso Schultz. Dos de ellos procedían del posible cliente del día anterior. Alex anotó mentalmente que debía llamarlo antes de abandonar la oficina.

Como de costumbre, Brock lo tenía todo perfectamente dispuesto y sus notas eran de gran ayuda. Alex se lo agradeció y alabó su trabajo. Terminaron hacia las once y media. A Alex aún le quedaban media docena de asuntos por resolver antes de marcharse, pero tenía cita con el ginecólogo a las doce, y era en la zona norte de la Gran Manzana, de modo que sólo pudo hacer unas cuantas llamadas.

—¿Alguna cosa más? —inquirió Brock con su habitual estilo desenfadado. Alex miró las notas que tenía sobre la mesa con cierta desesperación. Podía volver por la tarde, por supuesto, y dejar que Carmen llevara a Annabelle a ballet, pero sabía que su hija sufriría una gran decepción. Siempre parecía llegar tarde o tener prisa, o que intentaba hacer más de lo que podía. Su vida era como una carrera frenética en la que no tenía a nadie a quien pasarle la estafeta. Desde luego no podía pasársela a Sam, que tenía sus propios dolores de cabeza en el trabajo. Al menos Brock la ayudaba en el despacho. Con esta idea, le tendió dos de los mensajes y le pidió que devolviera las llamadas en su nombre.

—Te lo agradecería infinitamente.

—Encantado de hacerlo. ¿Algo más? —Brock la miró con gran cordialidad. Le gustaba trabajar con Alex.

—Podrías ir al médico por mí y pasar la revisión.

—También me encantaría hacer eso —contestó él con una sonrisa.

—Ojalá pudieras —dijo Alex, exasperada. Le parecía una pérdida de tiempo. Jamás se había sentido mejor. Además, podía hablar

41

con el médico sobre la progesterona por teléfono. Decidió que era lo mejor. Miró la hora y marcó el número para aplazar la visita, pero no contestaban. A Alex le pareció una grosería no presentarse sin avisar. Era un buen médico y había sido muy atento con ella. También la había atendido durante el parto de Annabelle. Volvió a llamar, pero no obtenía respuesta, así que cogió el abrigo para irse, a pesar de su irritación—. Supongo que será mejor que vaya. Seguramente tiene el teléfono descolgado —bromeó—, para no perder el tiempo. Llámame si descubres que algo se nos ha pasado por alto en el caso Schultz. Estaré en casa todo el fin de semana.

—No te preocupes. Te llamaré si te necesito. Lo mejor es que te olvides de ello ahora que está todo listo. Podemos repasarlo el lunes. Buen fin de semana.

—Hablas igual que mi marido. ¿Y qué vas a hacer tú? —quiso saber Alex mientras se ponía el abrigo y recogía su portafolio.

—Trabajar aquí todo el fin de semana, por supuesto. ¿Qué pensabas? —contestó Brock con una carcajada.

—Fantástico. Pues entonces no me vengas con discursos. Que tengas un buen fin de semana tú también —Alex agitó un dedo ante él a modo de advertencia, pero no hablaba en serio—. Gracias por todo. Te lo agradezco de veras.

—Tú olvídate de todo. El miércoles irá todo como la seda.

—Gracias, Brock —Alex salió volando, despidiéndose de Liz con un ademán. Cinco minutos después se hallaba en un taxi con rumbo a Park Avenue con la Setenta y dos. Se sentía un poco estúpida por ir al médico, al que no tenía nada nuevo que decir y que conocía de sobra los efectos secundarios de la progesterona. De todas formas siempre la tranquilizaba charlar con él de sus problemas reproductivos. John Anderson era un viejo amigo que la escuchaba con interés y simpatía. Siempre le recordaba que nada les impedía volver a concebir, aunque hasta entonces no hubieran tenido éxito. Volvieron a hablar sobre las inyecciones de Pergonal, de sus ventajas y de sus riesgos, y de la posibilidad de intentar la fecundación *in vitro*, aunque Alex no fuera la candidata ideal a sus cuarenta y dos años. Hablaron de las técnicas ZIFT y GIFT, y de otras nuevas, como la de utilizar óvulos de una donante, que a ella no le atraía en absoluto. Al final decidieron continuar con la progesterona. El médico sugirió inseminar artificialmente a Alex con el

42

esperma de Sam, para dar mayor oportunidad a los espermatozoides de "encontrarse" con el óvulo. Según sus explicaciones era sumamente sencillo.

Después sometió a Alex a un examen rutinario y recogió una muestra para el frotis. Comprobó su historial y preguntó cuándo se había hecho una mamografía por última vez, ya que no tenía los resultados del año anterior.

—Hace dos años que no me la hago —confesó Alex. No había notado ningún bulto o molestia, y no tenía antecedentes familiares de enfermedad. Era una de esas cosas que sencillamente no le preocupaban. Además, había muchas teorías sobre las mamografías a su edad y sobre si se debía hacer cada año o cada dos.

—Debería hacerse una cada año —la reprendió el médico—. Es importante después de los cuarenta —al parecer era de la escuela de los que preferían una al año. Palpó los pechos de Alex y no halló nada anormal. Tenía los senos pequeños y había amamantado a Annabelle, lo que supuestamente contribuía a impedir el cáncer de mama. Por otra parte, el médico le había comentado ya que las hormonas que tomaba no suponían ningún riesgo de cáncer—. ¿Cuándo volverá a ovular? —preguntó el doctor Anderson de repente, mirando el historial de Alex.

—Mañana o pasado —respondió ella.

—Entonces creo que debería hacerse una mamografía hoy. Si mañana se quedara embarazada no podría hacérsela, y no son fiables mientras se da de mamar. Quiero que se la haga hoy y ya no tendrá que pensar en ello hasta dentro de un año. ¿Qué le parece?

Alex consultó la hora con cierta exasperación. Quería recoger a su hija, comer con ella y luego llevarla a ballet.

—La verdad es que no me va nada bien. Tengo muchas cosas que hacer.

—Esto es importante, Alex. Creo que debería ser hoy —su voz era más firme de lo habitual. Alex acabó preocupándose.

—¿Ha encontrado algo que lo justifique? —en realidad siempre le palpaba los senos cuidadosamente.

—Nada en absoluto —dijo él, meneando la cabeza—. Pero no quiero que después se presente algún problema. Debería tomar más en serio las mamografías, Alex. Son demasiado importantes. Por favor. Hágasela hoy —fue tanta su insistencia que Alex no se atrevió a negarse.

43

—¿Adónde tengo que ir? —el doctor Anderson le apuntó una dirección que estaba a cinco calles de allí. Podría ir caminando.

—Sólo tardará cinco minutos.

—¿Me darán los resultados inmediatamente?

—Seguramente no. Entregan las placas al radiólogo para que las examine, y puede no encontrarse allí en ese momento. Me llamará él la semana que viene para darme el resultado. Y por supuesto que la llamaría si hubiera algún problema, pero estoy seguro de que no habrá ninguno. Esto no es más que previsión, Alex. Es lo más prudente.

—Lo sé, John —Alex apreciaba la preocupación del médico por ella, sólo la molestaba que le robara más tiempo de lo que había pensado.

Alex llamó a Carmen desde la mesa de la secretaria para pedirle que fuera a buscar a Annabelle al colegio. Le dijo que volvería a casa para comer. Carmen aceptó de buen grado.

Abandonó la consulta del doctor Anderson y caminó a paso vivo por Park Avenue hasta la Sesenta y ocho entre Lexington y Park. Entró en un consultorio en el que parecía haber mucha actividad. Había una docena de mujeres en la sala de espera. Varios técnicos aparecían frecuentemente por la puerta para llamarlas por el nombre. Alex dio el suyo a la recepcionista, confiando en no tardar demasiado. Todas las mujeres, salvo una chica bastante joven, eran de la edad de Alex o mayores.

Hojeó una revista distraídamente y miró el reloj varias veces. Diez minutos después de su llegada, una mujer con bata blanca abrió la puerta y dijo su nombre en voz alta y con tono impersonal. Alex la siguió sin decir una palabra. Había algo agresivo en el hecho de que alguien lo registrara a uno en busca de una enfermedad, como si llevara un arma escondida. Por el simple hecho de estar allí se insinuaba una cierta culpabilidad y, mientras se desabrochaba la blusa, Alex se dio cuenta de que estaba furiosa y asustada a la vez. ¿Y si encontraban algo? Su mente empezó a divagar, se veía ya condenada, pero hizo un esfuerzo por convencerse de que todo aquello era pura rutina. No era peor que un frotis. La única diferencia era que se lo hacían extraños, en lugar de personas a las que conocía.

La mujer aguardó a que se desvistiese, le entregó una bata y le dijo que no se tapara por delante; ésa fue toda su conversación.

Señaló un lavabo y unas toallas y pidió a Alex que se lavara todo rastro de perfume o de desodorante. Después señaló una máquina que había en un rincón. Era grande y semejante a las que se usaban para los rayos X. En el centro tenía una bandeja de plástico y unas pantallas. Alex se lavó mientras la otra mujer la observaba y luego se dirigió hacia la máquina para terminar de una vez. El técnico colocó un seno de Alex sobre la bandeja de plástico y procedió a bajar lentamente la parte superior de la máquina hasta comprimirlo cuanto era posible. La obligó a doblar el brazo de una manera extraña, le dijo que contuviera la respiración e hizo dos placas. Repitió el mismo procedimiento con el otro seno y le dijo que ya había terminado. En realidad era muy sencillo; un poco incómodo, pero no doloroso. A Alex le hubiera gustado que le dieran los resultados en ese mismo momento, pero confiaba en que fueran buenos cuando hablaran con su médico.

Abandonó el consultorio rápidamente, fue en taxi a casa y llegó a tiempo de ver a Annabelle mientras terminaba de comer. Luego la llevó a ballet. Sin saber por qué le pareció más maravilloso que nunca estar con su hija. Era imposible no recordar las estadísticas que obligaban a las mujeres a hacerse las mamografías anualmente. Una de cada ocho o nueve mujeres, dependiendo de las fuentes, tenían un cáncer de mama. El hecho mismo de haberse hecho una prueba le daba escalofríos y le hacía apreciar más que nunca las cosas buenas de la vida. Alex no pudo evitar decirse que era muy afortunada al dar un beso a Annabelle en los rizos pelirrojos cuando salían para ir a Miss Tilly's.

—¿Por qué no fuiste por mí al colegio? —preguntó Annabelle con tono quejumbroso. Los viernes eran especiales porque su madre iba a recogerla.

—Tuve que ir a que me revisara el médico y tardé más de lo que pensaba, cariño. Lo siento.

—¿Estás enferma? —Annabelle se mostró súbitamente preocupada y protectora con su madre.

—Claro que no —Alex sonrió—, pero todo el mundo tiene que hacerse revisiones, incluso las mamás y los papás.

—¿Te inyectaron? —quiso saber Annabelle.

—No —respondió Alex, riendo y sacudiendo la cabeza—, pero me han apretado el pecho como si fuera una tortita...

Annabelle pareció aliviada.

Después de la clase de ballet fueron a tomar un helado y volvieron a casa dando un paseo, charlando sobre lo que harían durante el fin de semana. A Annabelle no le entusiasmaba la idea de ir al zoológico. Quería ir a la playa a nadar, pero Alex le dijo que hacía demasiado frío.

Cuando llegaron a casa, Alex puso un video y lo estuvieron mirando juntas en el dormitorio matrimonial. El día le había parecido muy largo y Alex se sentía feliz de poder relajarse con su hija.

Carmen se iba temprano los viernes por la tarde, pero Alex tenía la cena preparada cuando Sam llegó un poco más tarde de lo acostumbrado, a las siete. Annabelle ya había comido y Sam decidió cenar cuando la niña se acostara; la idea atrajo también a Alex. A las ocho y cuarto estaban los dos comiendo pescado, papas fritas y ensalada, y Sam comentaba sobre su almuerzo con el inglés, que había conseguido impresionarlo mucho más que antes.

—¿Sabes?, empieza a gustarme. Creo que había exagerado al preocuparme tanto. Larry y Tom tienen razón. Ese tipo es un genio y podría conseguirnos negocios fabulosos en el Medio Oriente. Eso no se puede negar, aunque sea un poco fanfarrón.

—¿Y si no consigue esos negocios en el Medio Oriente? —preguntó Alex con recelo.

—Los conseguirá. Deberías oír la lista de clientes que tiene sólo en Arabia Saudita.

—¿Y lo apoyarán en eso? —Alex estaba representando el papel de abogado del diablo, pero a Sam no le importó. Había empezado a confiar en el inglés y había dado luz verde a su incorporación como cuarto socio de la empresa—. ¿Estás seguro, Sam? Ayer no te convencía en absoluto. Quizá deberías confiar en tu primera impresión.

—Creo que me había puesto un poco histérico. De verdad, Alex, hoy he estado tres horas hablando con él... Es de fiar, lo sé. Vamos a ganar millones —añadió con seguridad.

—No seas avaricioso —lo regañó Alex con una sonrisa—. ¿Quiere eso decir que podremos comprarnos un castillo en el sur de Francia?

—No, pero sí una casa en Nueva York y una finca en Long Island.

—No necesitamos todo eso —dijo ella tranquilamente, y Sam sonrió. Tampoco él creía que lo necesitaran, pero le gustaba jugar a ser el pequeño genio del mundo financiero. Para él significaba mucho la reputación que se había ganado como inversor capitalista. Pero era por eso precisamente por lo que Alex creía que debía mostrarse especialmente cauto con su nuevo socio. Por otra parte, confiaba en el juicio de su marido, y si el inglés lo había convencido, estaba dispuesta a aceptarlo.

—¿Cómo te fue en tus reuniones de esta mañana? —preguntó Sam—. ¿Todo preparado para el juicio? —hasta la llegada de Annabelle, el interés mutuo por sus respectivos trabajos había sido un gran estímulo para la vida en común.

—No queda nada por hacer. Creo que vamos a ganarlo. Eso espero, mi cliente se lo merece.

—Contigo ganará, seguro —afirmó Sam. Alex se inclinó y le dio un beso. Estaba muy guapo con el suéter rojo y los vaqueros.

—¿Qué te ha dicho Anderson, por cierto?

—No mucho. Hemos vuelto a repasar todas las posibilidades. El Pergonal sigue dándome miedo, la progesterona sigue crispándome los nervios, y nadie quiere intentar la fecundación *in vitro* con una mujer de cuarenta y dos años, aunque él dice que podría encontrar a alguno. Hemos hablado sobre óvulos de donantes, lo cual no me atrae en absoluto, y me ha dicho que podríamos probar con inseminación artificial de tu esperma el mes que viene. Dice que a veces se obtienen resultados inmediatos. No sé qué te parecerá a ti —comentó Alex, casi con timidez.

—Podré soportarlo —respondió él con una sonrisa—. Se me ocurren cosas mejores para divertirme que leer revistas cochinas y masturbarme, pero si eso ha de servir, intentémoslo.

—Eres increíble. Te quiero —se besaron. Pero la orina no se había vuelto azul esa tarde, así que no podían seguir adelante.

—¿Y este fin de semana?

—Dice que lo intentemos en cuanto se ponga azul. Seguramente ocurrirá mañana. Ah, y me mandó hacer una mamografía, porque si quedo embarazada no podré hacérmela antes de un año o dos. Ha sido un fastidio, porque ha tenido que llamar a Carmen para que fuera a recoger a Annabelle. Fue muy rápido, pero me sentí muy extraña. De repente te das cuenta de que hay mujeres a las que les encuentran algo malo, y eso me ha asustado muchísimo.

—Pero los resultados han sido buenos, ¿no? —Sam parecía hallarse incómodo y Alex lo tranquilizó con una sonrisa.

—Estoy segura de que sí. Sólo pueden dártelos si está el radiólogo por allí. Llamarán a Anderson la semana que viene. De todas formas, Anderson me ha palpado por si tenía bultos y no ha encontrado ninguno. Sólo era una mamografía de control, de rutina.

—¿Duele? —preguntó Sam con curiosidad y cierto horror.

—No. Te aplastan el pecho con una máquina y te hacen las radiografías. Hay algo vagamente degradante en todo eso, pero no sé exactamente por qué. Te sientes vulnerable y estúpida. Estaba impaciente por salir de allí. Nunca me he alegrado tanto de ver a Annabelle. Supongo que te recuerdan que existen las enfermedades y que tienes suerte si no las padeces.

—Olvídalo. No te va a pasar nada —dijo él con tono categórico, y la ayudó a quitar la mesa. Bebieron un poco de vino, vieron una película en la televisión y se fueron a dormir más temprano de lo habitual. Ambos habían tenido una semana muy dura y Alex quería descansar antes de que llegara su periodo fértil durante el fin de semana. A la mañana siguiente, tal como había pensado, la orina se volvió azul. Se lo susurró a Sam durante el desayuno tardío. Carmen se llevó a Annabelle al parque y Sam y Alex volvieron a la cama e hicieron el amor. Después ella se quedó remoloneando una hora más, con el trasero levantado sobre unas almohadas, porque había leído en alguna parte que eso la ayudaría, y estaba dispuesta a probarlo casi todo. Aún seguía somnolienta y satisfecha cuando Sam volvió al dormitorio justo antes de la hora de comer.

—¿Te vas a quedar en la cama todo el día? —preguntó en tono de chanza, rozándole el cuello con los labios, haciendo que se estremeciera.

—Si sigues así, es muy posible.

—¿Cuándo nos toca otra vez? —él tenía tantas ganas como Alex.

—Mañana, en cualquier momento.

—¿Podemos probar otra vez esta tarde? —inquirió Sam con voz ronca, y Alex se echó a reír cuando la besó—. Creo que necesitamos más práctica —pero ambos sabían que "en teoría" no podían hacerlo hasta el día siguiente—. Bueno, tú concéntrate en hacer un bebé —le susurró, y fue a darse una ducha mientras ella seguía adormilada un rato más.

Diez minutos después, Alex se metió en la ducha con él. Sam dio un respingo, excitado al notar el cuerpo de su mujer. Era un tormento no poder hacer el amor otra vez. A veces la tentación era demasiado grande.

—Quizá deberíamos olvidar todo esto y volver a ser fanáticos del sexo... —dijo Sam en la oreja de Alex, a la que tenía estrechamente abrazada mientras el agua caliente caía sobre ellos y se les metía en la boca al besarse—. Te quiero tanto...

—Yo también... —dijo Alex ávidamente, mientras Sam se restregaba contra su estómago—. Sam... te deseo...

—No... no... no... —protestó él con acento burlón, y abrió el grifo del agua fría. Alex dio un grito de sorpresa. Salieron juntos de la ducha entre risas.

Estaban sentados tranquilamente en la cocina, tomando café y leyendo el periódico, cuando Carmen y Annabelle volvieron a casa. Carmen les hizo la comida. Luego Sam y Alex se fueron al parque con Annabelle y a cenar a J. G. Melon. El domingo pasearon en bicicleta por el parque y alrededor del estanque. Annabelle iba instalada en una pequeña silla detrás de su padre. El día fue cálido y agradable.

En cuanto acostaron a Annabelle esa noche, Sam y Alex se encerraron en su dormitorio. Él le quitó la ropa a Alex lentamente hasta que quedó desnuda como una flor alta y esbelta, una azucena exquisita. Después le hizo el amor con toda la fuerza de su deseo y su lujuria. Alex era una mujer que provocaba en él muchas cosas, que le hacían amarla y desearla más. Había momentos en los que surgía una oleada, una compuerta se abría en alguna parte y el torrente los arrastraba a ambos.

—Uff... si no quedo embarazada después de esto, abandono... —susurró Alex débilmente, cuando yacía ya con la cabeza sobre el pecho de su marido, que le acariciaba suavemente un seno.

—Te amo, Alex... —dijo él, volviéndose para mirarla. Era tan hermosa. Tan perfecta.

—Yo también te amo, Sam... Te amo más... —bromeó.

—No es posible —dijo Sam, sonriendo.

Volvieron a besarse y se durmieron abrazados. Ni siquiera estaban seguros de que les importara haber concebido un nuevo hijo.

4

El lunes por la mañana Alex se levantó antes que Annabelle y Sam; se vistió y los despertó con la mesa ya puesta y el desayuno a punto. Ayudó luego a Annabelle a vestirse, como siempre; Sam había prometido llevarla al colegio, porque Alex quería llegar temprano a la oficina. Además de sus múltiples asuntos, tenía una reunión con Matthew Billings para hablar sobre varios casos. Y estaría trabajando todo el día con Brock y sus ayudantes.

—Seguramente llegaré tarde —le dijo a Sam.

Annabelle se puso triste.

—¿Por qué? —quiso saber con los grandes ojos verdes fijos en su madre. No le gustaba que Alex volviera tarde a casa.

—Tengo que prepararme para un juicio. Ya sabes, cuando voy a los tribunales y hablo con el juez.

—¿Y no puedes llamarle por teléfono? —Annabelle parecía muy desdichada. Alex le dedicó una sonrisa, le dio un beso y un abrazo y prometió volver tan pronto como pudiera.

—Te llamaré cuando hayas vuelto del colegio. Diviértete, cariño, ¿prometido? —Alex tomó por el mentón a su hija y volvió su dulce carita hacia ella. Annabelle asintió.

—¿Y mi disfraz de Halloween? —preguntó.

—Iré a comprarlo hoy mismo, te lo prometo —a veces Alex se sentía dividida entre el deber profesional y el familiar. Se preguntaba entonces cómo se las arreglaría con dos niños. Sin embargo, otras personas lo hacían.

Alex se puso el abrigo y salió del apartamento sin hacer ruido. Sólo eran las siete y media de la mañana. El trayecto en taxi por

51

Park Avenue fue rápido a esa hora. Se hallaba en su despacho al cuarto para las ocho, sintiéndose un poco triste al pensar en Annabelle y Sam, que estarían desayunando sin ella. A las ocho se había puesto a trabajar de firme y Brock le había llevado un café. A las diez y media se había convencido de que estaban perfectamente preparados para defender a Jack Schultz a partir del miércoles.

—¿Y todo lo demás? —preguntó a Brock con aire abstraído, al repasar una lista de casos en los que quería que trabajara su ayudante. Brock se había hecho cargo de la mayoría, pero Alex había tenido unas cuantas ideas nuevas durante el fin de semana. Se las estaba comentando cuando Liz abrió la puerta y se asomó. En cuanto Alex la vio, sacudió la cabeza y la detuvo con un ademán. Había desconectado el teléfono y había ordenado a Liz que no la interrumpiera.

Liz vaciló, a pesar de la mirada severa de Alex, y Brock se volvió para ver qué distraía a su jefa.

—Liz, le dije que no nos interrumpiera —el tono de Alex era más áspero de lo normal, pero era comprensible; la presión que soportaba era enorme.

—Lo sé... Lo... lo siento muchísimo, pero... —dijo Liz desde la puerta.

—¿Les ha pasado algo a Annabelle o a Sam? —por un momento Alex contempló la posibilidad con horror, pero Liz meneó la cabeza rápidamente y la tranquilizó—. Entonces no quiero oírlo —Alex desvió la vista, dispuesta a reanudar su trabajo.

—Ha llamado el doctor Anderson. Dos veces. Me pidió que la interrumpiera.

—¿Anderson? Por amor de Dios... —el enojo de Alex aumentó. El médico le había dicho que la llamaría cuando tuviera los resultados de la mamografía, y seguramente sólo quería comunicarle que eran buenos, pero no era necesario acosarla de esa manera—. Puede esperar. Lo llamaré cuando hagamos un receso para comer. Si lo hacemos. Si no, lo llamaré más tarde.

—Me dijo que quería hablar con usted esta mañana, antes del mediodía —eran ya las once y media. Liz empezaba a resultar molesta, pero el doctor Anderson había insistido en que se debía hablar con Alex urgentemente, así que Liz le había hecho caso. Alex no parecía muy complacida; estaba segura de que era una llamada rutinaria que no merecía tantos aspavientos. Por un instante miró a Liz, preguntándose si no querría darle una mala noticia, pero la idea era tan inconcebible que la desechó con irritación creciente.

—Lo llamaré cuando pueda. Gracias, Liz —dijo, y volvió a la lista que comentaba con Brock, pero ahora era éste el que se había distraído.

—¿Por qué no le llamas, Alex? Si no fuera importante no habría pedido a Liz que te interrumpiera.

—No seas tonto. Tenemos trabajo que hacer.

—A mí me apetecería otra taza de café. Te traeré una mientras le llamas. Estoy seguro de que sólo serán un par de minutos —Alex estaba dispuesta a resistir, pero era evidente que Liz había conseguido poner nervioso a todo el mundo y no podrían volver a trabajar hasta que llamara al médico.

—Oh, por el amor de Dios, esto es ridículo. Muy bien, tráeme un café, por favor. Los quiero a todos aquí dentro de cinco minutos —Alex observó a Brock y a los ayudantes que salían y cerraban la puerta, y rápidamente llamó al doctor Anderson, ansiosa por terminar cuanto antes.

Contestó la recepcionista, quien le aseguró que la comunicaría con el doctor de inmediato. La espera se hizo interminable, no sólo por la cantidad de trabajo que le quedaba por hacer, sino porque también ella se había puesto nerviosa. ¿Y si eran malas noticias? Le parecía estúpido sólo pensarlo, pero era posible. No sería la primera persona a la que le ocurría, que se veía súbitamente golpeada por la desgracia, como si un relámpago cayera de improviso sobre el árbol que la cobijaba.

—¿Alex? —el doctor Anderson parecía tan ocupado como ella misma.

—Hola, John. ¿Qué es eso tan importante?

—Quisiera que pasara por aquí a la hora de comer, si puede —su voz no dejaba translucir nada.

—Imposible. Tengo un juicio dentro de dos días y un montón de trabajo. Estoy en el despacho desde el cuarto para las ocho y seguramente me iré hasta las diez de la noche. ¿No puede decírmelo por teléfono?

—Preferiría no hacerlo. Creo que debería venir a verme.

Mierda. ¿Qué significaba todo aquello?, se preguntó Alex. De repente la mano le temblaba.

—¿Ocurre algo malo? —Alex no consiguió pronunciar la palabra, pero sabía que tendría que hacerlo—. ¿Es por la mamografía? —no tenía bultos, ¿cómo podía ocurrir nada malo?

—Me gustaría hablar con usted —contestó el médico, después de unos instantes de vacilación. Era evidente que no quería decírselo por teléfono y de pronto Alex tuvo miedo de obligarlo.

—¿Cuánto tiempo nos llevará? —Alex miró el reloj, intentando calcular cuánto tiempo podía estar fuera de la oficina. A la hora de comer incluso el tráfico estaría en su contra.

—Media hora. Quisiera que habláramos un rato. ¿Podría venir ahora mismo? Acabo de ver a mi última paciente de la mañana. Tengo una mujer en el hospital y otra que dará a luz en cualquier momento. Supongo que este momento será tan bueno como cualquier otro.

—Estaré allí en cinco o diez minutos —contestó Alex con voz tensa, mientras se ponía de pie. El corazón le latía a mil por hora. Aquello no presagiaba nada bueno, pero necesitaba saber qué era. Tal vez hubieran confundido sus resultados con los de otra persona.

—Gracias, Alex. Seré tan rápido como pueda.

—Llegaré enseguida.

Alex pasó velozmente por delante de Liz con el bolso y el abrigo en la mano. Brock y los demás aún no habían vuelto.

—Dígales que vayan a comer algo. Volveré dentro de cuarenta y cinco minutos —se hallaba a medio camino del ascensor mientras hablaba.

—¿Se encuentra bien? —preguntó Liz.

—Estoy bien. Pídame un sandwich de pavo.

Liz la contempló desaparecer por el pasillo. Sabía que John Anderson era el ginecólogo de Alex y se preguntó si estaría embarazada.

Alex sabía que no se trataba de eso y viajaba en el taxi hacia la consulta del médico con el corazón en un puño, pensando en la mamografía. Súbitamente se dijo que no era eso sino el frotis vaginal. Mierda. Tenía cáncer de útero. ¿Cómo iba a quedar embarazada entonces? Recordó que a algunas amigas suyas las habían tratado con técnicas de congelación o de rayos láser en estados precancerosos, y habían conseguido quedar embarazadas. Tal vez no fuera tan malo como creía. Lo único que deseaba saber era que su vida no corría peligro y que podría concebir de nuevo.

El taxi hizo el trayecto en un tiempo insólitamente breve. Alex entró precipitadamente en la sala de espera desierta. La estaban esperando y le indicaron que entrara en el consultorio. El doctor Anderson vestía traje en lugar de bata blanca y su expresión era muy seria.

—Hola, John, ¿cómo está? —a Alex le faltaba la respiración a causa de las prisas y la ansiedad por verlo. Se sentó sin quitarse el abrigo.

—Gracias por venir. Quería que habláramos en persona.

—¿Es por el frotis? —preguntó Alex, notando que el corazón se le volvía a acelerar. Las manos que aferraban el bolso estaban húmedas.

—No —contestó él, meneando la cabeza—. Es la mamografía.

No podía ser. No tenía bultos, y si no había bultos no había nada malo. El doctor Anderson se agachó para coger una radiografía y la colocó en el negatoscopio que había a su espalda. Era una placa frontal. Luego colocó una placa lateral. Para Alex, que no entendía nada, era como un mapa del tiempo en Atlanta. El médico se volvió hacia ella con una mirada de penosa solemnidad.

—Hay una masa aquí —dijo, señalándola. Sólo entonces pudo verla Alex—. Es muy grande y bastante profunda. Podrían ser varias cosas, pero el radiólogo y yo estamos muy preocupados.

—¿Qué quiere decir que podrían ser varias cosas? —súbitamente Alex no comprendía nada; era como si no le oyera bien. ¿Por qué tenía una masa en el pecho? ¿Qué era y cómo había llegado hasta allí?

—Existen diversas posibilidades, pero una masa de este tamaño, a esta profundidad y en esta zona en particular nunca es buena, Alex. Creo que tiene un tumor.

—Oh, Dios mío —no era de extrañar que no hubiera querido decírselo por teléfono y hubiera insistido en que Liz la interrumpiera—. ¿Qué quiere decir eso? ¿Qué hay que hacer ahora? —hablaba con un hilo de voz y estaba pálida. Por un momento creyó que iba a desmayarse, pero se rehizo con un gran esfuerzo.

—Se le debe hacer una biopsia lo antes posible. Lo mejor sería antes de la semana próxima.

—Tengo un juicio dentro de dos días. No puedo hacerlo hasta que termine —era como si esperara que el tumor hubiera desaparecido para entonces, pero ella sabía tan bien como el médico que no sería así.

—No puede esperar tanto.

—Lo que no puedo es abandonar a mi cliente de buenas a primeras. ¿Tan importantes son unos pocos días? —Alex estaba horrorizada. ¿Qué significaba todo aquello? ¿Le estaba diciendo que se iba a morir? La sola idea le causó escalofríos.

—No necesariamente —admitió él con cierta prudencia—, pero no puede aplazarlo. Tiene que elegir cirujano para que le haga la biopsia cuanto antes, y luego él le recomendará lo que debe hacer, basándose en el análisis patológico.

"Oh, Dios", se dijo Alex. Era todo tan complejo, tan horrible y feo.

—¿No puede hacer usted la biopsia? —se notaba por su voz que era presa del pánico. Se sentía tan vulnerable como el día en que se había hecho la mamografía. Y ahora estaba ocurriendo lo que temía. Estaba desarrollándose ante sus ojos como una película de terror.

—Las biopsias debe hacerlas un cirujano —el doctor Anderson cogió una hoja de papel. De repente Alex se dio cuenta de que llevaba allí media hora, pero toda su vida había cambiado en ese intervalo y no estaba dispuesta aún a marcharse—. Le he anotado los nombres de unos cirujanos excelentes, una mujer y dos hombres. Debería hablar con ellos y elegir uno.

"¡Cirujanos!"

—No tengo tiempo para eso —Alex, sin poder evitarlo, se echó a llorar. No era propio de ella dejarse dominar por las emociones de aquella manera. Se debatía entre la ira y el terror—. No tengo tiempo para andar eligiendo médicos. Debo empezar un juicio, no puedo retirarme de repente. Tengo responsabilidades —se dio cuenta de que se estaba poniendo histérica. Miró al médico—. ¿Cree que es maligno?

—Posiblemente —el doctor Anderson quería ser sincero con ella—. Es muy probable por su aspecto, pero quizá nos engañe. No lo sabremos hasta que se haga la biopsia, pero es importante que se realice rápidamente, para decidir qué medidas tomar.

—¿Qué significa eso?

—Significa que si la biopsia es positiva, tendrá que tomar ciertas decisiones sobre el tratamiento a seguir. El cirujano la aconsejará, por supuesto, pero usted tendrá que decidir.

—¿Quiere decir si quiero que me quiten el pecho o no? —preguntó Alex con voz estridente y expresión aterrorizada.

—No adelantemos acontecimientos. Aún no sabemos nada, ¿verdad? —intentaba ser amable con ella, pero no hacía más que empeorar las cosas. Alex quería enfrentarse con la verdad en ese mismo momento, quería oír que el tumor no era maligno, pero él no podía afirmarlo.

—Sabemos que tengo una masa en el seno y que usted está preocupado. Eso podría suponer que perderé un seno, ¿no es cierto? —Alex había adoptado su papel de abogada, colocando al médico en el banquillo de los testigos e interrogándolo implacablemente.

—Sí, podría ser —replicó él con tono tranquilo. Lamentaba muchísimo lo que le ocurría a Alex, por quien siempre había sentido una gran simpatía. En cualquier caso, era un golpe terrible para cualquier mujer.

—¿Y entonces qué? ¿Eso es todo? ¿Quitando el pecho se elimina el problema?

—No siempre. No es tan sencillo, aunque me gustaría que lo fuera. Dependerá del tipo de tumor que tenga y del alcance de su malignidad. Dependerá de si están implicados los nódulos linfáticos, de cuántos y de si se ha extendido a otras partes de su cuerpo. Alex, no puedo darle una respuesta concreta. Tal vez necesite cirugía mayor, tal vez una tumorectomía, o quimioterapia o radiación. No lo sé. No puedo decirle nada más hasta que se haga la biopsia. Y no me importa el trabajo que tenga. Es imprescindible que elija a un cirujano inmediatamente.

—¿Cuándo?

—Espere a que acabe el juicio si realmente sólo va a durar una semana o dos, pero planee la biopsia para dentro de dos semanas tanto si puede como si no.

—¿A quién me recomienda usted de esta lista? —Alex le tendió la hoja. El doctor Anderson le echó un vistazo y se la devolvió.

—Son todos buenos, pero prefiero a Peter Herman. Es un buen hombre. No sólo le interesa la cirugía y las biopsias. Es más humano.

—Bien —dijo Alex, asintiendo, pero atónita todavía—. Lo llamaré mañana.

—¿Y por qué no esta tarde? —quería presionarla para impedir que usara su trabajo como excusa o acabara negándose a aceptar la realidad.

—Lo llamaré después —una idea irrumpió en la mente de Alex, haciéndola sentir como si sus hombros soportaran una tonelada de peso—. ¿Y si me he quedado embarazada este fin de semana? ¿Y si estoy embarazada y el tumor es maligno?

—Cruzaremos ese puente cuando lleguemos a él. Sabrá si está encinta más o menos cuando se haga la biopsia.

—Pero, ¿y si tengo cáncer y estoy embarazada? —insistió Alex, nerviosa, con voz aguda.

—Tendremos que establecer prioridades. Usted es lo más importante.

—Dios mío —Alex hundió el rostro entre las manos, y volvió a levantarlo instantes después—. ¿Cree que las hormonas que estoy tomando tienen algo que ver con esto? —la idea de que se hubiera estado matando a sí misma por intentar quedarse embarazada la aterrorizó aún más.

—Sinceramente creo que no. Llame a Peter Herman. Hable con él y hágase la biopsia cuanto antes.

Parecía lo más razonable. Ahora habría de volver a casa y decirle a Sam que tenía un tumor en el pecho. Aún le parecía increíble, pero allí estaba, en la mamografía y en la mirada de John Anderson, que tenía una expresión desolada. Habían estado hablando durante casi una hora.

—Lo siento muchísimo, Alex. Si hay algo que pueda hacer por usted, no dude en llamarme. Dígame qué cirujano ha escogido y empezaremos desde ahí.

—Primero veré a Peter Herman.

El doctor Anderson le tendió las radiografías para que pudiera enseñárselas al cirujano. Cuando salió, Alex se sentía como si acabaran de darle varios puñetazos en el estómago. Hasta la misma palabra "cirujano" le sonaba ominosa.

Levantó el brazo para parar un taxi, intentando no recordar todo lo que había oído sobre mastectomías y tumorectomías, sobre mujeres que no podían volver a levantar el brazo y otras que habían muerto de cáncer. Todo lo que le había dicho el médico se había embarullado en su cabeza. Mientras se dirigía a la oficina ni siquiera pudo llorar. Permaneció sentada mirando al frente, incapaz de creer lo que le acababan de comunicar.

Cuando llegó a su despacho, el equipo entero estaba sentado allí: Liz, Brock, el pasante y los dos ayudantes. Liz le había pedido un sandwich de pavo con pan integral, pero Alex no pudo comerlo. Se quedó de pie, mirándolos a todos y con el rostro mortalmente pálido, pero nadie dijo nada. Se pusieron a trabajar y no pararon hasta las seis de la tarde. Sólo hasta que terminaron de recoger todo y se fueron los demás, Brock se atrevió a preguntarle.

—¿Te encuentras bien? —el aspecto de Alex no había mejorado desde que había vuelto de la visita al médico, y en más de una ocasión había notado que le temblaban las manos cuando le tendía algún papel.

—Sí, ¿por qué? —Alex intentó parecer despreocupada, pero fracasó lastimosamente. Brock era demasiado listo para dejarse engañar, pero no quiso presionarla.

—Pareces cansada. Tal vez estás intentando tocar demasiadas teclas al mismo tiempo, señora Parker. ¿Qué te ha dicho el médico?

—Oh, nada. Ha sido una pérdida de tiempo. Sólo quería darme el resultado de unas pruebas y no lo hace nunca por teléfono. En realidad ha sido ridículo. Podría habérmelos enviado y nos habría ahorrado mucho tiempo.

Brock no le creyó una sola palabra, pero daba la impresión de que Alex necesitaba decirlo. Esperaba al menos que no fuera nada grave, porque si lo era, el juicio del que debía ocuparse se lo pondría más difícil aún. Él intentaría ayudarla cuanto pudiera, pero ella seguía siendo la abogada titular, que habría de soportar el peso del caso y encargarse de toda la argumentación. Brock no se atrevió a preguntarle si abandonaría el caso; sabía que se lo hubiera tomado como un insulto.

—¿Te marchas a casa? —preguntó, esperanzado. A él aún le quedaba trabajo por hacer para el juicio, pero también vio una pila de expedientes sobre la mesa de Alex que no presagiaba nada bueno.

—Todavía me quedan algunas cosas de otros clientes —había conseguido devolver todas sus llamadas por la tarde, pero no había tenido tiempo para llamar a Peter Herman, o al menos eso se dijo al recordarlo. Pensaba hacerlo al día siguiente.

—¿Puedo ayudarte en algo? Deberías irte a casa y descansar un poco —insistió él, pero Alex estaba resuelta a quedarse.

Brock volvió a su despacho. Alex llamó a casa y habló con Annabelle, que estaba enfurruñada porque no la había llamado a la hora de comer.

—Me dijiste que llamarías —protestó, consiguiendo que Alex se sintiera culpable. Había olvidado completamente a su hija después de la inesperada conversación con el médico.

—Lo sé, cariño. Quería hacerlo, pero estaba reunida con un montón de gente y no he podido.

—Está bien, mami —Annabelle empezó entonces a contarle todo lo que había hecho esa tarde con Carmen. Al oír sus pequeñas historias, Alex se sintió casi celosa. Aún le supo peor tener que decir a su hija que iba a llegar tarde. De repente le pareció más doloroso que nunca no poder estar con ella.

—¿Puedo esperarte levantada? —preguntó Annabelle.

Alex suspiró, mientras rezaba en su interior para que la masa de su pecho no resultara ser cáncer.

—Será muy tarde. Pero iré a darte un beso, te lo prometo. Y te despertaré yo mañana por la mañana. Sólo será esta semana y a la siguiente, y luego volveremos a comer y a cenar juntas.

—¿Me llevarás a ballet esta semana?

Annabelle se la estaba poniendo difícil. Alex se preguntó dónde estaría Sam.

—No puedo, ¿recuerdas? Ya te lo he explicado. Voy a hablar con el juez esta semana y la siguiente. No podré acompañarte a ballet.

—¿No puedes pedirle al juez que te deje venir?

—No, cariño. Ojalá. ¿Dónde está papá? ¿Aún no ha llegado a casa?

—Está durmiendo.

—¿A estas horas? —sólo eran las siete.

—Estaba viendo la tele y se quedó dormido. Carmen dice que te esperará levantado.

—Pásamela. Annabelle... —los ojos de Alex se llenaron de lágrimas al pensar en la cara de duendecillo de su hija. ¿Y si ella moría y dejaba a Annabelle sin madre? Se le hizo un nudo en la garganta al pensarlo. Cuando recuperó el habla, dijo en un susurro—: Te quiero, Annabelle...

—Yo también te quiero, mami. Hasta luego.

—Dulces sueños.

Cuando Carmen se puso al teléfono, Alex le dijo que podía irse en cuanto acostara a Annabelle. Sólo tenía que despertar a Sam para avisarle que se marchaba.

—No me gusta despertarlo, señora Parker. Me quedaré hasta que usted vuelva.

—Tardaré varias horas, Carmen. Despierte a Sam.

—De acuerdo. ¿Cuándo volverá a casa?

—Seguramente hacia las diez. Tengo mucho trabajo.

Después de colgar, Alex se quedó mirando fijamente el teléfono, pensando en todos los de su casa, sintiéndose como si ya los hubiera perdido. Una sombra se había interpuesto entre los vivos y ella, que tal vez se estaba muriendo. Pero le parecía imposible, seguía pensando que debía ser un error. No estaba enferma, no tenía ningún bulto. Todo lo que había visto era una sombra gris en una mamografía. Sin embargo, John Anderson había admitido que aquella masa podía matarla si era maligna. Era increíble. El día anterior intentaba quedar embarazada y al siguiente su vida corría peligro. Las hormonas que había tomado la semana anterior le hacían más difícil mantener la serenidad. Por su causa, todo era más perturbador, más alarmante. Alex intentó convencerse de que el terror que sentía no era real, que lo provocaban las hormonas.

Brock volvió a verla a las nueve de la noche y se dio cuenta de que no había comido el sandwich, que seguía sobre su mesa desde la hora del almuerzo. Alex había estado bebiendo café todo el día, pero en ese momento tomaba un gran vaso de agua.

—Vas a enfermarte si no comes —le advirtió con expresión preocupada. El rostro de Alex había adquirido un tinte gris, que había empeorado su aspecto.

—No tengo hambre... Bueno, en realidad me he olvidado de comer. Estaba demasiado ocupada.

—Ésa es una excusa muy mala. A Jack Schultz no le hará ningún bien que enfermes antes del juicio o en medio.

—Sí, hay que pensar en eso —dijo Alex con tono indeciso, y levantó la vista hacia Brock con inquietud—. Supongo que podrías hacerte cargo del juicio, si fuera necesario.

—Yo no pensaría en eso. Schultz te quiere a ti y para eso paga —eso era lo que Alex había intentado explicarle al médico al afirmar que no podía hacerse la biopsia hasta después del juicio. Había personas que dependían de ella... Recordó a Sam y a Annabelle y tuvo que contener las lágrimas. Empezaba a resentir el cansancio del día y a sentirse superada por los acontecimientos. Las

61

radiografías estaban dentro de un sobre encima de su mesa, pero lo que había visto en ellas se había quedado grabado en su mente para siempre.

—¿Por qué no te marchas a casa? —insistió Brock amablemente—. Yo terminaré lo que quede. Lo tienes todo más controlado de lo que crees. De verdad.

Una hora más tarde Alex decidió irse. Estaba agotada y ya no era capaz de concentrarse. Se sentía como si le hubiera pasado por encima una aplanadora. Por primera vez en muchos años no se llevó el portafolio. Brock se dio cuenta, pero no se lo recordó y, cuando se fue, sintió lástima por ella. Era evidente que le ocurría algo malo, pero no tenían la confianza suficiente para preguntarle qué era o si podía ayudarla.

Alex recostó la cabeza en el asiento del taxi; parecía una bola demasiado pesada para sostenerla sobre los hombros. Cuando pagó el taxi y entró en su edificio se sentía como si hubiera envejecido mil años. Subió en el ascensor preguntándose cómo iba a decírselo a Sam. También para su familia sería una noticia terrible.

Sam estaba mirando la televisión en la sala de estar. Al entrar Alex, la saludó con una sonrisa. Llevaba vaqueros y camisa blanca. La corbata estaba tirada sobre la mesa.

—Hola, ¿qué tal ha ido el día? —preguntó alegremente, alargando los brazos hacia ella. Alex se dejó caer pesadamente en el sofá junto a su marido y tuvo que esforzarse de nuevo para no llorar. Ya no podía soportarlo más—. Vaya... parece que ha sido un día duro... —Sam recordó entonces las hormonas que tomaba su mujer—. Oh, pobrecilla mía, ¿esas malditas pastillas te han vuelto a poner sensible? Quizá deberías dejarlas —la atrajo hacia sí, y Alex se aferró a él como si se estuviera ahogando—. Pareces agotada —dijo él comprensivamente cuando Alex se enjugó los ojos. Sam tenía razón. Las pastillas lo hacían todo aún más difícil. ¿O quizá no?—. Ese juicio te trae de cabeza.

—Desde luego. Ha sido un día espantoso —admitió Alex, reclinándose de nuevo en el sofá, exhausta.

—Detesto decírtelo, pero se te nota. ¿Has comido algo?

—No tenía hambre —contestó Alex, negando con la cabeza.

—Fantástico. ¿Cómo crees que vas a quedar embarazada si no comes? Vamos —Sam intentó obligarla a levantarse—. Te haré algo de comer.

—No puedo comer, de verdad. Estoy hecha polvo. ¿Por qué no nos vamos a la cama? —a Alex sólo le apetecía ver a Annabelle y tumbarse en la cama junto a Sam para siempre.

—¿Pasa algo? —de repente Sam se preguntó por qué su mujer tenía mal aspecto. Ni siquiera antes de un juicio la había visto tan mal. Alex no respondió. Entró de puntillas en la habitación de Annabelle y se quedó allí largo rato contemplando a su hija, se arrodilló junto a su cama y la besó. Luego entró en su dormitorio. Sam la observaba con preocupación mientras ella se desvestía y se ponía el camisón. Alex no tenía fuerzas ni siquiera para darse una ducha o cepillarse el cabello. Se lavó los dientes, se metió en la cama y cerró los ojos, sabiendo todo el tiempo que tenía que decírselo a Sam.

—Cariño —probó él de nuevo, tumbándose junto a Alex—, ¿te pasa algo? ¿Ha ocurrido algo en la oficina? —Sam sabía que su mujer tomaba el trabajo muy en serio y que si creía haber perjudicado a un cliente se atormentaría como parecía hacerlo ahora. Pero Alex sacudió la cabeza.

—Anderson me llamó hoy —dijo en voz baja.

—¿Y?

—Fui a verlo a la hora de comer.

—¿Para qué? Aún no puedes saber si has quedado embarazada —dijo Sam con una sonrisa.

Alex vaciló durante un buen rato, torturándose, y también a Sam. Odiaba tener que decirlo, no quería que su familia sufriera.

—Hay una sombra en mi mamografía —lo dijo como si fuera una sentencia de muerte, Pero Sam no pareció impresionado.

—¿Y?

—Eso puede significar que tengo un tumor.

—"Puede." Es decir que no lo saben. Y los marcianos podrían aterrizar en Park Avenue a medianoche, pero no es probable que lo hagan. Tan probable como que tu "sombra" sea un tumor.

A Alex le gustó el modo en que reaccionaba Sam. Le devolvió la fe en su propio cuerpo, que en las doce horas anteriores parecía haberla traicionado. Tal vez Sam tuviera razón.

—No saben nada —añadió Sam—. Seguramente no es más que eso, una sombra.

—Anderson quiere que elija un cirujano para que me haga una biopsia. Me ha dado tres nombres, pero no tengo tiempo de llamarlos a todos antes del juicio. Había pensado en llamar a uno mañana y preguntarle si puede recibirme a la hora de comer. Si no, tendré que esperar hasta que acabe el juicio.

—¿Y cree Anderson que son tan importantes unos días de diferencia?

—No tanto, en realidad —admitió Alex, sintiéndose mejor—, pero quiere que lo haga cuanto antes.

—Lógicamente, pero no es necesario que te entre el pánico. La mayoría de las veces lo que quieren esos tipos es protegerse. No quieren que los demanden, así que suponen lo peor, por si acaso, y de ese modo no podrás decirles que no te lo habían advertido. Si luego resulta que no era para tanto, todo el mundo tan contento. No tienen en cuenta el daño que causan a las personas cuando les dan esos sustos de muerte. Por el amor de Dios, Alex, eres abogada, deberías saber todo eso. ¡No permitas que esos idiotas te asusten!

Alex miró a su marido con una sonrisa. De pronto se sentía aliviada y tonta a la vez. A Sam no le había entrado el pánico, ni pensaba que Alex estuviera a punto de morir. En lugar de ponerse melodramático, había examinado el asunto desde una justa perspectiva. Alex comprendió que estaba en lo cierto; ni siquiera John Anderson querría exponerla a un pleito.

—¿Qué crees que debería hacer?

—Acaba con el juicio, hazte la biopsia cuando a ti te vaya mejor, pero con tranquilidad, sin dejar que esos payasos te metan miedo. Y te apuesto las ganancias de mi próximo negocio a que tu sombra no es más que eso. Mírate, eres la mujer más saludable que conozco, o al menos lo serías si comieras de vez en cuando y durmieras un poco.

Alex se sentía mucho mejor después de hablar con Sam. Su marido había sabido mantener la cabeza fría y alejar sus temores. Por fin apagaron la luz para dormir. A la mañana siguiente, sin embargo, volvía a estar algo preocupada. Por un instante recordó que había ocurrido algo terrible el día anterior, y tuvo un presentimiento ominoso, pero se levantó y se repitió a sí misma todo lo que Sam le había dicho hasta que volvió a sentirse mejor. Despertó a Annabelle y quiso tenerla consigo en la cocina mientras preparaba el desayuno. Incluso repasó la lista de posibles disfraces para ella; calabaza, princesa, bailarina y enfermera, que Liz había buscado el día anterior. Annabelle optó enseguida por el de princesa, que era su sueño.

—¡Oh, mami, te quiero! —exclamó, rodeando la cintura de Alex con los brazos.

—Yo también —dijo Alex, apretándola con una mano, mientras le daba la vuelta a las tortitas con la otra. Le parecía que la habían librado de una terrible carga. Annabelle era feliz y Sam la había convencido de que la sombra de la mamografía era una falsa alarma. Esta vez, cuando salió en dirección al trabajo, juró para sus adentros que llamaría a su hija a la hora de comer.

Dejó a Annabelle con Sam y besó con fervor a su marido antes de marcharse, dándole las gracias por sus palabras tranquilizadoras.

—Deberías haberme llamado a la oficina. Te lo hubiera dicho antes.

—Lo sé. Creo que me puse un poco histérica. He sido una estúpida.

Después de besar a Annabelle y a Sam una vez más, se marchó corriendo al trabajo. Brock la esperaba ya en su despacho con el resto del equipo. Alex se reunió con Matthew Billings y recordó que debía llamar al cirujano al diez para las doce.

Una enfermera le preguntó para qué quería hablar con él y Alex le habló de la biopsia. Brock entró entonces en su despacho en busca de un expediente. Alex lo siguió con la mirada, esperando que se fuera rápidamente, lamentando no haber cerrado la puerta. Brock se marchó enseguida, Alex se dijo que si Sam tenía razón tal vez no importara que la oyera.

El doctor Peter Herman se puso por fin al teléfono. Habló con seriedad y un tono que no tenía nada de amistoso. Alex le explicó lo que habían encontrado en la mamografía. El médico le dijo con acento preocupado que debía verla inmediatamente.

—Ya hablé con él —explicó el doctor Herman—. Me llamó esta mañana. Necesita que le hagan una biopsia, señora Parker, y lo antes posible. Creo que el doctor Anderson ya se lo dijo.

—Sí, en efecto —Alex intentó mantener la calma, pero le resultaba difícil con un extraño. Se sentía amenazada por él y por todo lo que representaba—. Pero soy abogada y tengo que empezar un juicio mañana. No tendré tiempo para nada en los próximos diez días, más o menos. Esperaba hacérmela después.

—Ésa sería una decisión estúpida —replicó él con brusquedad, negando todo lo que Sam le había dicho, o tal vez confirmándolo. Quizá sólo quería protegerse de una demanda por negligencia—. ¿Por qué no viene a verme hoy y así sabremos a qué atenernos? Y si es necesario, podríamos realizar la biopsia dentro de diez días. ¿Le iría bien?

—Sí... bien... pero... hoy estoy muy ocupada. Mi juicio empieza mañana —y se lo había dicho antes, pero volvía a estar aterrorizada.

—¿A las dos de esta tarde? —el doctor Herman se mostraba inexorable y Alex no se sintió con fuerzas para discutir con él. Asintió, en silencio primero, y luego dijo que iría a las dos. Afortunadamente su consultorio no se hallaba lejos de la oficina—. ¿Puede acompañarla un amigo? —la pregunta sorprendió a Alex.

—¿Para qué? —¿acaso pretendía herirla, o la consideraba incapaz de cuidar de sí misma? ¿Para qué necesitaba que un amigo la acompañara al médico?

—Muy a menudo las mujeres se sienten confundidas cuando se enfrentan con situaciones difíciles y demasiada información.

—¿Habla en serio? —Alex se hubiera reído de no estar absolutamente escandalizada—. Soy abogada. Me enfrento con situaciones difíciles cada día y seguramente con más "información" de la que usted maneja en un año entero.

—Esa información no suele tratar sobre su salud. Incluso los médicos tienen dificultades para enfrentarse con sus propias enfermedades malignas.

—Pero aún no sabemos si mi tumor es maligno, ¿no?

—Tiene razón, no lo sabemos. ¿Vendrá a las dos?

A Alex le hubiera gustado decir que no, pero sabía que no podía.

—Allí estaré —dijo, y colgó, furiosa con el médico. Su reacción se debía en parte a las hormonas y en parte a que el doctor Herman era el portador potencial de malas noticias y se sentía amenazada por él. En cuanto colgó, llamó a una de sus ayudantes y le encargó una tarea inusual. Le dio la lista de los tres cirujanos y le pidió que descubriera cuanto pudiese sobre su reputación—. Quiero saberlo todo sobre ellos, todo lo bueno, si hay algo turbio y lo que piensan de ellos los demás médicos. No sé muy bien a dónde debe llamar, pero llame a todas partes. A Sloan-Kettering, a Columbia Presbyterian, a las facultades de medicina en las que enseñan, a quien sea. Y por favor, no le diga a nadie lo que está haciendo para mí. ¿Está claro?

—Sí, señora Parker —contestó la ayudante dócilmente. Era una mujer muy diligente y Alex estaba segura de que le conseguiría la información.

Dos horas más tarde, la ayudante tenía un informe sobre Peter Herman. Alex estaba a punto de marcharse cuando la joven entró apresuradamente y le dijo que tenía fama de frío con sus pacientes, pero que era uno de los mejores cirujanos. Uno de los hospitales a los que había llamado, y de los más ilustres, afirmaba que era extremadamente conservador, pero también uno de los mejores cirujanos de senos en el país. De los otros dos había averiguado en un principio que eran muy buenos, pero no tanto como Herman, y al parecer se comportaban como si fueran auténticos divos y eran aún más desagradables con sus pacientes. De Herman también se decía que le gustaba tratar con médicos, no con pacientes, motivo por el que seguramente era el preferido del doctor Anderson.

—Al menos sabe lo que tiene entre manos, aunque no sea un príncipe encantador —comentó Alex. Dio las gracias a su ayudante y le pidió que siguiera indagando sobre los otros dos. Ya en el taxi se preguntó qué le diría Herman sobre la masa gris de la mamografía. Tenía ya dos opiniones: la optimista de Sam y la pesimista de John Anderson. A ella le gustaba mucho más la de Sam.

Desgraciadamente Peter Herman no compartía el análisis de su marido. Le dijo que la sombra gris era sin duda un tumor profundamente arraigado en su seno, en una zona y con una forma que casi siempre indicaban un cáncer. Naturalmente no estarían seguros hasta que se hiciera la biopsia, pero hablaba por experiencia. Después de la biopsia, todo dependería de la fase de desarrollo en que se encontrara, de su grado de penetración, de si tenía receptores hormonales negativos o positivos y de si había metástasis. El médico se lo explicó todo de un modo conciso y descarnado.

—¿Qué significa todo eso?

—No lo sabré hasta que hayamos abierto. En el mejor de los casos, una tumorectomía. Si no, habrá que tomar medidas más drásticas, es decir, una mastectomía radical modificada. Es el único modo de eliminar completamente la enfermedad, dependiendo de la fase del tumor, claro está, y de su extensión —Herman le enseñó un gráfico que Alex no comprendió en absoluto, lleno de palabras y números, y que cubría diversas contingencias.

—¿La mastectomía es el único modo de erradicar la enfermedad? —preguntó Alex con voz ahogada, dándose cuenta de que el médico tenía razón al decir que se sentiría absolutamente confusa y estúpida. Y no era la abogada, sino sólo la mujer.

—No necesariamente —respondió él—, quizá tengamos que complementarla con radiación o quimioterapia. Dependerá también de otros factores y de la extensión de la enfermedad.

¿Radiación o quimioterapia? ¿Y una mastectomía radical modificada? ¿Y por qué no la mataban directamente y acababan antes? No es que estuviera muy enamorada de sus pechos, pero la idea de quedar completamente desfigurada y de padecer los horribles efectos secundarios de la quimioterapia le daba ganas de vomitar. Alex no recordaba los alegres pronósticos de Sam. Lo que Herman le decía era mucho más real, y tan aterrador que no la dejaba pensar con claridad.

—¿Cuál sería exactamente el proceso?

—Se hará una biopsia. Preferiría hacerla con anestesia general, puesto que la masa se encuentra a cierta profundidad. Después, usted tendrá que decidir.

—¿Yo?

—Se le informará de las opciones existentes en este campo de la medicina y tendrá que inclinarse por una. No todas las decisiones han de ser mías.

—¿Por qué no? Usted es el médico.

—Porque unas opciones comportan más riesgo que otras, y son más o menos molestas. Es su cuerpo y su vida y usted debe decidir. En casos como éste, en los que se ha detectado el tumor en una fase temprana, suelo recomendar una mastectomía. Es lo más prudente y seguro. Al cabo de unos meses puede hacerse la cirugía plástica para reconstruir el seno, si lo desea.

Por el modo en que lo decía, daba la impresión de que se trataba de poner una salpicadera nueva en un coche. Alex no lo sabía, pero era su preferencia por la mastectomía como método más seguro lo que le había dado fama de conservador.

—¿Me haría la biopsia y la mastectomía el mismo día?

—Normalmente, no, pero si lo prefiere así, podemos hacerlo. Parece usted una mujer muy ocupada, y eso le ahorraría tiempo, si desea confiarme esa decisión. Podríamos prever tal contingencia. Se habría de planificar cuidadosamente.

De inmediato Alex pensó en Sam y en lo que le había dicho sobre el temor de los médicos a ser demandados por negligencia. Y también recordó algo más.

—¿Y si descubro que estoy embarazada en las próximas semanas?

—¿Sería eso posible? —Herman parecía sorprendido, y Alex se sintió insultada en cierto modo. ¿Creía acaso que era demasiado vieja para tener hijos, que sólo podía tener tumores?

—He estado tomando progesterona para quedar embarazada.

—Entonces le diría que abortara y que siguiera con el tratamiento. No puede permitirse el lujo de un embarazo. Su familia la necesita a usted, señora Parker, más que a un nuevo hijo —las palabras del médico tenían la misma frialdad y concisión que el filo de un escalpelo. Alex seguía sin creer lo que estaba oyendo—. Le sugiero que realicemos la biopsia dentro de dos lunes y que venga a verme antes para que estudiemos las opciones.

—No parece haber muchas, si no lo he entendido mal.

—Me temo que no, al menos en este momento. Primero tendremos que ver la biopsia, luego decidiremos. Pero debería saber que suelo preferir la mastectomía para un cáncer en fase temprana. Quiero salvarle la vida, señora Parker, más que el pecho. Es una cuestión de prioridades. Si tiene un cáncer, será lo más seguro para usted; después podría ser demasiado tarde. Es una postura conservadora, pero ha demostrado ser fiable a lo largo de los años. Otras opciones más innovadoras y arriesgadas podrían ser desastrosas. Y si después de operar es necesario iniciar una quimioterapia agresiva, tendríamos que empezar cuatro semanas después de la mastectomía. Ya sé que le sonará terrible ahora, pero dentro de seis o siete meses estará libre de la enfermedad, esperemos que para siempre.

—¿Seguiría siendo posible...? —Alex dudaba en preguntarlo—. ¿Podría tener hijos después?

El médico vaciló, aunque no por mucho tiempo. Le habían hecho la misma pregunta a menudo, pero solían ser mujeres más jóvenes. A los cuarenta y dos años la mayoría estaba más preocupada por salvar su vida.

—Es posible. Las probabilidades de esterilidad después de la quimioterapia son de un cincuenta por ciento aproximadamente, pero es un riesgo que hemos de aceptar, claro está. Sería mucho peor que no siguiera el tratamiento; podría causarle un grave perjuicio.

¿Grave perjuicio? ¿A qué se estaba refiriendo? ¿Qué se moriría si no le daban quimioterapia? Todo aquello era una pesadilla.

—Tendrá tiempo para pensar en todo esto durante el juicio. Intentaré adaptarme a su calendario, aunque la biopsia debe hacerse lo antes posible. El doctor Anderson me ha comentado que es usted una abogada con muchas responsabilidades —Herman esbozó una sonrisa que no acabó de cuajar, y Alex se preguntó si aquél sería el lado "humano" al que se refería su ginecólogo y que a ella no le pareció gran cosa. En cualquier caso, lo que necesitaba era un buen cirujano. Sam ya se encargaría de animarla—. ¿Desea que le explique algo más? —inquirió Herman. A Alex le sorprendió la pregunta. Todo lo que pudo hacer fue negar con la cabeza. Lo que acababa de oír era peor de lo que esperaba, y la situación la había desbordado. Se imaginaba ya sin el seno izquierdo y padeciendo los efectos de la quimioterapia. ¿Perdería también el cabello? No se atrevió a preguntárselo. Era otro de los horrores que habría de añadir a una lista cada vez más larga.

Alex abandonó la consulta como si anduviera sobre una nube. Cuando llegó a su despacho, ni siquiera estaba segura de qué aspecto tenía el médico. Había estado una hora con él, pero de repente su rostro había desaparecido junto con casi todo lo demás, salvo las palabras tumor, maligno, mastectomía y quimioterapia. El resto era un batidillo indescifrable de sonidos.

—¿Te sientes bien? —Brock había entrado en su despacho inmediatamente y quedó muy preocupado al ver la expresión de Alex—. ¿De verdad que no estás enferma?

Ya estaba enferma, según sus médicos. Se sentía perfectamente, no le dolía nada, ni notaba nada en especial, pero le aseguraban que probablemente tenía cáncer.

Cuando llegó a casa esa noche, le contó a su marido todo lo que le había dicho el doctor Herman y Sam volvió a rebatirlo con la misma tranquila insistencia.

—Créeme, Alex, lo único que quieren esos tipos es que no los demanden por negligencia.

—Pero, ¿y si están en lo cierto? Ese tipo es el mejor cirujano en su especialidad, ¿por qué habría de mentirme únicamente para cubrirse las espaldas?

—A lo mejor tiene hipotecada la casa, y necesita extirpar varios pechos al año para pagarla. ¿Qué sé yo? Has ido a ver a un cirujano, no va a decir que vuelvas a casa y te tomes una aspirina, ¿no? De cualquier forma, te dará un susto de muerte por si acaso encuentra algo, de lo que no me va a convencer en absoluto.

—¿O sea que tú crees que miente, que me haría una mastectomía aunque no tuviera cáncer? —cáncer. Lo decía ya como si fuera "kleenex", "microondas" o "hemorragia nasal". Aquella palabra aterradora se había convertido en parte de su vocabulario, y Alex odiaba oírla, sobre todo cuando era ella misma quien la pronunciaba—. ¿Crees que ese tipo es un charlatán? —ya no sabía qué pensar, y la actitud de Sam no la ayudaba en nada.

—Seguramente no. Anderson no te lo hubiera recomendado si no fuera una persona mínimamente responsable, pero ya no se puede uno fiar de nadie, especialmente de los médicos.

—Eso es lo mismo que dicen de los abogados —replicó ella con aire taciturno.

—Cariño, deja de preocuparte, seguro que no es nada. Te hará un pequeño corte en el pecho, no encontrará nada serio, lo volverá a coser y te dirá que lo olvides. Mientras tanto, no dejes que te obsesione —Sam se mostraba tan optimista que, en cierto modo, conseguía ponerla aún más nerviosa.

—Pero, ¿y si tiene razón? ¿Él ha dicho que una masa como la mía, a esa profundidad, suele ser maligna. ¿Qué pasará si lo es? —Alex intentaba hacerle comprender lo que estaba ocurriendo, pero él se negaba a aceptarlo.

—No será maligno —insistió Sam obstinadamente—. Confía en mí —Sam estaba dispuesto a protegerse a toda costa de la realidad. De repente, Alex se sintió sola y, aunque era lo que más deseaba, no acababa de creer lo que le decía su marido. Todo lo que había conseguido Sam era socavar su fe en el doctor Anderson y en el doctor Herman. Tanto fue así que el segundo día del juicio aprovechó una breve pausa para llamar a otro de los médicos que le había recomendado Anderson.

Frederica Wallerstrom era más joven que los otros y había publicado menos artículos, pero era una cirujana tan respetada como el doctor Herman y tenía la misma fama de conservadora. Aceptó recibir a Alex al día siguiente a las siete y media de la mañana. Cuando Alex acudió a su consultorio quería que la doctora fuera la solución a todos sus problemas, que fuera tranquilizadora y cordial, que le dijera que sus miedos eran infundados y que

71

probablemente el tumor sería benigno. Pero la doctora se mostró extremadamente seria, no pronunció palabra mientras examinaba primero a Alex y luego las radiografías, y cuando habló su expresión era fría.

—Yo diría que el doctor Herman ha sido muy preciso en sus afirmaciones. No se puede saber con seguridad sin hacer la biopsia, pero opino que es maligno —la doctora no intentó suavizar sus palabras, ni pareció preocupada por la reacción de Alex, que escuchó a la mujer de cortos cabellos grises y manos fuertes como las de un hombre sintiendo que las suyas se humedecían y que le temblaban las piernas—. Podríamos equivocarnos, naturalmente, pero con el tiempo uno acaba desarrollando un sexto sentido para estas cosas —añadió.

—¿Y qué recomendaría usted si es maligno, doctora? —preguntó Alex, intentando recordar que allí era ella la cliente, y que no tenía capacidad de decisión. Pero se sentía desvalida como una niña mientras la otra mujer la observaba inexpresivamente.

—Hay quien aboga por la tumorectomía, desde luego, para casi todos los casos, pero personalmente opino que es un riesgo demasiado grande y que a la postre puede tener graves consecuencias. La mastectomía es mucho más segura si se quiere erradicar completamente la enfermedad, acompañada de quimioterapia en la mayoría de los casos. Yo soy más conservadora —dijo con firmeza, desechando el otro método sin vacilar, por respetado que fuera—. Yo defiendo la mastectomía. Usted puede optar por una tumorectomía o por la radiación, pero teniendo en cuenta que es una mujer muy ocupada no creo que sea una decisión realista. No tendrá tiempo, y puede que lo lamente más tarde; aunque siempre puede correr ese riesgo. Usted es quien decide, pero yo coincido plenamente con el doctor Herman.

No sólo estaba de acuerdo con él, sino que no parecía tener nada que añadir, ni amabilidad ni compasión para Alex como mujer. De hecho, era aún más desagradable que el doctor Herman, y aunque Alex había deseado que le gustara, por ser mujer al menos, le gustó muy poco, y salió del consultorio con impaciencia, deseosa de respirar aire fresco.

Llegó a los tribunales a las ocho y cuarto, asombrada al darse cuenta del poco tiempo que la doctora le había dedicado para un asunto tan grave. Quizá sólo fuera grave para ella. Todos los demás parecían pensar que se trataba de una sencilla decisión. Eliminando el seno se eliminaba el problema, así de sencillo, siempre que uno no fuera el paciente, claro. Para los médicos era cuestión de teorías y estadísticas, para Alex significaba el futuro.

Se sentía defraudada por la entrevista. Había creído que una segunda opinión serviría para despejar sus dudas, pero lo único que había conseguido la doctora Wallerstrom era acrecentar sus miedos y su sensación de soledad. Existía aún la posibilidad de que el tumor fuera benigno, pero parecía cada vez más remota.

La alegría con que Sam se había negado a creer lo peor le parecía absurda. Es más, su persistente negativa a enfrentarse con ciertas posibilidades, unida a la presión del juicio y a las hormonas que había tomado, le habían alterado los nervios y se sentía como si caminara bajo el agua.

Lo único que evitó que perdiera la cabeza completamente fue el firme apoyo de Brock durante el juicio. Cuando Jack Schultz fue absuelto, le pareció un milagro. El juicio duró sólo seis días. A las cuatro de la tarde del miércoles siguiente ya había concluido.

Alex se hallaba en la sala del tribunal, sintiéndose agotada pero complacida al dar las gracias a Brock por su ayuda en un periodo especialmente duro, más duro de lo que nadie suponía.

—No hubiera podido hacerlo sin ti —dijo Alex amablemente. Y era lo que pensaba.

—Has sido tú quien lo ha conseguido —Brock la miró con admiración—. Es un placer observarte en el tribunal. Es como un gran ballet o una operación. Siempre sabes dónde hay que aplicar la incisión y la sutura perfectas.

—Gracias —se dispuso a guardar sus papeles con ayuda de Brock. Acababa de recordar que debía llamar a Peter Herman. Temía el momento de volver a verlo. Apenas faltaban cinco días para la biopsia, y Alex no sabía nada más, salvo que la doctora Wallerstrom era de la misma opinión que Herman. Sam se había negado a volver a discutirlo. Decía que se había armado demasiado alboroto por algo que no ocurriría nunca.

Intentó saborear las mieles de la victoria y se llevó a casa la botella de champán que le había enviado Jack Schultz, pero en realidad no tenía ganas de celebrar nada. Estaba nerviosa y deprimida.

Al día siguiente fue a ver a Peter Herman, quien esta vez se mostró inflexible. Afirmó sin vacilar que si un tumor de sus características era maligno tendría que practicarle una mastectomía radical modificada, además de quimioterapia, y que era mejor que empezara a hacerse a la idea. Le explicó también que tenía dos alternativas: podía hacerse la biopsia con anestesia general y discutir luego las opciones con él, o bien podía firmar un permiso antes de la biopsia que permitiría al cirujano hacer lo que considerara necesario a la vista de lo que encontrara. Esta última opción supondría que habría de confiar en él plenamente. No era el procedimiento habitual, explicó Herman, pero tenía la impresión de que Alex quería resolverlo con una sola operación. La única complicación que podía surgir era que estuviera embarazada. En todo caso, afirmó que comprendería perfectamente que prefiriera hacerlo en dos etapas.

Mientras hablaba con el médico, a Alex le pareció que sería mucho más sencillo terminar con todo de una vez en lugar de prolongar la agonía y tener que volver al hospital si el tumor era maligno. Confiaba en que el doctor Herman tomaría la decisión correcta. Ella ya se había encargado de la decisión más difícil. La tumorectomía, con la que salvaría el seno, era muy tentadora, pero había preferido la mayor seguridad de extirpar el seno por completo, por dolorosa que fuera la perspectiva. También había aceptado la quimioterapia si era necesaria, pero volverían a hablar de ello más adelante.

Sin embargo, lo que realmente le obsesionaba era la posibilidad de que estuviera embarazada. Se debía a Sam y a Annabelle, pero se sentía incapaz de renunciar a su hijo. El doctor Herman le había explicado muy claramente que en el primer trimestre de embarazo se preferían las mastectomías a las tumorectomías, porque estas últimas implicaban automáticamente una posterior radiación, que no era aconsejable. En el caso de la mastectomía, si se precisaba después aplicar quimioterapia, lo más seguro era que provocara un aborto espontáneo, tanto en el primer trimestre como en el segundo. Sólo en el caso de que el embarazo se hallara ya en el tercer trimestre podían aplazar el tratamiento hasta después del parto.

También afirmó con toda claridad que no esperaba que el tumor fuera benigno, aunque sí que no hubiera metástasis, que los nódulos no estuvieran muy afectados y, por supuesto, que el tumor se hallara en su primera fase de desarrollo. Alex intentó escucharlo con atención y comprender lo que estaba diciendo, pero su mente había vuelto a ponerse en blanco. Deseó que Sam la hubiera acompañado, pero estaba tan obcecado en su negación de la realidad que ni siquiera había pensado en pedírselo.

—¿Y el embarazo? —preguntó el doctor Herman antes de que Alex se marchara—. ¿Qué posibilidades tiene?

—Aún no lo sé —contestó ella con tristeza. No estaría segura hasta el siguiente fin de semana.

—¿Le gustaría recibir asesoramiento antes de la biopsia? —inquirió el médico, mostrando de nuevo su lado más humano, por pequeño que fuera—. Tal vez quisiera hablar con un psicólogo o con alguna mujer que haya pasado por lo mismo, sobre todo si desea realizar todo el proceso en una sola operación. Solemos recomendar una terapia de grupo, pero más adelante, pues sirve de gran ayuda para el paciente.

Alex lo miró con aire pesaroso y sacudió la cabeza.

—No tengo tiempo. Especialmente si voy a tener que abandonar la oficina durante varias semanas —se había encargado ya de hablar con Matt Billings y había traspasado buena parte de su trabajo a Brock, pero no les había hablado de su enfermedad. Se había limitado a comentar que tenía un problema médico y debía solucionarlo. No sabía si tardaría dos días o dos semanas, pero ellos se habían mostrado absolutamente comprensivos y dispuestos a ayudarla. Brock expresó su deseo de que no fuera nada grave. Matt no dijo nada; se preguntó después si quería arreglarse la nariz o las patas de gallo. Su esposa lo había hecho el año anterior, pero no le parecía que Alex lo necesitara. De todas formas, las mujeres solían ponerse un poco histéricas por su aspecto al llegar a cierta edad. Alex le parecía tan saludable que no se le ocurrió en ningún momento que pudiera tener un auténtico problema.

—¿Cuándo cree que podré volver al trabajo? —quiso saber Alex.

—Seguramente dentro de dos o tres semanas, depende de cómo evolucione su estado. Y luego, claro, de cómo reaccione a la quimioterapia —el médico hablaba como si todo estuviera decidido. Tenía cáncer, iban a quitarle un pecho y le aplicarían quimioterapia. Tal vez Sam estuviera en lo cierto y aquello fuera una especie de fábrica en la que extirpaban pechos para pagarse las facturas, pero a ella le costaba trabajo creerlo.

El médico quería que fuera al hospital ese fin de semana para hacer análisis de sangre y radiografías del pecho. Señaló también la imposibilidad de que donara su propia sangre con tan poca anticipación. No obstante, según Herman, en muy contadas ocasiones era indispensable una transfusión, aun tratándose de mastectomías radicales. De ser necesaria después de la operación, la llamaría a su despacho para pedir donantes. Nada más quedaba por decir hasta el lunes siguiente, salvo que debía avisarle durante el fin de semana si estaba embarazada. Al final Alex abandonó el consultorio con una sensación de vacío.

Volvió a su despacho para trabajar el resto de la tarde. Llegó a casa a la hora de la cena. Sólo Carmen se dio cuenta de lo callada que estaba. Alex no le contó nada a Sam sobre la visita al doctor Herman hasta que se acostaron, pero entonces él ya estaba medio dormido y ni siquiera le respondió. Al final de su explicación, Sam roncaba suavemente.

El viernes por la mañana, Alex limpió de papeles su mesa antes de las doce. Brock acudió a recoger unos expedientes y le deseó suerte.

—Espero que todo salga bien —tenía ciertas sospechas, porque había oído la palabra "biopsia" en una de sus conversaciones telefónicas. Se le encogía el corazón sólo de oírla, pero esperaba que en el caso de Alex no tuviera mayores consecuencias. Alex se despidió apresuradamente de él y luego dio a Liz las últimas instrucciones. La secretaria afirmó que la llamaría para darle sus mensajes, y que le mandaría trabajo a casa al cabo de unos días si no había vuelto todavía a la oficina.

—Cuídese —le dijo después en voz baja, y la abrazó. Alex se esforzó por contener las lágrimas y acabó girando el rostro.

—Cuídese usted también, Liz. Nos veremos pronto —dijo, con una confianza que no sentía. Se fue en taxi a recoger a Annabelle del colegio y se pasó todo el trayecto llorando.

Madre e hija comieron en Serendipity y se fueron directamente a Miss Tilly's. Annabelle no había sido jamás tan feliz. Le alegraba que Alex ya no estuviera "ocupada con el juez". Se lo dijo sin rodeos mientras tomaba un helado.

—Intentaré no hacerlo más que cuando sea imprescindible.
—Alex no le había contado que la internarían en el hospital el lunes siguiente. El sábado intentó hablar con Sam sobre lo que debían

decirle. Alex pensaba que lo mejor era explicarlo como viaje de trabajo, porque la idea de un hospital podía asustarla.

—Ni lo pienses siquiera —le contestó Sam, mirándola con enfado—, volverás esa misma tarde, por el amor de Dios.

—Quizá no —replicó Alex en voz baja, consternada al ver que Sam seguía negándose a enfrentar el problema—. Podría estar internada una semana si me hacen la mastectomía.

—¿Quieres dejarlo ya? Me estás volviendo loco. ¿Qué significa esto? ¿Es que quieres que te compadezca o qué?

Alex no lo había visto jamás tan fuera de sí. Se preguntó de repente si su reacción tendría algo que ver con la muerte de su madre. En todo caso, lo único que conseguía era ponerla más nerviosa de lo que ya estaba.

—La verdad es que quisiera que me apoyaras un poco —dijo, furiosa con su marido por primera vez desde que había empezado todo—. Esa tontería de negarte a creer lo que está ocurriendo no me facilita las cosas precisamente. ¿Se te ha ocurrido alguna vez que podría necesitar tu ayuda? Podría perder un seno dentro de dos días y tú insistes en que no pasa nada —sus ojos se llenaron de lágrimas.

—Porque no va a pasar nada —dijo Sam con aspereza, y volvió la cara para ocultar sus propias lágrimas. En todo el fin de semana no dijo nada más sobre el tema. No podía. Estaba demasiado asustado, le recordaba demasiado a su madre.

El resultado inmediato fue que Alex se sintió desamparada. Tenía muchos conocidos y algunos amigos, pero raras veces los veía, salvo si trabajaba con ellos. Sam era su mejor amigo, y en el momento en que más lo necesitaba no era capaz de ayudarla. Llamar a otra persona le parecía embarazoso. "Hola... soy Alex Parker, mañana van a hacerme una biopsia. ¿Podrías pasar por aquí y charlar un rato? En realidad es posible que me hagan una mastectomía, pero Sam dice que sólo es para que el médico se compre un Mercedes... y yo haría cualquier cosa por una buena causa." Si le costaba trabajo llamar a alguien, más difícil aún era admitir que Sam la había dejado sola. Pero ésa era la terrible realidad. El domingo por la noche, mientras la acostaba, explicó a Annabelle que al día siguiente se marcharía unos cuantos días por motivos de trabajo. La pequeña pareció decepcionada, pero dijo que lo comprendía. Alex prometió llamarla por teléfono y le aseguró que papá cuidaría de ella. Annabelle la abrazó con fuerza, diciendo que la echaría mucho de menos, haciendo que Alex se sintiera aún peor.

—¿Volverás a tiempo para llevarme a ballet el viernes? —preguntó Annabelle con los ojos muy abiertos.

—Lo intentaré, cariño, te lo prometo —contestó Alex con la voz ronca, esforzándose por mantener la compostura, aferrada a su hija y rezando por que finalmente el doctor Herman estuviera equivocado—. ¿Serás buena y te portarás bien con papá y con Carmen? Te voy a echar muchísimo de menos —más que nunca, se decía, con un nudo en la garganta.

—¿Por qué tienes que irte, mami? —preguntó Annabelle tristemente. Era como si notara que Alex no le decía toda la verdad.

—Porque es necesario. Por trabajo —ni siquiera a ella le sonaba convincente.

—Trabajas demasiado —comentó Annabelle—. Yo te cuidaré cuando sea mayor, mami, te lo prometo —era una chiquilla tan dulce que no se veía con fuerzas para dejarla a la mañana siguiente. Siguió abrazándola durante largo rato. Por fin apagó la luz y se fue a hacer la cena para ella y Sam.

Estaba tan nerviosa que sentía náuseas. No podía pensar más que en lo que se avecinaba, pero Sam evitó hablar de ello durante la cena. Después él se dirigió a su estudio a leer unos informes mientras Alex volvía a la habitación de Annabelle. Se tumbó junto a la niña dormida durante un rato. Quería notar sus rizos contra la mejilla y su suave respiración. Cuando se levantó, permaneció observándola desde la puerta. Annabelle parecía un pequeño ángel. Alex pensó que valdría la pena sacrificar un pecho para seguir viviendo.

Sam estaba dormido delante del televisor cuando se metió en la cama. También él había tenido una semana muy apretada, porque había llegado un grupo de inversores de Arabia Saudita, pero Alex seguía enfadada con él. Estuvo una hora ansiando despertarlo y hablar con él pero cuando por fin Sam se movió fue únicamente para quitarse los vaqueros y la camiseta, sin despertarse en realidad.

—¿Sam? —dijo Alex en voz baja. Quería sentirse cerca de él, hablarle, hacer el amor incluso, pero Sam estaba a miles de kilómetros de distancia, ajeno a su problema.

—¿Mmmmm?

—¿Estás dormido? —era evidente que lo estaba—. Te quiero —Sam no la oía. Alex no se había sentido tan sola en toda su vida. En cierto modo, su marido la había abandonado completamente.

Cuando fue al sanitario antes de dormirse, Alex descubrió que ya estaba menstruando, a pesar de todos los esfuerzos de la semana anterior y de las hormonas que había tomado. No estaba embarazada. Sólo habría biopsia y probablemente cirugía.

5

Alex se despertó a las seis y deambuló por la casa, deseando que fuera una mañana diferente. Preparó café para Sam, puso la mesa para el desayuno y contempló a Annabelle, que aún dormía. También Sam seguía durmiendo. Alex se sintió extraña mirándolos, sabiendo que pronto iría a luchar en una batalla que podría separarla de ellos para siempre. ¿Qué sería de su familia?

No podía comer ni beber nada, aunque se moría de ganas de tomarse un café. Mientras se lavaba los dientes sintió deseos de llorar. Quería huir, ocultarse, pero no había huida posible de su propio cuerpo. Se irguió y se miró en el espejo con el cepillo de dientes en la mano y las lágrimas corriéndole por las mejillas. Dejó el cepillo y se bajó los tirantes del camisón. El fino raso se deslizó suavemente hasta el suelo. Alex contempló sus senos firmes y pequeños. El izquierdo era ligeramente mayor que el derecho. De pronto recordó que Annabelle siempre había preferido el izquierdo cuando la amamantaba. Al contemplar su cuerpo no pudo evitar admirarlo. Siempre había tenido buena figura, pero no había pensado demasiado en ello. ¿Y ahora qué? ¿Qué ocurriría si le extirpaban un seno? ¿Sería una persona diferente? ¿Quedaría tan horriblemente deformada que Sam no volvería a desearla? Necesitaba oírle decir que no le importaba que tuviera un pecho o dos, pero a él le parecía que se comportaba de un modo morboso.

Mientras se miraba y lloraba desconsoladamente, intentaba convencerse de que un pecho no era un precio excesivo por toda una vida, pero tampoco quería perderlo, ni hacerse la cirugía plástica. Sobre todo, no quería tener cáncer.

81

—Hola —saludó un Sam somnoliento que se dirigía a la ducha. Alex no lo había oído entrar y él no pareció darse cuenta de que estaba llorando. Se volvió instintivamente, como si tuviera ya algo horrible que ocultar, y se cubrió con una toalla—. Te has levantado temprano —dijo Sam—. ¡Vaya sorpresa! —Alex sintió deseos de golpearlo por el tono con que había pronunciado esas palabras.

—Hoy van a operarme —le recordó con voz ahogada.

—Van a hacerte una biopsia —la corrigió él, abriendo el grifo de la ducha—. No te pongas melodramática.

—¿Cuándo vas a despertar? —le espetó Alex—. ¿Cuándo piensas enfrentarte con la realidad? ¿Cuando ya haya perdido el pecho, o ni siquiera entonces? ¿Tanto miedo te da que no puedes intentar comprenderme ni por un instante?

Sam necesitaba oír aquellos reproches, pero tampoco con eso pudo enfrentarse. Se metió bajo la ducha sin mirarla y diciendo algo que Alex no alcanzó a oír mientras lo observaba con renovado asombro. Ella se acercó a la ducha y descorrió la cortina de golpe para mirar a su marido, completamente fuera de sus casillas.

—¿Qué dijiste?

—Que te estás poniendo melodramática —parecía avergonzado y molesto a la vez, mientras Alex lo contemplaba. Ella estaba tan hermosa con la piel mojada que Sam tuvo una erección. No habían hecho el amor desde el fin de semana "azul". Primero porque Alex estaba ocupada con el juicio y luego porque lo había traumatizado la posibilidad de que tuviera cáncer. Sam, por otra parte, no había intentado acercarse a ella.

—Creo que te estás comportando como un hijo de puta, Sam Parker. Me importa un bledo que te cueste afrontar lo que está ocurriendo; a mí también me cuesta. Y soy yo la que está enferma. Al menos podrías ayudarme. ¿Es demasiado pedir para usted, señor Importante, que tiene un miedo tan grande que no puede enfrentarse con la realidad?

Sam volvió a correr la cortina y siguió duchándose.

—¿Por qué no te tranquilizas, Alex? Esta tarde todo habrá terminado y te sentirás mucho mejor —ambos sabían que la progesterona alteraba los nervios, pero lo que se discutía allí era la propia existencia. Alex veía amenazada su salud, su vida, su aspecto, su feminidad, incluso su capacidad de tener hijos. ¿Qué otra cosa le quedaba? Muchas tal vez, pero ella aún no las había descubierto, ni tampoco Sam, que seguía con la cabeza bajo el ala, como las avestruces.

Carmen llegó cuando se despertaba Annabelle. Alex fue a hablar con ellas mientras su hija se vestía. Carmen notó que estaba muy alterada. Alex le había contado lo mismo que a su hija: que se iba en viaje de trabajo y necesitaba que se quedara unos días en el apartamento.

—¿Va todo bien, señora Parker? —preguntó Carmen con tono receloso, y Alex se sintió tentada de contárselo todo. Pero el hecho de decírselo a otra persona lo haría más real. Era más fácil fingir.

—Sí, Carmen, gracias.

Sin embargo, Carmen volvió a sospechar algo raro cuando Alex apareció vestida con vaqueros, suéter blanco y mocasines. Alex no viajaba nunca vestida de esa manera, y sin maquillar, además. Carmen la miró con el entrecejo fruncido y luego miró a Sam, que bebía café, comía huevos y leía el periódico. Él vestía su traje habitual y parecía extrañamente alegre cuando dejó el periódico para charlar. No dijo nada a su mujer, pero se mostró particularmente divertido con Carmen y Annabelle. Carmen no imaginaba qué estaba ocurriendo, pero tenía la sensación de que no era nada bueno.

A las siete y cuarto Alex recordó a su marido que tenían que marcharse. Sam cogió su portafolio y la bolsa de Alex y prometió a Annabelle que volvería para cenar. Besó a su hija, alborotó sus rizos y luego fue a llamar al ascensor mientras Alex abrazaba a la pequeña.

—Voy a echarte mucho de menos —le dijo, notando que temblaba. No quería marcharse, pero el ascensor ya había llegado y Sam la llamaba—. Te quiero, cariño. Volveré pronto... Te quiero... —repitió por encima del hombro. Tenía el rostro anegado en lágrimas cuando salió corriendo hacia el ascensor. Carmen no se perdió detalle. Annabelle miraba los dibujos de la televisión mientras ella metía los platos del desayuno en el fregadero. Entonces recordó que Alex no había tomado absolutamente nada, ni líquido ni sólido. Algo muy malo estaba ocurriendo, de eso estaba segura.

En el taxi, Sam entabló una conversación insustancial que Alex hubiera querido ahorrarse. Sólo pensaba en la dulce carita de su hija y cómo se había sentido al abrazarla para despedirse.

—Hoy vendrá otro grupo de árabes y unos holandeses. Debo confesar que Simon conoce a gente extraordinaria. Realmente estaba muy equivocado con él —y siguió parloteando mientras se dirigían hacia el New York Hospital, donde los aguardaba el doctor Herman.

—Me alegro de oírlo —contestó Alex, indiferente a las virtudes de Sam y a los clientes potenciales—. ¿Vas a quedarte o te irás a la oficina? —nada le hubiera sorprendido ya.

—Te dije que me quedaría contigo y lo haré. Pedí a Janet que llamará al médico y le dijo que tardaría una media hora con anestesia incluida, cuarenta y cinco minutos cuando mucho. Los efectos de la anestesia no se te irán hasta más tarde. He pensado quedarme hasta las diez y media o las once. Para entonces te habrás despertado o te habrás vuelto a dormir y estarás ya en la habitación. Volveré a buscarte por la tarde.

Se hizo un largo silencio después de que Alex asintiera y se pusiera a mirar por la ventanilla.

—Ojalá compartiera tu optimismo —le había contado ya que había decidido realizar todo lo que fuera necesario en una sola operación. Firmaría el permiso al llegar al hospital. De ese modo, cuanto hubiera de ocurrir ocurriría ese mismo día: biopsia y mastectomía, o tumorectomía si bastaba con extirpar el tumor en lugar de todo el seno. Ella no lo sabría hasta que se despertara, pero al menos sólo tendría que enfrentarse con el terror de la operación una vez. Sam seguía creyendo que estaba loca.

—¿De verdad confías tanto en ese tipo? —volvió a preguntar cuando atravesaban York Avenue y el hospital aparecía ante los ojos de Alex como un dinosaurio dispuesto a devorarla.

—Tiene una reputación excelente. Lo he comprobado. Y pedí una segunda opinión —aún no se lo había contado—. La doctora estuvo totalmente de acuerdo con él, Sam. Está muy claro, pero no es nada agradable.

—Aun así, yo no le daría tanta libertad de acción.

Alex no estaba de acuerdo. Además, lo había comentado con John Anderson por teléfono y el médico había apoyado su decisión. Le había asegurado que podía confiar en Herman plenamente.

El taxi se detuvo ante la puerta del hospital. Sam pagó y cogió la bolsa de Alex, que no contenía demasiadas cosas. Ella esperaba que finalmente Sam estuviera en lo cierto y que su estancia en el hospital fuera corta. De cualquier forma, él podía llevarle lo que necesitara si realmente debía quedarse más tiempo. Al hacer la bolsa había recordado el día en que fue al hospital para tener a Annabelle. Aquella época tan feliz parecía muy cercana en el tiempo.

Siguieron las flechas hasta llegar a la ventanilla de ingresos, pero ya la habían registrado el día en que acudió a hacerse los análisis de sangre y las radiografías. Le dieron el número de su habitación en el sexto piso, una ficha y un pequeño recipiente de plástico que contenía cepillo de dientes, vaso de plástico, jabón y pasta dentífrica. Al recibir aquellos objetos, Alex se sintió deprimida, como si acabaran de encerrarla en una prisión.

Sam y ella subieron al sexto piso en silencio, en medio del barullo del hospital. Sam parecía incómodo y estaba pálido. Alex seguía aterrorizada cuando salieron del ascensor y se cruzaron con dos pacientes que iban dormidos en sus respectivas camillas y tenían conectadas unas intravenosas. Las enfermeras de recepción en el sexto piso le indicaron dónde se hallaba su habitación, que era pequeña y fea, pintada de azul claro. En la pared había un póster y la cama parecía engullir todo el espacio. No era nada agradable, pero al menos estaría sola y no tendría que hablar con nadie, excepto con Sam, que no paraba de hacer comentarios absurdos sobre la vista y lo caros que se estaban poniendo los hospitales, y que la sanidad pública no funcionaba en absoluto en Canadá y en Gran Bretaña. Alex sintió deseos de gritarle que se callara, pero sabía que su marido hacía esfuerzos desesperados por superar aquella situación, aunque a ella no le ayudara.

Una enfermera entró para asegurarse de que Alex no había tomado absolutamente nada desde la medianoche del día anterior. Después entró un conserje con un soporte para intravenosas, arrojó un camisón sobre la cama y le dijo que volvería al cabo de unos minutos. De repente Alex se echó a llorar. Todo aquello era horrible. Sam la abrazó, deseando decirle cuánto lo sentía.

—Pronto terminará todo. Intenta olvidarlo. Piensa en Annabelle, en que iremos a la playa el verano que viene... o en el Halloween... y antes de que te des cuenta ya habrá pasado.

Alex se rió interiormente de lo que decía su marido. Ni siquiera la idea del Halloween y de Annabelle conseguía borrar el terror que sentía.

—Estoy tan asustada —susurró.

—Lo sé... pero todo saldrá bien... te lo aseguro.

Pero Alex sabía que estaba en las manos de Dios y no podían saber lo que había reservado para ella.

—Es todo tan extraño... éramos tan poderosos a nuestra manera. Éramos personas fuertes, con buenos empleos, movilizábamos a un montón de gente, tomábamos decisiones que tenían que ver con el dinero, con las personas y las empresas... y de repente llega una desgracia como ésta y te encuentras indefensa. De pronto estás a merced de todo el mundo, de personas a las que no conoces, del destino y de tu propio cuerpo.

La enfermera volvió a aparecer en la puerta para indicar a Alex que se desvistiera y se pusiera el camisón, porque vendrían a ponerle la intravenosa enseguida. No había simpatía ni interés en su voz.

—¿Eso es una buena noticia? —bromeó Sam—. ¿Como si fueran a traerte un abundante desayuno?

—Nada de todo esto es bueno —dijo Alex, enjugándose los ojos y deseando una vez más que Sam tuviera razón al fin y al cabo.

La enfermera volvió mientras Alex se estaba cambiando. Luego le pidió que se tumbara para poder ponerle la intravenosa. Se trataba simplemente de una solución salina para que no se deshidratara.

—Además, así lo tenemos todo preparado por si necesita que le inyecten algo más. Van a darle anestesia general —explicó, como una azafata anunciando que se disponían a sobrevolar San Luis.

—Lo sé —dijo Alex, intentando parecer tranquila, como si fuera ella la que hubiera tomado todas las decisiones. Pero a la mujer no le importaba nada de lo que ella sentía. Se hallaban en un hospital, donde se trabajaba con cuerpos para repararlos lo antes posible y dejar espacio a los siguientes.

La solución le quemó al entrar por el brazo, pero la enfermera le aseguró que se le pasaría en unos minutos. Luego le tomó la presión sanguínea, la auscultó, hizo una anotación en su gráfico y accionó un interruptor que encendió la luz del pasillo.

—Llamaré para decirles que está preparada. La llevarán al quirófano enseguida —eran las ocho y media y la biopsia debía relizarse a las nueve.

—¿Quieres que haga alguna llamada mientras espero? —preguntó Sam con tono despreocupado, mientras contemplaba la habitación con aire desdichado y una enfermera entraba con una carpeta.

—No, gracias. Creo que se harán cargo de todo en la oficina —contestó Alex, mientras hojeaba el papel que le tendía la enfermera. Era el permiso del que ya había hablado con el doctor Herman. Sólo leyó unas cuantas líneas, en las que se autorizaba a realizar incluso una mastectomía radical, aunque el médico le había explicado que por lo general bastaba con la radical modificada, en la que se extirpaba el seno y los músculos pectorales menores, pero no los mayores. Estos últimos eran necesarios para poder hacer la cirugía plástica. Alex no pudo leer nada más. Después de firmar miró a Sam con lágrimas en los ojos, intentando no pensar más en ello, y devolvió la carpeta a la enfermera.

—No olvides llamar a Annabelle a la hora de comer por si aún estoy dormida... o todavía me están operando, por favor. Dios mío, no... —dijo, secándose las mejillas con dedos temblorosos. Sam le cogió una mano.

—La llamaré. Voy a comer en La Grenouille con los árabes de Simon y su ayudante de Londres. Es una mujer que estudió Economía en Oxford. Simon dice que nuestros chicos de Harvard no le llegan ni a la suela de los zapatos a los de Oxford —Sam sonrió. Intentaba distraer a su mujer, pero en ese momento aparecieron dos camilleros, con aspecto de ángeles negros, empujando una camilla. Vestían chaqueta y pantalón verdes y batas azules, llevaban gorros de plástico en la cabeza y lo que parecían gorros de ducha en los pies.

—¿Alexandra Parker?

Alex asintió a pesar suyo. No podía hablar. Volvió a echarse a llorar cuando se encontraba ya en la camilla y miró a Sam.

—Pórtate bien, cariño. Te estaré esperando aquí. Y esta noche lo celebraremos. Tranquila —Sam se inclinó para besarla.

—Lo único que quiero es volver a casa contigo y con Annabelle y ver la televisión —dijo Alex con un susurro ahogado y entre sollozos.

—Trato hecho. Y ahora ve y acaba de una vez para que podamos olvidar todo esto —le pellizcó un seno y Alex rió. Pero a ella le resultaba imposible sentir la misma confianza, sobre todo al recordar que su marido no le había dicho en ningún momento que seguiría amándola aunque le extirparan un pecho.

Los camilleros empujaron la camilla por el pasillo y la introdujeron en un gran ascensor. La gente que estaba en él se hizo a un lado y la observó, preguntándose cuál sería su enfermedad y fingiendo al mismo tiempo que no la miraban. Sólo se veía su rostro con los cabellos pelirrojos esparcidos sobre la almohada, pero dos de los hombres pensaron que era muy guapa.

Llegaron a la planta de los quirófanos, donde predominaba un fuerte olor a antisépticos. Unas puertas eléctricas se abrieron y volvieron a cerrarse, y de repente Alex se encontró en una habitación pequeña con máquinas cromadas y luces brillantes. Allí la aguardaba Herman.

—Buenos días, señora Parker —no le preguntó cómo se encontraba. Ya lo sabía. Le cogió una mano e intentó tranquilizarla—. La dormiremos enseguida, señora Parker —explicó amablemente, sorprendiendo a Alex. Parecía estar en su auténtico elemento y más afectuoso con ella que en ocasiones anteriores. ¿O era sólo que había ganado y tenía por fin lo que quería? ¿Tenía razón Sam? ¿Estaban todos locos? ¿Le habían mentido? ¿Iba a morir? ¿Dónde estaba Sam... y Annabelle...? La cabeza le dio vueltas cuando le metieron una aguja en el otro brazo. Alex pensó que tenía sabor a ajo y a cacahuates en la boca. Alguien le dijo que empezara a contar hacia atrás desde cien. Sólo llegó a noventa y nueve antes de que en torno a ella se hiciera la más completa oscuridad.

6

Sam estuvo paseando por la pequeña y claustrofóbica habitación azul durante casi una hora, hasta las nueve y media. Llamó a su secretaria, devolvió algunas llamadas y confirmó su cita para comer con Simon. Por la tarde tenían que reunirse también con sus abogados. Simon iba a convertirse en socio de su empresa, a la que aportaría todas sus valiosas conexiones y muy poco dinero. Sería un socio limitado, con un porcentaje de los beneficios inferior al de Sam, Tom o Larry, pero parecía conformarse con poco por el momento. Afirmaba siempre que podía aportar más capital en el futuro, una vez que hubiera demostrado su valía y el negocio se hubiera expandido como resultado de sus conexiones.

Después de llamar Sam recorrió el pasillo para sacar de una máquina un café espantoso, del que sólo tomó dos sorbos. Le ponía enfermo el simple hecho de estar allí, en medio de aquellos olores y de la gente que desfilaba en sillas de ruedas o en camillas. Seguía temiendo los hospitales, a pesar de que la última vez que había visitado uno había sido con motivo del nacimiento de Annabelle, pero Alex lo necesitaba. Esta vez se sentía inútil y desamparado a la vez. Su mujer se hallaba en otro lugar, dormida, sin saber quién estaba con ella y quién no. Daría lo mismo que Sam estuviera en cualquier otro lugar. A las diez y media era lo que más deseaba. Ella ya debería haber vuelto a la habitación, o alguien debería haberle dicho cuándo la bajarían. No quería marcharse sin verla, o al menos sin hablar con su médico, pero también quería estar en su despacho a las once. Además, allí no hacía ninguna falta.

Volvió a llamar a su oficina y luego salió con paso decidido para hablar con las enfermeras de la recepción de la planta.

—Quisiera saber qué ocurre con la señora Alexandra Parker —dijo secamente—. Le están haciendo una biopsia del pecho desde las nueve. Dijeron que acabarían antes de las diez y ya casi son las once. ¿Podría llamar y ver si se ha producido algún retraso? No puedo estar esperando aquí todo el día.

La enfermera alzó una ceja al oírlo, pero no dijo nada. Parecía un hombre importante, iba bien vestido y era muy atractivo. Tenía, además, un aire dominante al que también ella se rindió, aunque no sabía quién era ni por qué no podía esperar como todo el mundo. Llamó a quirófanos y le dijeron que iban retrasados, lo que no dejaba de ser normal, puesto que era lunes y tenían que realizar todas las operaciones que se habían aplazado durante el fin de semana: brazos, piernas y caderas que aguardaban desde la noche anterior y las apendicectomías que no habían sido urgentes.

Sam recordó entonces las esperas interminables en los aeropuertos. A ellos les había ocurrido en una ocasión en que Alex tenía que encontrarse con él en Washington para una fiesta, cuando aún no estaban casados. En Nueva York había habido tormenta y él había tenido que esperarla seis horas en el aeropuerto. Se sentía igual que aquel día. A las once y media estaba realmente exasperado.

—Esto es ridículo. Lleva el tiempo suficiente allá arriba para que la hayan operado a corazón abierto. Se la llevaron hace tres horas. Al menos podrían decirnos cuánto más van a tardar.

—Lo siento, señor. Tal vez hayan tenido una urgencia y han retrasado la operación de su esposa. Son cosas que no pueden evitarse.

—¿Podría al menos averiguar dónde está y qué está sucediendo?

—Seguramente se encuentra ya en la sala de reanimación, a menos que sigan retrasados y hayan cancelado su operación. Ahora los llamo. ¿Por qué no toma un café y espera en su habitación? Iré a verlo en cuanto sepa alguna cosa.

—Muchas gracias —Sam sonrió a la enfermera y ésta decidió que era un hombre difícil, pero que valía la pena. Volvió a llamar a quirófanos y obtuvo muy poca información, salvo que a Alexandra Parker aún la estaban operando. Habían empezado tarde y la enfermera que se puso al teléfono no tenía la menor idea de cuándo iban a acabar.

La enfermera fue a la habitación de Alex y transmitió el mensaje a Sam, que llamó una vez más a su oficina para disculparse por no haber llegado a la reunión de las once con sus socios. Les dijo que se encontraría con ellos cuando pudiera, pero que tal vez fuera hasta la una en La Grenouille. No le parecía bien marcharse sin saber qué le había ocurrido a su esposa.

Eran la doce y media cuando por fin le informaron que Alex se encontraba en la sala de reanimación. Sam se quejó del retraso, y la enfermera le dijo que el doctor Herman bajaría a hablar con él al cabo de unos minutos.

Eran las doce con cincuenta cuando llegó el médico, y Sam parecía un león enjaulado. Estaba harto de aquel ambiente sórdido y de las esperas, que sólo podía soportar la gente que no tenía otra cosa que hacer. Él tenía un negocio que dirigir y no podía pasarse el día aguardando a un maldito médico.

—¿Señor Parker? —el doctor Herman entró en la habitación con el atuendo de operar, la mascarilla bajada y lo que parecían unos peúcos envolviendo los zapatos. Estrechó la mano de Sam con rostro inexpresivo.

—¿Cómo está mi mujer? —Sam no perdió el tiempo preguntando por la operación; suponía que todo había ido bien. Acabaría llegando tarde a la comida con Simon, su ayudante y los nuevos clientes.

—Por el momento evoluciona favorablemente dentro de lo que cabe esperar. Ha perdido muy poca sangre y no hemos tenido que hacerle ninguna transfusión —este dato era importante para todo el mundo en los tiempos que corrían, y el médico supuso que también lo sería para Sam, pero éste no pareció impresionado, sino más bien perplejo.

—¿Transfusión para una biopsia? —se hizo un prolongado silencio—. ¿No es bastante inusual?

—Señor Parker, como yo sospechaba, su esposa tenía una gran masa profundamente arraigada en la mama. Los conductos eran los más afectados, pero también se habían infiltrado en el tejido de alrededor, aunque los límites del tumor eran claros. Tendremos que esperar uno o dos días más para saber si los nódulos linfáticos también están afectados, pero desde luego se trataba de un tumor maligno. Creo que era un cáncer en su segundo estadio.

De repente a Sam empezó a darle vueltas la cabeza. Se sentía igual que Alex cuando le dijeron por primera vez que había una sombra en su mamografía. Toda la información que siguió no fue más que una maraña de sonidos.

—Esperamos haberlo extirpado por completo —prosiguió Herman—, pero yo ya había hablado con su esposa de la posibilidad de que se reprodujera. En general, cuando se reproduce, un cáncer de mama suele ser mortal. Lo más importante para tener éxito en el tratamiento de un cáncer como éste es extirparlo todo, mientras aún está encapsulado y no se ha extendido a otras partes del organismo. Con ese propósito adoptamos medidas extremadamente agresivas. Con un poco de suerte, si los nódulos linfáticos no están muy afectados, creo que lo hemos cogido a tiempo.

—¿Qué quiere decir exactamente? —preguntó Sam, notando que se apoderaban de él las náuseas sólo con formular la pregunta—. ¿Le ha extirpado la masa del pecho?

—Obviamente. Y también la mama, por supuesto. Es la única manera de estar completamente seguros de que no se reproducirá localmente. No puede reproducirse en una mama que ya no existe. Podría reproducirse en la pared torácica, o extenderse a otra zona, claro, o formar metástasis, pero dependerá de lo avanzado que estuviera el tumor y de cuántos ganglios linfáticos estén afectados. En todo caso, al extirpar la mama se resuelven muchos problemas —Alex lo había comprendido perfectamente.

—¿Y por qué no la ha matado, ya encarrilados? ¿No resolvería eso el problema definitivamente? ¿Qué clase de barbaridad es ésa de cortarle el pecho para que el tumor no se extienda? ¿Qué tipo de medicina practican ustedes? —Sam gritaba con el rostro lívido.

—La más sensata, señor Parker, métodos agresivos contra el cáncer. No queremos perder a nuestros pacientes. Y por eso mismo también hemos hecho un vaciamiento ganglionar, es decir, hemos extirpado los nódulos de la axila. Pero confío en que los demás ganglios no estén afectados. Nos lo confirmará el análisis patológico dentro de unos días. Los resultados de las pruebas de los receptores hormonales nos llegarán de aquí a unas dos semanas, y entonces sabremos cómo tratar a su esposa.

—¿Cómo tratarla? ¿Qué más van a hacerle? —Sam seguía hablando a gritos. Con aquella operación estúpida le habían hecho una carnicería a la pobre Alex.

—Depende de cuántos ganglios linfáticos estén afectados. Probablemente tendremos que aplicarle quimioterapia para asegurarnos de que no se reproducirá el tumor. También podríamos optar por la terapia de hormonas, pero aún no lo sabemos. De todas formas a su edad es dudoso. Y puesto que hemos extirpado la mama, no hay necesidad de darle radiación. La quimioterapia no empezará hasta dentro de unas semanas. Ella necesita tiempo para recuperarse y nosotros para evaluar su situación. Se reunirá el equipo de oncólogos para discutir su caso, claro está, en cuanto tengamos el resultado del análisis patológico. Le aseguro que el tratamiento que se ha de dar a su esposa será estudiado con el máximo detenimiento y seriedad.

—¿Igual que hicieron con su pecho? —Sam todavía no acababa de creer que hubieran podido hacerle aquello a su mujer.

—Se lo aseguro, señor Parker, no había otro remedio —dijo Peter Herman tranquilamente. No era la primera vez que se las veía con maridos indignados, con maridos asustados, o con aquellos que no eran capaces de enfrentarse con la realidad, como el que tenía delante. Los maridos no eran diferentes de las pacientes, pero Herman tenía la impresión de que Alex Parker había comprendido los peligros que enfrentaba mucho mejor que su marido—. Hemos realizado una mastectomía radical modificada. Eso quiere decir que hemos extirpado toda la mama y los músculos pectorales menores, pero que podrá beneficiarse de la cirugía plástica o reconstructiva dentro de unos meses, si lo desea, o incluso durante la quimioterapia, si se encuentra bien. Si no, puede esperar y ponerse una prótesis —tal como él lo explicaba, parecía muy sencillo, pero Sam sabía que no lo era. El médico lo había cambiado todo con un simple movimiento de su escalpelo y ahora hablaba de Alex como si fuera una mutante.

—No me cabe en la cabeza cómo ha podido hacerlo —Sam miró al médico con incredulidad horrorizada, y Herman se dio cuenta de que era demasiado pronto para que asimilara todo aquello.

—Su esposa tiene cáncer, señor Parker. Nosotros sólo queremos curarla —con esto estaba dicho todo. Había lágrimas en los ojos de Sam cuando asintió.

—¿Qué posibilidades tiene de sobrevivir? —ésta era una pregunta a la que el doctor Herman odiaba responder. Él no era Dios, sólo un hombre. No sabía la respuesta. Deseaba poder garantizar una larga vida, pero no podía.

—Es difícil saberlo por el momento. El tumor era grande y profundo, pero el propósito de la cirugía radical y de los tratamientos agresivos posteriores es eliminar el cáncer por completo. Aunque sólo quedara un uno por ciento, con el tiempo podría causarle un grave perjuicio. Por eso no podemos salvar una mama afectada hasta el extremo en que lo estaba la de su mujer. En ocasiones descubrir el mal a tiempo y atacarlo radicalmente puede suponer la diferencia entre el éxito y el fracaso. Esperamos haber conseguido extirparlo por completo y que para ella la cirugía radical haya sido la solución, así como la quimioterapia la garantía que necesita. Pero sólo el tiempo nos dirá si estamos en lo cierto. Ambos tendrán que ser muy fuertes y pacientes.

Iba a morirse, pues, decidió Sam mientras escuchaba. Iban a cortarla a pedazos, poco a poco. Primero había sido un pecho, luego sería el otro, luego hurgarían en su interior y harían hervir sus entrañas con la quimioterapia, y ella acabaría muriéndose de todas maneras. Iba a perderla y no podía soportarlo. Pero no pensaba quedarse a su lado para verla morir igual que su madre.

—Supongo que no debería molestarme en preguntar qué porcentaje de curaciones existe en este tipo de cáncer.

—Algunas veces excelente. Sencillamente tenemos que ser tan agresivos como su esposa pueda tolerar. A su favor tiene que es una mujer fuerte y saludable.

Pero no era afortunada. A los cuarenta y dos años tendría que luchar por su vida y existían muchas posibilidades de que no consiguiera vencer. A Sam le parecía estar viviendo una de esas películas en las que la heroína muere y deja al marido solo con los hijos. Igual que su padre, y a él eso lo había matado. Sam no iba a permitir que le ocurriera lo mismo. Tuvo que contener los sollozos al pensar en la Alex que había sido y en la que sería. Las palabras eran tan feas... cirugía reconstructiva... prótesis... él no quería ni oírlas.

—Su mujer se quedará en la sala de reanimación hasta la tarde. Creo que la traerán aquí hacia las seis o las siete. Durante los primeros días le convendría disponer de enfermeras privadas. ¿Quiere que me ocupe yo de buscárselas?

—Se lo agradecería —Sam miró al médico con frialdad. Aquel hombre había destruido su vida en unos instantes—. ¿Cuánto tiempo habrá de permanecer en el hospital?

—Yo diría que hasta el viernes. Quizá pueda salir antes, si todo va bien. Dependerá de su actitud, tanto como de su estado. En

realidad se trata de una operación bastante sencilla y menos dolorosa de lo que parece, sobre todo en un caso como el suyo en que
los conductos eran los más afectados. Se trata en realidad de las
"tuberías" de la mama y no hay demasiados nervios.

—Consígale enfermeras para las veinticuatro horas del día, por
favor —Sam había oído ya más de lo que podía escuchar—.
¿Cuándo podré verla?

—Cuando vuelva a la habitación esta tarde.

—La veré entonces —se quedó mirando al médico largo rato,
incapaz de darle las gracias por lo que había hecho—. ¿Volverá a
verla usted hoy?

—Esta noche, cuando esté un poco más despierta. Lo llamare-
mos si surge algún problema, pero no esperamos que haya complicaciones. La operación ha ido como una seda.

A Sam se le revolvía el estómago con sólo oírlo hablar. El médico
abandonó la habitación, consciente de la hostilidad del señor Parker. Sam dejó el número de su despacho y el de La Grenouille a la
enfermera de recepción y luego se apresuró a salir del hospital.
Necesitaba aire, necesitaba ver a gente que no hubiera perdido nada,
que no estuviera enferma ni muriéndose de cáncer. Se sentía como
un hombre que había estado a punto de ahogarse cuando respiró a
grandes bocanadas el frío aire de octubre. Al subir a un taxi se sintió
humano de nuevo.

Durante el trayecto a La Grenouille intentó no pensar en nada de
lo que le había dicho el doctor Herman sobre Alex, ni en lo poco
que sabían ni en lo mucho que esperaban.

Eran casi las dos cuando llegó al restaurante, que estaba abarro-
tado. Se sentía como si acabara de llegar de otro planeta.

—Sam, muchacho, ¿dónde has estado? Hemos bebido como
cosacos mientras te esperábamos y al final hemos tenido que pedir
para no caernos de la silla —generalmente sus clientes árabes no
bebían, pero había ciertos musulmanes menos estrictos que lo
hacían cuando estaban fuera de sus países. Los que acompañaban
a Simon eran hombres apuestos que habían vivido en Londres y en
París y tenían enormes fortunas, que invertían en los mercados
internacionales. Simon era más o menos de la edad de Sam, pero
más corpulento, con el pelo rubio y rizado y los ojos azules y, si se
era lo bastante alto, se apreciaba su incipiente calvicie. Pero tenía
un aire británico muy aristocrático. Vestía chaquetas de mezclilla,

zapatos hechos a mano y camisas impecablemente almidonadas. Tenía además, un gran sentido del humor y estaba dispuesto a hacerse amigo de Sam. A su mujer la había dejado "en casa". Estaban separados, pero solían ir juntos de vacaciones y parecían tener un interesante acuerdo de total libertad. Sus tres hijos, todos varones, estudiaban en Eton.

Sentado junto a él se hallaba la joven de la que había hablado a Sam, la licenciada en Economía por Oxford. Su nombre era Daphne y era una mujer muy atractiva que se acercaba a la treintena. Los largos cabellos de color azabache le llegaban casi hasta la cintura. Era alta y esbelta, con la típica piel cremosa de los ingleses. Sus ojos negros lanzaron chispas al ver a Sam. Parecía siempre a punto de decir algo absolutamente divertido. Cuando se levantó para ir al sanitario al cabo de un rato, Sam tuvo ocasión de observar que no sólo era alta, sino que tenía una figura increíble, ya que la falda apenas le cubría el trasero. Llevaba un bolso Hermès Kelly colgado del hombro y lucía un corto vestido de lana negro, medias negras de seda y un collar de perlas. Olía a sexo, a clase y a juventud, y era evidente que todos los hombres que había en La Grenouille la encontraban maravillosa.

—Hermosa chica, ¿eh? —Simon sonrió a Sam al ver su mirada de admiración.

—Y mucho. Desde luego que sabes contratar a tus ayudantes —bromeó Sam, preguntándose de paso si Simon se habría acostado con ella.

—E inteligente también —añadió Simon en voz baja, al advertir que ella regresaba a la mesa—. Deberías verla en traje de baño, y es pura dinamita en la pista de baile —Daphne y Simon intercambiaron una mirada y Sam no estuvo seguro de si era amistosa o íntima, o si tal vez se trataba sólo de deseo por parte de él. Daphne parecía muy fría en compañía de media docena de hombres, y Sam la oyó sostener una conversación muy inteligente sobre precios del petróleo con uno de los árabes.

Para Sam aquel encuentro fue una bendición. Era un gran alivio hallarse entre personas ocupadas, saludables y vitales después de la mañana infernal que había pasado esperando noticias de Alex. Sabía, no obstante, que debía volver al hospital y enfrentarse con su mujer. Ello lo llevó a beber demasiado vino y a hacer demasiadas proposiciones a los árabes, aunque a ellos no pareció importarles.

En realidad estaban muy interesados en la empresa de Sam, de la que habían oído hablar muy bien a otros amigos, y les complacía en apariencia que Simon entrará a formar parte de ella.

Fue después, en su despacho y tras hablar con los abogados de la firma, cuando Sam empezó a desinflarse y a pensar en lo que les esperaba a él y a Alex. Tenía la mirada perdida, mientras recordaba a su mujer y el cáncer que padecía.

—¿Es un mal momento? —Sam no había visto a nadie entrar en su despacho y dio un respingo al oír la voz a su lado. Era Daphne.

—En absoluto. Lo siento. Estaba pensando en las musarañas. ¿Qué puedo hacer por usted?

—Parecía un poco deprimido al entrar en el restaurante —dijo ella, mirándolo a los ojos. Por su parte Sam no podía apartar los ojos de sus largas y hermosas piernas. Era una mujer sumamente atractiva para cualquiera, incluso para él, que no había engañado nunca a Alex, pero Sam sabía también que podía ser la novia de otro—. ¿Ha tenido un mal día? —inquirió Daphne mientras se sentaba.

—No del todo, más bien ha sido difícil. Algunos días son así. Una de las transacciones que tenía entre manos ha presentado ciertas complicaciones, pero está todo controlado —explicó Sam, que no quería hablar con ella, pero le parecía que estaba mal, como si hubieran hecho algo terrible, como si ahora tuviera algo que ocultar a Alex.

—Algunos negocios son así —dijo ella con frialdad, al tiempo que lo examinaba. Cruzó las piernas y poco después las descruzó. Sam intentó no mirarlas—. Quería darle las gracias por permitirme entrar en la empresa. Sé que Simon es nuevo aquí y que a veces resulta un poco insolente su manera de forzar a los demás a que acepten a su propia gente. No quisiera que usted me aguantara sólo por Simon.

—¿Hace mucho que lo conoce? —Daphne le parecía demasiado joven para haber mantenido una relación larga con un hombre, aunque Simon le hubiera dicho que tenía veintinueve años. Ella se echó a reír.

—Muchísimo. Veintinueve años exactamente. Es mi primo.

—¿Simon? —le divirtió el descubrimiento. Cualquier cosa seguía siendo posible, claro, pero parecía menos probable—. Qué suerte para él.

—No estoy segura de eso. En realidad siempre ha sido más amigo de mi hermano. De mí siempre ha dicho que soy una mocosa horrible. Sólo conseguí impresionarlo cuando estudié en Oxford. Mi hermano tiene quince años más que yo, y a él y a Simon les gusta ir a cazar juntos. A mí eso no me va demasiado, me temo —sonrió. Sam fingió que no se daba cuenta de lo guapa que estaba cuando ella volvió a cruzar las piernas. Era una mujer inquietante y Sam empezó a preguntarse si sería buena idea tenerla en la oficina. Después ella quería volver a Inglaterra para estudiar Derecho. Extrañamente, en algunos aspectos le recordaba a Alex. Tenía el mismo fuego, la misma brillantez y vitalidad de su mujer cuando la conoció.

—¿Le gusta esto? Nueva York, quiero decir. Supongo que no debe ser muy diferente de Londres —pensaba que las grandes ciudades eran divertidas y bulliciosas, como Daphne.

—Me gusta mucho, aunque no conozco a nadie excepto a Simon. Me ha llevado a algunos clubes y es un encanto dejándome ir con él por ahí. Supongo que se aburre muchísimo, pero es muy paciente.

—Estoy seguro de que su presencia será beneficiosa —replicó Sam con toda formalidad. Intercambiaron una sonrisa. Sam se quedó mirándola admirativamente cuando salió.

Las cinco de la tarde llegaron rápidamente. Luego las seis. Sam dudaba entre irse a casa o volver al hospital para ver a Alex. No quería llamarla y despertarla. Además, el médico había dicho que seguramente la llevarían a la habitación hasta las siete. Así pues, se fue a casa, cenó con Annabelle mientras miraban la televisión, acostó a la niña y le contó un cuento. Carmen le preguntó si sabía algo de la señora Parker y Annabelle se quejó de que su mami no hubiera telefoneado. Sam le explicó que probablemente había estado reunida todo el día y le había sido imposible llamar, pero tenía una expresión más sombría que de costumbre. Carmen lo miró. Sam no había conseguido disipar sus recelos.

A las ocho de la noche, Sam se puso unos vaqueros, sin decidirse todavía a ir al hospital. Sabía que debía hacerlo, pero lo cierto era que no quería ver a Alex. Seguramente estaría medio dormida aún y sufriría mucho, a pesar de que el médico había afirmado que los tumores de los "conductos" eran menos dolorosos. Volvió a sentirse enfermo al pensar en enfrentarse con ella. ¿Quién le daría la noticia? ¿Ya lo sabría? ¿Lo notaría?

Llegó al hospital y subió a la pequeña y horrible habitación azul con expresión taciturna. Para su pesar, Alex estaba completamente despierta, tendida en la cama y conectada a una intravenosa. También había una enfermera mayor leyendo una revista a la luz de la única lámpara encendida. Alex lloraba en silencio con la vista fija en el techo, pero Sam no sabía si la causa de su llanto era el padecimiento físico o la pena. Tampoco se atrevía a preguntárselo.

La enfermera alzó la cabeza cuando él entró. Alex le explicó que era su marido, la enfermera asintió y abandonó el cuarto con la mayor discreción, llevándose la revista y declarando que aguardaría fuera, en el pasillo.

Sam se acercó despacio a la cama y se quedó mirando a su mujer. Estaba tan hermosa como siempre, pero parecía muy cansada y estaba muy pálida. Su aspecto le recordaba el del día del parto, después de que hubiera nacido Annabelle, pero esta vez no había lugar para la felicidad. Le cogió la mano derecha, sin dejar de notar que toda la parte superior izquierda del cuerpo estaba vendada.

—Hola, cariño, ¿cómo estás? —preguntó, incómodo. Alex no hizo nada por disimular las lágrimas. En sus ojos había una mirada de reproche.

—¿Por qué no estabas aquí cuando volví a la habitación? —preguntó.

—Me dijeron que te traerían hasta la noche. Y quería estar con Annabelle. Pensaba que tú lo preferirías así —en parte era verdad, pero Alex sabía que no era ésa toda la verdad.

—Volví a la habitación a las cuatro. ¿Dónde estabas? —su angustia la hacía ser inflexible.

—En la oficina, y luego fui a casa a ver a Annabelle. La acosté y vine a verte —lo decía de un modo que parecía inocente y sencillo, como si no hubiera podido ir ni un minuto antes.

—¿Por qué no me llamaste?

—Pensaba que estarías durmiendo —contestó él con nerviosismo.

Alex miró a su marido y sintió que su pena se desbordaba. Se echó a llorar como si no fuera a parar jamás. Peter Herman la había ido a ver cuando se hallaba en la habitación y se lo había contado todo sobre la operación, sobre los riesgos y esperanzas y la probabilidad de que tuviera que empezar con la quimioterapia al cabo de cuatro semanas. Alex tuvo la impresión de que la vida se había acabado para ella. Estaba desfigurada y durante varios meses iba a padecer los terribles efectos de la quimioterapia. Perdería el pelo y seguramente se quedaría estéril. No parecía quedarle nada, ni siquiera su matrimonio, puesto que Sam no se había molestado en esperarla en su habitación. Herman no había querido aguardar al marido para hablar con ella. El doctor no quería que se preocupara intentando adivinar qué había ocurrido, ni que lo descubriera por sí misma o que se lo dijeran las enfermeras. Alex se sentía como si el médico la hubiera matado y Sam no había hecho nada para impedirlo o ayudarla.

—He perdido un pecho —repitió sin cesar mientras lloraba—. Tengo cáncer...

Sam la escuchaba sin decir una sola palabra, abrazado a ella, llorando con ella.

—Lo siento tanto... todo va a ir bien. El médico cree que han llegado a tiempo.

—Pero no está seguro, y luego tendré que someterme a la quimioterapia. No quiero. Quiero morirme.

—No, no quieres —replicó Sam con brusquedad—. Eso ni se dice.

—¿Por qué no? ¿Cómo te vas a sentir tú cuando me veas?

—Triste —contestó él con sinceridad, con lo que consiguió hacerla llorar más—. Estoy muy triste por ti —lo dijo como si fuera un problema exclusivo de ella. Lo sentía mucho en verdad, pero no quería que aquello se convirtiera en un problema compartido. Luchaba por su supervivencia, sin olvidar jamás la muerte de su padre, que relacionaba indefectiblemente con el cáncer de su madre.

—No volverás a desear hacer el amor conmigo —dijo Alex, preocupada por problemas mucho más nimios que los que aterraban a Sam.

—No seas estúpida. ¿Qué me dices de los días azules? —intentaba hacer sonreír a Alex, pero sólo consiguió empeorar la situación.

—Ya no habrá días azules. Tengo un cincuenta por ciento de probabilidades de quedar estéril después de la quimioterapia. Además, no puedo quedar embarazada en los próximos cinco años, a riesgo de que se reproduzca el cáncer, y dentro de cinco años seré demasiado mayor para tener un hijo.

—Deja de verlo todo por el lado negro. ¿Por qué no intentas relajarte y ver el lado bueno? —dijo Sam, intentando aparentar un optimismo que no sentía.

—¿Qué lado bueno? ¿Estás loco?

—El médico dice que perdiendo el pecho has salvado la vida. Eso es lo más importante —dijo él con firmeza.

—¿Y qué te parecería a ti perder uno de tus testículos? ¿Cómo sería?

—Una desgracia, igual que ésta. Yo no quería que ocurriera esto y tú tampoco, pero hemos de intentar ver la parte positiva —Sam se estaba esforzando por olvidarlo todo lo antes posible, pero ella no le seguía el juego.

—No hay parte "positiva". Voy a estar fatal durante los próximos meses, desfigurada para el resto de la vida y seré incapaz de tener más hijos. Y quizá vuelva a reproducirse el tumor.

—¿No se te ocurre nada más para deprimirte? ¿Qué me dices de las hemorroides y la próstata? Por el amor de Dios, Alex, sé que todo esto es terrible, pero no lo hagas peor aún.

—No podría serlo. Y no me digas cómo tengo que tomarlo. Tú vas a salir de aquí por tu propio pie para dormir en casa esta noche. Tú estarás con Annabelle y yo no. Te sentirás bien todo el año, y cuando te mires al espejo mañana por la mañana no verás nada diferente, mientras que mi vida ha cambiado por completo. Así que no me digas cómo tengo que sentirme. Tú no lo comprendes —Alex hablaba a gritos.

—Lo sé. Pero aún me tienes a mí y a Annabelle, y aún sigues siendo hermosa. Sigues teniendo tu carrera y todo lo que realmente importa en la vida. Bien, has perdido un pecho. También podrías haber tenido un accidente. Podrías haberte quedado inválida. No puedes permitir que esto te destruya.

—Puedo hacer lo que me dé la gana. No me vengas con sermones.

—Entonces, ¿qué quieres de mí? —preguntó Sam, finalmente exasperado.

—Quiero un poco de realismo, un poco de comprensión. Ni siquiera has querido escucharme en las dos últimas semanas, cuando intentaba explicarte lo que podría ocurrirme. Y ahora me sueltas un montón de tópicos y sandeces. Ni siquiera estabas conmigo cuando me dijeron lo que me habían hecho. Estabas en tu despacho, ocupado en tus negocios, y luego en casa, viendo la pinche televisión con nuestra hija, así que no cuentes más historias. No tienes ni una puta idea de cómo me siento.

—Supongo que no —dijo Sam en voz baja, asombrado por los exabruptos de su mujer. Estaba furiosa con todo y con todos, porque nada podría cambiar lo sucedido—. No sé qué decirte, Alex. Ojalá pudiera cambiar las cosas, pero no puedo. Y siento no haber estado contigo.

—Yo también —dijo ella, y se puso a llorar de nuevo. Se sentía absolutamente miserable y sola—. ¿Qué voy a hacer? —miró a Sam con aire patético—. ¿Cómo voy a trabajar, a ser una esposa para ti o a cuidar a Annabelle?

—Sencillamente tendrás que hacer lo que puedas y dejar lo demás durante una temporada. ¿Quieres que llame a tu oficina?

—No. Llamaré yo dentro de unos días. El doctor Herman dice que quizá pueda trabajar durante la quimioterapia. Dependerá de cómo me encuentre. Algunas personas lo consiguen, aunque no creo que sean abogados litigantes. Quizá pueda trabajar algo en casa —en realidad se asustaba sólo de pensar en cómo iba a arreglárselas.

—Es demasiado pronto para pensar en todo eso. Acaban de operarte. ¿Por qué no lo tomas con calma?

—¿Y hacer qué? ¿Ir a un grupo de terapia de apoyo? —el médico le había comentado esa posibilidad, pero ella se había negado a pensarlo siquiera. No tenía la más mínima intención de sentarse en corro con un montón de inadaptados.

—¿Por qué no descansas un poco? —dijo Sam, viendo que Alex sufría un espasmo doloroso.

La enfermera apareció de repente y anunció que pondría una inyección a Alex para calmarle el dolor y luego le daría un sedante para que se durmiera. El médico había dejado instrucciones para ambas cosas.

—¿Para qué? —dijo Alex, mirando a Sam con ira—. ¿Para que deje de gritarte?

Sam se dijo que parecía una niña. Se inclinó y besó a Alex en la frente.

—Claro, así te callarás un rato y dormirás, antes de que acabes volviéndote loca.

Alex sabía que le quedaba un duro camino por delante. Sabía perfectamente lo que le aguardaba a partir de aquel momento, al contrario de Sam, que seguía negándolo.

—Te quiero, Alex —dijo Sam en voz baja, después de que la enfermera le pusiera la inyección, pero Alex no respondió. No se había dormido, pero se sentía demasiado desgraciada para decirle que lo amaba. Minutos después se había dormido. No volvió a abrir la boca, sencillamente se quedó dormida, cogida a la mano de Sam, que se quedó mirándola y llorando. Su mujer parecía tan frágil como una hermosa muñeca rota.

Sam salió de puntillas de la habitación, haciendo un gesto a la enfermera para indicarle que se marchaba. Mientras bajaba en el ascensor, pensó en lo que le había dicho Alex, que él se iba a casa tranquilamente y ella no, que le estaba sucediendo a ella y no a él. Eso no podía negarlo. Él no tenía nada que temer, excepto perder a Alex, pero le daba tanto miedo que ocurriera que no quería ni pensarlo. Poco después se detuvo a mirarse en el cristal de un escaparate y vio al mismo hombre de siempre. Nada había cambiado salvo aquella parte que estaba irrenunciablemente unida a Alex. Su mujer lo dejaba poco a poco, igual que lo habían abandonado sus padres. Pero Alex no tenía ningún derecho a arrastrarlo con ella en su caída. Y al pensar en esto, echó a andar hacia casa a paso vivo, como perseguido por ladrones, o por demonios.

7

Cuando Alex se despertó al día siguiente, había una mujer sentada en la silla y la enfermera le estaba cambiando la botella de la intravenosa. El dolor no era muy grande, tal como le había dicho el doctor Herman, pero sentía un enorme peso en el corazón.

La mujer le sonrió. Llevaba un vestido floreado y tenía el pelo gris.

—Hola, soy Alice Ayres. He venido a ver qué tal estaba —tenía una sonrisa agradable y unos vivaces ojos azules. Parecía lo bastante mayor como para ser su madre. Alex intentó incorporarse, pero no pudo, y la enfermera tuvo que levantarle la cama para que pudiera hablar con la mujer.

—¿Es usted enfermera?

—No, sólo una amiga. Soy una voluntaria. Sé lo que está pasando, señora Parker. ¿O quiere que la llame Alexandra?

—Alex —se quedó mirando a la mujer, incapaz de comprender qué hacía aquella mujer en su habitación. En ese momento le llevaron el desayuno, pero Alex le dijo a la enfermera que no lo quería. Se trataba de una comida muy ligera, pero Alex sólo deseaba una taza de café.

—Yo no lo rechazaría si fuera usted —dijo la señora Ayres—. Necesita recuperar las fuerzas y nutrirse bien —se parecía al Hada Madrina de la Cenicienta—. ¿Qué me dice de un poco de harina de avena?

—Odio los cereales calientes —dijo Alex con tono beligerante, mirando fijamente a la mujer—. ¿Quién es usted y por qué está aquí? —le parecía todo muy surrealista.

—Estoy aquí porque me operaron de lo mismo que a usted. Sé lo que es y cómo se siente usted, mejor que cualquier otra persona, quizá incluso que su marido. Sé que está furiosa y asustada, y sé lo que piensa de su aspecto. Yo me hice la cirugía plástica —explicó, tendiendo una taza de café a Alex—. Me encantaría enseñárselo, si usted quiere. Queda muy bien, se lo aseguro. Creo que la mayoría de la gente no se daría cuenta de que me extirparon un pecho. ¿Quiere verlo?

—No, gracias —la idea le parecía repugnante. El doctor Herman ya se lo había explicado, pero Alex lo encontraba horrible y no creía que valiera la pena hacerlo—. ¿Para qué ha venido a verme? ¿Quién se lo ha pedido?

—Su cirujano la apuntó en la lista para visitas de nuestro grupo de ayuda. Con el tiempo quizá quiera usted unirse a nosotros o hablar con algunas de las mujeres sobre esta experiencia. Podría serle muy útil.

—No creo —Alex la miró airadamente, esperando que se fuera sin que tuviera que pedírselo—. Preferiría no hablar de esto con extraños.

—Lo comprendo —Alice Ayres se levantó con una sonrisa afable—. No es un buen momento. Estoy convencida de que está usted preocupada por la quimioterapia. También sobre eso podríamos responder a sus preguntas, pero si lo prefiere lo hará el médico, claro está. Tenemos además un grupo para hombres, por si su marido está interesado —dejó un pequeño folleto junto a la cama, pero Alex ni siquiera se dignó mirarlo.

—No creo que mi marido esté interesado —¿Sam en un grupo de maridos de mujeres que habían perdido un pecho por culpa del cáncer? Eso sí que era difícil—. Gracias de todos modos.

—Cuídese, Alex. Pensaré en usted —dijo Alice amablemente, tocando un pie de Alex a través de las sábanas, y luego abandonó la habitación. Fuera comentó con las enfermeras que había sido la primera visita típica. Alexandra Parker estaba muy deprimida, como era de esperar. Los del grupo pensaban visitarla regularmente, pero Alice sugeriría que enviaran a alguien más joven. Pensaba que una mujer de la edad de Alex podría serle más útil.

—¿Qué rayos era todo ese rollo que me ha soltado? —preguntó Alex con malos modos a la enfermera, que acababa de iniciar su turno.

—Creo que es pura rutina. Son buena gente y ayudan a muchas mujeres —explicó la enfermera, mientras Alex dejaba caer el folleto en la papelera—. ¿Y ahora qué le parece un baño con esponja?

Alex la miró airada, pero no tenía más remedio que plegarse a la rutina del hospital. La "bañaron" y ella misma se lavó los dientes. La comida llegó mientras miraba por la ventana desde la cama; era completamente insulsa y Alex no la tocó siquiera. Su cirujano entró inmediatamente después para comprobar las vendas y el drenaje. Alex tenía miedo de mirarse, así que fijó la vista en el techo con ganas de gritar mientras el cirujano cambiaba lo que creía oportuno. Tan pronto como se fue el médico, llamó Sam. Se hallaba en su despacho y pensaba ir a verla hasta la tarde, porque creía que le haría bien descansar y dormir un poco. Annabelle estaba bien, le dijo, y él estaba impaciente por verla. Alex no le creyó. Si tan impaciente estaba, ¿por qué no había ido al hospital por la mañana o a la hora de comer? Sam le explicó que iba al Four Seasons con uno de sus clientes más antiguos, que quería presentar a Sam y su ayudante a algunos de sus clientes. Prometió ir a verla de vuelta a casa.

Alex sintió deseos de colgarle, pero no lo hizo. Llamó luego a Annabelle y mantuvo con ella una agradable charla sobre el colegio y el "viaje". Alex prometió a su hija que volvería a casa el fin de semana. Después de esto le pusieron una inyección para el dolor, aunque debía admitir que no sentía mucho. Sin embargo, prefería sumirse en la inconsciencia del sueño a tener que pensar en el futuro y en la ausencia de su marido. Cuando despertó, llamó a su bufete. Matt Billings había salido, al igual que Brock, pero Elizabeth Hascomb le aseguró que todo estaba bajo control. No había habido ninguna urgencia mientras ella estaba fuera, pero todos la echaban mucho de menos.

—¿Está usted bien? —preguntó Liz con tono preocupado, a pesar de que Alex hablaba con voz firme y se encontraba mejor que durante la mañana.

—Estoy bien. Volveré tan pronto como pueda.

—La estaremos esperando.

Por la tarde volvió el doctor Herman para decirle que podía comer ya normalmente y que la darían de alta al día siguiente si lo deseaba, aunque podía quedarse hasta que se sintiera más fuerte. En cualquier caso, la herida estaba cicatrizando sin problemas.

—Preferiría quedarme un poco más —contestó Alex en voz baja.

El médico se sorprendió; hubiera pensado que Alex querría salir corriendo a los dos días, lo que hubiera sido posible en su caso.

—Pensaba que estaría ansiosa por dejarnos —dijo con una sonrisa, consciente del trauma que estaba viviendo Alex.

—En casa me espera mi hija de tres años. Preferiría volver cuando esté más recuperada para no tener que explicarle demasiadas cosas.

—Creo que estará en buena forma para el fin de semana. Para entonces podremos quitarle el drenaje y sólo le quedarán las vendas. Ha sufrido una operación importante, así que se encontrará cansada, pero no creo que le duela excesivamente. Si fuera necesario, tomará la medicación que le indiquemos. Todo lo que tiene que hacer es volver a ponerse fuerte y luego empezaremos el tratamiento.

Tratamiento. Qué palabra tan inocua para algo tan horrible como la quimioterapia.

—¿Y cuándo podré volver al trabajo?

—Yo esperaría una semana más. Hasta que le quitemos las vendas y esté más fuerte. Claro que después, cuando empiece con la quimioterapia, tendrá que ver si es capaz de seguir trabajando. Yo creo que si ajustamos las dosis correctamente podrá trabajar de forma moderada.

¿Cuándo había sido moderado su trabajo?, se preguntó Alex. Tal vez el día en que tuvo a Annabelle, pero nunca antes ni después. Al menos no le decía que no podría trabajar, sino que podía intentarlo. Ya era algo.

El médico se marchó, dejando a Alex sentada en una silla, mirando de nuevo por la ventana. Dio un paseo por el pasillo, pero se sintió débil y mareada y, extrañamente, no mantenía muy bien el equilibrio. Le estorbaban los vendajes y no podía mover el brazo izquierdo; afortunadamente no era zurda.

Se encontraba sola en la habitación cuando llegó Sam, a las cinco, con un gran ramo de rosas rojas. Al ver la expresión desesperada de su mujer, Sam se detuvo en el vano de la puerta. Por un momento le pareció estar viendo la imagen aterradora de su madre agonizante y sintió deseos de salir corriendo, dando alaridos.

—Hola, ¿cómo te sientes? —preguntó, intentando hablar con normalidad, al tiempo que entraba y dejaba las flores sobre la cama.

Alex se limitó a encogerse de hombros. ¿Cómo quería que se sintiera? No vio que su marido estaba temblando.

—Estoy bien —su respuesta no fue nada convincente. Le escocía un poco la herida y el drenaje la molestaba—. Gracias por las flores —intentó parecer entusiasmada, pero no lo consiguió en lo más mínimo—. El doctor Herman dice que podré volver al trabajo dentro de un par de semanas.

—Bueno, deberías estar más animada —dijo Sam al oírlo, sintiéndose mejor—. ¿Cuándo vas a volver a casa?

—Tal vez el viernes —no parecía demasiado complacida. Estaba preocupada; no sabía si podría cuidar de Annabelle ni cómo le explicaría lo del vendaje—. ¿Le pedirás a Carmen por favor que se quede el fin de semana? Ya sé que necesita un día libre, pero no creo que pueda arreglármelas yo sola todavía.

—Claro. Y yo me ocuparé de Annabelle.

Alex asintió. Echaba muchísimo de menos a su hija. Miró a Sam, preguntándose cómo sería su vida a partir de entonces. El doctor Herman le había enseñado unas fotografías de mujeres operadas, para ir preparándola, que sólo habían conseguido aterrorizarla. En ellas se mostraba la carne plana, sin pezón, y con una cicatriz diagonal en lugar del pecho. No quería ni imaginarse cómo reaccionaría Sam cuando la viera. Según el médico, podría ducharse cuando le quitaran el drenaje. Las suturas tardarían cierto tiempo en disolverse y luego su pecho tendría el mismo aspecto que los que aparecían en las fotos.

—¿Por qué no hacemos algo este fin de semana? —sugirió Sam, ganándose una mirada asombrada de Alex—. ¿Por qué no llamamos a alguien y nos vamos a cenar con algún amigo, o al cine, si Carmen se queda con la niña?

—No quiero ver a nadie —replicó Alex, mirando a su marido con incredulidad, viéndolo actuar como si no hubiera pasado nada—. ¿Qué les diría? ¿Caramba, acabo de perder un pecho, así que hemos pensado en salir a cenar para celebrarlo antes de que empiece con la quimioterapia? Por Dios bendito, Sam, sé un poco más sensible. Esto no es tan fácil.

—Estoy seguro de que no, pero no tienes por qué estar sentada todo el día compadeciéndote. Hay vida después de haber perdido un pecho, ¿sabes? Tampoco los tenías tan grandes, por Dios, ¿a qué viene tanto dramatizar? —intentaba bromear con ella, pero Alex no podía tomarlo tan a la ligera.

—¿Cuáles van a ser tus sentimientos hacia mí a partir de ahora?

—preguntó Alex sin rodeos. Quería oírlo decir lo que no había dicho antes de la operación, pero Sam creía que el hecho mismo de estar allí ya lo decía todo. A Alex, por el contrario, le parecía que pasar por el hospital al volver del trabajo no bastaba en absoluto.

—¿Qué quieres decir? —inquirió Sam, molesto por la pregunta.

—Te pregunto si te dará asco verme tal como he quedado ahora —ella misma no se había visto aún, así que no estaba muy segura de cuál sería su aspecto, pero necesitaba desesperadamente que su marido la tranquilizara.

—¿Cómo sé yo lo que voy a sentir? No creo que sea tan diferente. ¿Por qué no dejamos eso para cuando llegue el momento?

—¿Y cuándo será ese momento? ¿La semana que viene? ¿Mañana? —volvía a tener lágrimas en los ojos. Sam no iba a decirle lo que quería oír; de hecho, parecía horrorizado por la pregunta—. ¿Quieres que te lo enseñe, o prefieres ver una foto para ir acostumbrándote? El doctor Herman tiene unas fotos estupendas, muy gráficas. Es sólo un trozo de carne plana sin pezón —vio que Sam palidecía, súbitamente enojado.

—¿Por qué haces esto? ¿Es que quieres espantarme antes de que empecemos siquiera? ¿A qué viene todo esto, Alex? ¿Estás encabronada conmigo o con la vida en general? Quizá sea mejor que te plantees cambiar de actitud antes de preocuparte por la cirugía plástica.

—¿Quién ha dicho que pienso hacérmela? —Alex miró a su marido sorprendida.

—El doctor Herman me dijo que podrías optar por la cirugía reconstructiva dentro de unos meses si te encontrabas bien. A mí me parece una buena idea.

—¿Quieres que permanezca oculta hasta entonces? —preguntó Alex de mala manera, y Sam alzó las manos en un gesto de evidente irritación.

—Te estás portando como una auténtica cobarde. Siento que hayas perdido un pecho. Siento que hayas quedado "desfigurada". No sé qué voy a sentir cuando lo vea. Ya te lo diré, ¿de acuerdo?

—Hazlo —Alex hubiera querido que le dijera que seguía siendo hermosa a pesar de todo, pero él sólo quería continuar con su vida como si tal cosa, yéndose a cenar con los amigos, prescindiendo de los sentimientos de Alex, que aún no estaba haciendo ningún esfuerzo por salir de la depresión.

110

—¿Por qué no piensas en ponerte bien para volver a casa? Te sentirás mucho mejor cuando estés con Annabelle. Podrás volver al trabajo y reanudar tu vida normal.

—¿Crees que será normal cuando empiece con la quimioterapia, Sam? —le preguntó ella ásperamente.

—Tan normal como tú lo permitas —contestó él con brutalidad, sin comprender realmente lo que tendría que padecer ella—. No tienes por qué hacer una montaña de todo esto, ni castigarnos a los dos. Será muy difícil para Annabelle si sigues tan furiosa como ahora. Tarde o temprano tendrás que reconciliarte con lo que ha pasado. Yo ni siquiera sé cómo ayudarte.

—Es evidente —dijo Alex con tristeza—. Pareces demasiado ocupado con tu propia vida para dejarte incomodar por todo esto. Al parecer Simon y sus nuevos clientes te tienen totalmente monopolizado.

—Tengo una intensa vida profesional, igual que tú. Si esto me hubiera ocurrido a mí, tampoco tú dejarías el trabajo para quedarte en casa ni cancelarías viajes o reuniones con tus clientes. Intenta ser un poco realista. El mundo entero no se paró en seco ayer por lo que te pasó a ti.

—Qué consuelo.

—Lo siento. Me da la impresión de que todo lo que te digo te enfurece todavía más.

—Podrías intentar decirme que no te importa, que me amas de todas formas, tanto con un pecho como con dos. Y si no, supongo que estás diciendo lo que es verdad para ti. Quizá sea eso lo único importante.

—¿Cómo sé lo que voy a sentir? ¿Y cómo lo sabes tú? Quizá tú no quieras volver a hacer el amor conmigo. ¿Qué sé yo? —estaba siendo sincero con ella, pero Alex no estaba preparada para aceptarlo. El cirujano o cualquier terapeuta hubieran podido decirle a Sam que aún no era el momento, pero en el fondo él ya lo sabía.

—Yo sé que te amaría ocurriera lo que ocurriera, por muy desfigurado que quedaras, aunque perdieras el rostro o las pelotas, o el cabello, o aunque te pasaras el resto de tu vida en una silla de ruedas.

—Muy noble de tu parte —dijo él fríamente—, pero no son más que palabras. ¿Cómo sabes lo que sentirías? Eso no puede saberse hasta que le ocurre a uno. Es muy fácil para ti aparentar que no te afectaría, pero quizá estés equivocada. Tal vez me rechazarías, aunque no fuera lo políticamente correcto.

—¿Insinúas que vas a rechazarme?

—Te estoy diciendo que no lo sé. No puedo asegurarte que no me dé miedo o que no me pondré nervioso la primera vez. Caray, es un gran cambio, pero al menos podemos esforzarnos por no desmoronarnos completamente. Además, hay otras cosas en la vida aparte del sexo. También somos amigos, no sólo amantes.

—Pero yo no quiero que seamos sólo amigos —se quejó Alex, y empezó a llorar otra vez, mientras su marido intentaba ocultar su irritación.

—Y yo tampoco, así que dejémoslo así, Alex, aunque sólo sea durante un tiempo. Primero tenemos que acostumbrarnos, luego ya veremos. Lo que no entiendo es cómo tu identidad puede limitarse de forma tan exclusiva a un pecho, que además no era muy grande. Quiero decir que no eras una reina del *strip-tease* ni nada parecido, por amor de Dios. Eres abogada. No necesitas pechos. Eres una mujer inteligente. No es el cerebro lo que has perdido, así que ¿a qué vienen tantos aspavientos?

—He perdido un pecho y, aunque fuera pequeño, sigo teniendo la vanidad suficiente para no desear quedar desfigurada durante el resto de mi vida... Puede que pierda el pelo... mi capacidad de tener hijos... Todo ha cambiado y tú me dices que no estás seguro de que vuelvas a desearme. ¿Cómo quieres que no esté absolutamente aterrorizada, Sam? Tendría que estar muerta para actuar como tú me pides.

—Tal vez sea que no acabo de comprenderlo. Si descubriera que soy estéril la semana que viene, lo lamentaría, pero me alegraría de tener a Annabelle. Deja de armar tanto alboroto. Tu identidad es tu cerebro y tu vida y tu carrera, y todo lo que eres, haces y representas, no tus pechos. ¿A quién le importan?

—Tal vez a mí —contestó ella con sinceridad.

—Ya Tal vez. ¿Y qué? ¿Quieres joderme a mí también? Aprende a vivir contigo misma y quizá te sientas mejor. Pero yo no pienso quedarme mirándote y retorciéndome las manos contigo. Acabaríamos volviéndonos locos los dos.

—¿Qué es lo que pretendes decirme con eso?

—Que dejes de compadecerte y que lo olvides —había algo positivo en los argumentos de Sam, pero una parte de él era completamente insensible—. No quiero que estés pensando siempre en que tienes cáncer. Yo no puedo.

—¿Qué significa "siempre" —preguntó Alex con una mirada escandalizada—. Esto me ocurrió ayer. Te he visto dos veces en dos días durante menos de una hora. No creo que hayas tenido que soportar demasiado por el momento.

—Es que no creo que tengamos que hacerlo *los dos*. Esto es algo que tendrás que superar tú misma.

—Gracias por tu ayuda.

—Yo no puedo ayudarte, Alex. Tienes que ayudarte a ti misma.

—Lo recordaré.

—Siento que estés tan furiosa —dijo él tranquilamente, con lo que sólo consiguió sacarla aún más de sus casillas.

—También yo lo siento.

Se quedaron silenciosos durante unos minutos. Finalmente Sam se levantó y la miró incómodo.

—Creo que debería irme a casa para estar con Annabelle. Se está haciendo tarde y le he prometido que cenaría con ella —Alex tuvo la impresión de que su marido se le estaba escapando de las manos y le entró el pánico. No había sabido decirle lo que podía atraer su simpatía ni tampoco él había dicho lo que era más correcto. Estaba ocupado en negocios importantes y no tenía tiempo para ayudar a Alex en el momento más difícil de su vida, en el que ni siquiera estaba segura del amor de su marido, se permitía incluso reservarse el juicio sobre sus sentimientos para el momento en que tuviera que enfrentarse con la cicatriz. Cuando Sam se marchó volvió a besarla en la frente en lugar de los labios, como si tuviera miedo de tocarla.

Alex se quedó sentada en la habitación, llorando. No se molestó siquiera en pasear por el pasillo, ni en llamar a Annabelle. Sólo quería estar sola. Estaba de espaldas a la puerta cuando oyó que entraba alguien. Supuso que era la enfermera.

Notó entonces una mano sobre el hombro. Durante un momento de loca esperanza pensó que era Sam, pero cuando alzó la cabeza se sorprendió al ver a Elizabeth Hascomb.

—¿Ha venido a visitarme? —preguntó asombrada.

—Sí, pero no sabía que era usted hasta esta noche —de repente se sentía como una intrusa, pero era su deber continuar—. Trabajo para el grupo de apoyo de aquí dos veces por semana. La he visto en la lista de visitas de esta noche al llegar. La tarjeta decía A.

113

Parker. No podía creerlo. He pedido que me la asignaran para ver si era usted. Espero que no le importe, Alex —dijo amablemente, y luego la abrazó como una madre, provocando nuevos sollozos—. Oh, Alex... lo siento muchísimo... —Alex tenían un nudo en la garganta que le impedía hablar. La lágrimas fluyeron sin cortapisas, llenas de miedos y decepciones—. Lo sé... lo sé... llore... se sentirá mejor.

—Nunca volveré a sentirme mejor —dijo Alex lastimosamente, mirando a su secretaria a través de las lágrimas. Liz le sonrió.

—Sí, lo hará. Ahora le resulta difícil de creer, pero así será. Todas hemos pasado por esto.

—¿Usted también? —se sorprendió Alex.

—Me extirparon los dos pechos —explicó Liz— hace años. Yo llevo prótesis, pero ahora hacen milagros con la cirugía plástica. Y a su edad sería lo mejor. Pero todavía es pronto para pensar en eso —parecía tan sabia y cariñosa que Alex sintió un gran alivio.

—Tendrán que darme quimioterapia —se lamentó Alex. Liz se sentó y la cogió de la mano, alegrándose de haber encontrado a su jefa. No había sospechado siquiera lo que le pasaba y comprendía ahora que había sido una gran falla de su parte.

—A mí también me dieron, y terapia de hormonas. Tuve que pasar por todo, pero eso fue hace diecisiete años y ahora estoy bien. También usted se pondrá bien si hace todo lo que le manden. Tiene un médico maravilloso —entonces miró a Alex con mayor detenimiento. Le pareció muy abatida—. ¿Cómo lo está tomando Sam?

—Al principio no quería admitir lo que estaba pasando, no hacía más que decirme que no encontrarían nada malo. Y ahora le molesta que yo esté trastornada. Cree que no es para tanto, que perder un pecho no es nada del otro mundo, pero al mismo tiempo confiesa que tal vez le dé repugnancia y que no sabe qué siente, que me lo dirá cuando lo vea.

—Está asustado, Alex. Ya sé que a usted no le sirve de consuelo, pero algunos hombres no saben cómo encarar el hecho de que sus mujeres tengan cáncer.

—Su madre murió de cáncer cuando él era joven y creo que esto lo recuerda. O resulta que es sencillamente un cabrón.

—Quizá sea un poco las dos cosas. Lo que usted necesita ahora es concentrarse en sí misma. No se preocupe por él. Sam se cuidará solo, sobre todo si no va a cuidarla a usted. Debe ponerse fuerte y

114

seguir así. Tiene que luchar contra la enfermedad. Ya se preocupará después por todo lo demás.

—Pero, ¿y si le doy asco, y si mi cuerpo le asusta?

Liz la miró tranquilamente y comprendió que eso era muy importante para Alex. Sus simpatías estaban con ella, no con Sam. Tampoco había sido fácil para Liz. Su marido la había pasado muy mal al principio, pero al fin consiguió superarlo y había sido de gran ayuda. En todo caso, con o sin Sam, Alex tenía que sobrevivir.

—Pues tendrá que madurar, ¿no le parece? Ya es mayorcito para arreglárselas solo. Si él no puede darle lo que necesita, habrá de obtenerlo de amigos, familiares o un grupo de apoyo como el nuestro. Estamos aquí para eso. Me tiene a su disposición siempre que me necesite —volvió a abrazar a Alex y dejó que ésta siguiera llorando durante un rato.

Después le indicó unos ejercicios que podían ayudarla y le explicó unas cuantas cosas, pero no le dejó ningún folleto. Conocía demasiado bien a Alex, sabía que no le gustaban las informaciones superficiales, que iba al grano directamente.

—¿Cuándo volverá a casa?

—El viernes seguramente.

—Bien. Póngase fuerte, duerma mucho, tómese los calmantes si le duele y coma regularmente. Tiene que recuperarse para la quimioterapia. Necesitará de todas sus energías.

—Volveré a la oficina dentro de dos semanas —lo anunció con cierta vacilación, como si quisiera saber lo que opinaba Liz. De repente sentía un gran consuelo hablando con alguien que había pasado por lo mismo y había sobrevivido a ello.

—Muchas mujeres vuelven al trabajo, incluso durante la quimioterapia. Usted misma sabrá qué le va mejor, cuándo debe descansar y cuándo quedarse en casa. Es un poco como la guerra. Debe desear ganarla con todas sus fuerzas. No lo olvide. Y por mal que se sienta, recuerde que la quimioterapia la ayudará a lograrlo.

—Ojalá pudiera creerlo fácilmente.

—No haga caso de las historias de miedo que le cuenten. Concéntrese en el objetivo: ganar, ganar, ganar. No permita que Sam la distraiga de su propósito. Si no puede ayudarla, olvídelo por el momento —Alex rió ante la vehemencia con que hablaba Liz.

—Me hace sentirme mejor —miró a su secretaria tímidamente, asombrada por aquella otra vida de la que hasta entonces nada sabía. Era increíble la de cosas importantes que uno desconocía de la gente con que se relacionaba. Igual que ella, había sufrido una operación sin que se enterara nadie en el bufete.

—Creo que esta mañana he sido muy grosera con una mujer del grupo de apoyo. Alice no sé qué —dijo Alex en tono de disculpa.

—Ayres —dijo Liz con una sonrisa—. Está acostumbrada. Tal vez un día usted haga también algo como esto. Significa mucho para muchas mujeres.

—Gracias, Liz —dijo Alex con todo su corazón.

—¿Puedo venir a verla mañana? ¿A la hora de comer?

—Me encantaría. Pero no se lo diga a nadie del bufete. No quiero que lo sepan, aunque supongo que al final tendré que decírselo a Matthew, cuando empiece la quimioterapia seguramente.

—Eso depende de usted. Yo no diré nada.

Volvieron a abrazarse antes de que Liz se fuera. Esa noche, cuando se acostó, Alex se sentía mucho mejor y sorprendentemente menos furiosa. Permaneció despierta pensando en todo y decidió llamar a Sam para decirle que lo quería.

El teléfono estuvo sonando largo rato hasta que respondió Carmen. Eran las diez de la noche y su voz indicaba que la había despertado.

—Lo siento, Carmen. ¿Está el señor Parker?

Carmen vaciló unos instantes y bostezó. Veía la puerta del dormitorio conyugal abierta al final del pasillo y la luz apagada.

—No, lo siento, señora Parker. No está. ¿Cómo está usted?

—Bien —contestó Alex con algo más de convicción que por la tarde—. ¿Fue al cine?

—No lo sé. Salió después de que cenó Annabelle. No ha comido con ella, así que a lo mejor fue a cenar con algún amigo. No me dijo nada y creo que se le olvidó dejarme un número de teléfono —siempre era Alex la que dejaba un número en el que pudieran localizarlos cuando salían por la noche.

Alex se preguntó adónde habría ido Sam. Seguramente a cenar y a dar un paseo después de la penosa conversación en el hospital. Era lo que hacía algunas veces cuando estaba preocupado. Sam necesitaba estar solo para resolver sus problemas.

—Bueno, dígale que llamé —dudó un momento y luego añadió—: Y dígale que lo quiero. Y dele un beso a Annabelle de mi parte cuando se despierte mañana.

—Lo haré, señora Parker. Buenas noches... y que Dios la bendiga.

—Que Dios la bendiga a usted también, Carmen. Gracias.

Alex no estaba muy segura de si Dios la había bendecido últimamente, pero al menos seguía viva. Pronto volvería a casa y vería a su hija, y empezaría otra dura batalla, pero después de haber hablado con Liz estaba resuelta a ganarla.

Siguió sentada en la cama durante buena parte de la noche, pensando en Liz, en Sam y en Annabelle, y en todas las cosas buenas en las que tendría que pensar si quería salir adelante... "Anabelle", se dijo deslizándose hacia el sueño después de la inyección... "Annabelle..." "Sam..." "Annabelle", y al pensar en su hija recordó cuando la sostenía en brazos y la amamantaba.

8

El teléfono sonó cuando Sam se sentaba a la mesa con Annabelle. Era Simon. Había organizado una cena improvisada con unos clientes de Londres. ¿Quería unirse a ellos? Sam le explicó que estaba a punto de cenar con su hija.

—Bueno, pues déjalo, hombre. Son hombres importantes, Sam. Te gustarán. Representan a las mayores empresas textiles de Gran Bretaña y están ansiosos por invertir dinero aquí. Son buena gente, deberías conocerlos. Y además, también vendrá Daphne —¿se suponía que había de ser eso un estímulo? Sam no acababa de convencerse, así que lo discutieron un rato. Después de haber arengado a Alex durante más de una hora Sam se sentía exhausto. Pero también estaba deprimido y la perspectiva de quedarse solo cuando Annabelle se acostara le desagradaba.

—No debería.

—Tonterías —Simon se mantuvo en sus trece—. Tu mujer está fuera de la ciudad, ¿no? ¿Por qué no le das un beso a tu hija y te vienes con nosotros? Hemos quedado en Le Cirque a las ocho, y luego Daphne ha sugerido no sé qué ridículo local en el centro para bailar. Ya conoces a los ingleses, tienen que ir de juerga cuando están fuera de casa, si no se sienten estafados. Son peores que los italianos, porque en Inglaterra se aburren de lo lindo. Vamos, hombre, no te hagas del rogar. Te esperamos a las ocho, ¿de acuerdo?

—De acuerdo. Allí estaré. Quizá llegue unos minutos tarde, pero iré —quería acostar a Annabelle y leerle un cuento.

Volvió a la cocina y se sentó con su hija hasta la hora de acostarla. Después de leer por segunda vez *Buenas noches, luna,* apagó todas las luces menos el piloto, que permanecía encendido toda la noche, se fue a su dormitorio, se cambió de camisa y se afeitó. También pensó en Alex. Acababan de pasar dos días muy difíciles y se preguntó cómo serían a partir del momento en que ella volviera a casa. Alex estaba desesperada y él más que asustado. ¿Quién no se preocuparía por lo que habría de ver? Tendría que ser horrible. Recordó que su madre le preguntaba una y otra vez si la quería antes de morir. Tuvo que cerrar los ojos para borrar aquella voz de su cabeza.

Después de peinarse, se lavó la cara y se puso loción. Cuando se fue, vestido con traje gris oscuro y camisa blanca, parecía recién salido de la portada de *Go*. Las cabezas se volvieron, como siempre, cuando entró en Le Cirque. La mitad de la gente sabía quién era y había leído artículos sobre él; los otros, sobre todos las mujeres, se preguntaban quién podría ser aquel hombre tan atractivo. Sam estaba tan acostumbrado que ni siquiera prestaba atención, y solía ser Alex quien bromeaba al respecto. Lo acusaba de dejarse la bragueta abierta por si lo miraban las mujeres. Pensó en eso al atravesar el restaurante y sonrió, recordando a su mujer. Pero siempre pensaba en ella como había sido antes de convertirse en una mujer mutilada y furiosa.

—¡Me alegro de que hayas podido venir, Sam! —Simon se levantó para saludarlo en cuanto llegó y lo presentó a todo el mundo. Había cuatro ingleses y tres chicas norteamericanas que les había presentado alguien. Dos eran modelos y la otra, una actriz, todas muy guapas. También estaba Daphne, lo que dejaba sin acompañante a Sam y a Simon. Era un grupo muy numeroso para un restaurante pequeño y el ruido de voces resultaba ensordecedor. No obstante, Sam se las ingenió para sostener una conversación inteligente con uno de los ingleses. A su lado estaba Daphne, que conversaba con una de las modelos. Finalmente Sam y Daphne se pusieron a hablar durante los postres.

—Me han dicho que su esposa es una abogada muy importante —dijo Daphne con afabilidad, y él asintió. En aquellos momentos hablar de Alex le resultaba doloroso.

—Es abogada en el bufete Bartlett y Paskin.

—Debe ser muy lista e influyente.

—Lo es —por el modo en que lo dijo, Daphne sospechó que el tema no era de su agrado.

—¿Tienen hijos?

—Una niña pequeña, Annabelle —contestó Sam con una sonrisa—. Tiene tres años y medio y es adorable.

—Yo tengo un hijo de cuatro años en Inglaterra —dijo Daphne tranquilamente.

—¿En serio? —se había sorprendido. Daphne le parecía demasiado joven para tener marido e hijos. Todo en ella sugería que era soltera.

—No me mire con esa cara —dijo ella, riéndose—. Estoy divorciada. ¿No se lo ha dicho Simon?

—No.

—Me casé con un sinvergüenza a los veintiuno. Al final se largó con otra y nos divorciamos. Por eso todos en la familia creyeron que me haría bien estar fuera de Inglaterra durante un año. Creo que aquí lo llaman terapia. Nosotros lo llamamos vacaciones.

—¿Y su hijo?

—Vive la mar de feliz con mi madre —contestó ella sin inmutarse.

—Supongo que lo echará mucho de menos.

—Sí, pero en Inglaterra no somos tan sentimentales con los hijos como aquí. A los siete años los enviamos a un internado, ¿sabe? Dentro de tres años irá él también, y luego a Eton. Mientras tanto, creo que le hará bien despegarse un poco de las faldas de su mamá.

Sam no se imaginaba haciendo lo mismo. A él se le rompería el corazón si tuviera que separarse de Annabelle, pero Daphne era una mujer muy fría, que sabía exactamente lo que quería.

—¿Lo he escandalizado?

—Un poco —contestó él con sinceridad, pero sonriendo—. No es precisamente ésa la imagen de la maternidad que tenemos por aquí —por otro lado, tampoco tenía el aspecto más maternal del mundo. Tal vez deseara disfrutar de su libertad antes de hacerse mayor.

—Creo que nosotros somos menos aprensivos que ustedes. Los norteamericanos parecen siempre terriblemente preocupados por lo que deberían hacer, lo que se espera de ellos y lo que deberían sentir. Los ingleses actúan, sin andarse con rodeos. Es muy sencillo.

—Y un poco egoísta —a Sam le gustaba hablar con ella. Era lista y no tenía pelos en la lengua.

—Es terriblemente sencillo. Uno hace lo que quiere y cuando quiere sin pedir perdón ni fingir que hace otra cosa. A mí me gusta así. Las cosas son mucho más exageradas aquí. Todo el mundo está siempre pidiendo perdón por lo que hace, por lo que no hace o por lo que no siente —el sonido de su risa, casi sensual, agradó a Sam. No le costó imaginársela desnuda sin el menor pudor—. ¿Se ha divorciado alguna vez? —preguntó bruscamente, y Sam se echó a reír.

—No.

—La mayoría de norteamericanos sí, o al menos ésa es la impresión que tengo.

—¿Fue traumático su divorcio? —la conversación era sorprendentemente personal tratándose de dos extraños, pero Sam disfrutaba con ella.

—En absoluto. Fue un gran alivio. Era un cabrón de mucho cuidado. Me parece increíble que estuviéramos casados siete años. Fue horrible, se lo aseguro.

—¿Con quién se fue? —a Sam le gustaba mostrarse tan abierto como ella.

—Con una camarera, naturalmente. Aunque era bastante guapa. Ya la dejó, y ahora vive en París con una chica que se cree una artista. Está completamente loco, pero por suerte no se ha olvidado de Andrew, nuestro hijo, así que no tengo por qué preocuparme —no era una mujer que se preocupara fácilmente, en realidad. Los ingleses la miraban con interés, y ella tenía todo el aspecto de ser capaz de conseguir a quien quisiera.

—¿Estaba enamorada de él? —preguntó Sam, sintiéndose osado.

—Seguramente. Al menos durante un tiempo. A los veintiún años es terriblemente difícil distinguir entre el amor y el sexo. No estoy segura de que lo consiguiera —sonrió con descaro.

Sam la miró y de pronto sintió deseos de ser lo bastante joven como para hacerla suya. Era una mujer increíble. Entonces recordó a Alex, y Daphne pareció adivinarlo.

—¿Y qué me dice de usted? ¿Está enamorado de su mujer? Según tengo entendido es muy guapa —lo era, a pesar de sus cuarenta y dos años, pero no resultaba tan escandalosamente llamativa como Daphne.

—Sí, la quiero —contestó Sam con firmeza, y Daphne lo examinó atentamente.

—Eso no es lo que yo le he preguntado, ¿no? Quería saber si está enamorado de ella. Es diferente —dijo Daphne, enarcando una ceja.

—¿Lo es? Hace más de diecisiete años que estamos casados. Es mucho tiempo; al final acabas sintiéndote muy unido a tu pareja. La quiero muchísimo —repitió, como si intentara convencerse, pero seguía sin responder a la pregunta de Daphne.

—¿Me está diciendo que no sabe si sigue enamorado de ella? ¿Lo estuvo alguna vez? —insistió ella, jugando al gato y al ratón.

—Por supuesto que sí —Sam pareció escandalizarse de la pregunta. Desde el otro lado de la mesa, Simon se divertía observando sus rostros. Sam y Daphne estaban muy juntos, absortos en su conversación, como si fueran a resolver todos los problemas del mundo.

—Entonces, ¿cuándo cambió? ¿Cómo dejó de quererla? —inquirió ella con tono acusador.

—Yo no he dicho eso —replicó Sam, agitando un dedo a modo de advertencia—. No debería decir esas cosas —sobre todo ahora, pensó.

—No lo he dicho yo, sino usted. Ha dicho que estaba enamorado de ella, pero al parecer no sabe explicar si lo está ahora —persistió, con aire absolutamente sexy.

—Algunas veces el matrimonio es así. Las aguas se estancan, te quedas como seco y las cosas no funcionan como debieran.

—¿Es ésta una de esas veces? —preguntó Daphne con voz aterciopelada que agitó las entrañas de Sam.

—Quizá. Es difícil saberlo.

—¿Por algún motivo en particular? ¿Ha ocurrido algo?

—Es una larga historia —contestó él con tristeza.

—¿Ha tenido aventuras? —quiso saber ella de repente.

—¿Le han dicho alguna vez que es una descarada? —le espetó Sam, que no obstante se reía. Y hermosa... y sensual... y con una piel como el terciopelo, pensaba.

—Desde luego. En realidad estoy muy orgullosa —y le obsequió una sonrisa deslumbrante.

—Bueno, quizá no debería —dijo Sam en un intento infructuoso de regañarla.

—A mi edad puedo permitirme hacer casi cualquier cosa. No soy lo bastante mayor como para que me consideren totalmente responsable, y soy lo bastante mayor como para saber lo que estoy haciendo. Detesto a las chicas demasiado jóvenes, ¿usted no? —saltaba de un tema a otro, echándose los largos cabellos negros hacia atrás, sobre los hombros desnudos. Tenía una mente ágil y penetrante como la de Alex, y su mismo cuerpo esbelto, pero despedía una sensualidad que Alex no poseía. Sam se avergonzó de admitir que le encantaba, pero esperaba que los demás no se dieran cuenta. Tenía ganas de seguirle el juego, un juego en el que ninguno de los dos habría de perder. Por otro lado, sabía que no era un hombre libre. También Daphne lo sabía, pero a ella no le impedía seguir jugando.

—¿Y qué me dice de usted? —preguntó Sam provocativamente—. ¿Le gustan los hombres jóvenes o maduros?

—Me gustan todos los hombres —replicó ella perversamente—, pero prefiero a los de su edad —añadió en voz baja.

—¡Qué vergüenza! —la reprendió él—, esta vez ha sido demasiado franca.

—Yo soy siempre franca, Sam. Detesto perder el tiempo.

—Yo también. Estoy casado.

—¿Y eso es un problema? —lo miró directamente a los ojos y Sam supo que debía responder con sinceridad.

—Eso creo. No me dedico a estas cosas.

—Es una lástima. Podría ser divertido.

—Hay más cosas en la vida que divertirse. Éste es un deporte peligroso. Hace muchos años que no lo juego. Eso queda para los solteros, los muy cabrones —se rió mientras la miraba, deseando por un instante volver a la juventud, ser libre de nuevo. Daphne lo hacía sentirse bien, aunque sólo fuera por un momento. Era como comerse unos merengues.

—Me gustas —confesó ella, tuteándolo. Le agradaba que él jugara limpio y pensó que su mujer era muy afortunada.

—Tú también me gustas, Daphne —dijo Sam, devolviendo el tuteo—. Eres una chica fantástica. Casi me haces desear ser de nuevo soltero.

—¿Vendrás a la discoteca con nosotros después de la cena?

—Supongo que no debería, pero tal vez vaya —pensaba en lo mucho que le gustaría bailar con ella, pero también en lo peligroso que podía ser, sobre todo en ese momento, con Alex en el hospital y la tensión que existía entre ellos.

124

Cuando abandonaron el restaurante la limusina se hallaba justo en la entrada. Daphne lo cogió de la mano y lo arrastró con los demás. Sam no tuvo ánimo para resistirse. Fueron a un club del Soho del que Sam nunca había oído hablar. Una banda tocaba unos blues lentos maravillosos. Fue inevitable que acabaran enlazados, bailando en la penumbra. Con el cuerpo de Daphne apretado contra el suyo, Sam tuvo que esforzarse repetidas veces para pensar en Alex.

—Debería irme ya —dijo por fin. Era muy tarde. Todo lo que hacían había adquirido un carácter que Sam no podía negar ya. Estaba casado y Daphne no, y por muy atractiva que fuera, no debía seguir por aquel camino.

—¿Estás enfadado conmigo? —preguntó Daphne en voz baja, mientras él pagaba las copas y se disponía a marcharse.

—Claro que no. ¿Por qué habría de estarlo? —le sorprendía la pregunta.

—Esta noche te he escandalizado. No pretendía que te sintieras incómodo.

—No lo estoy. Me has halagado. Soy veinte años mayor que tú y, créeme, si pudiera, perdería la cabeza por ti.

—Tú también me halagas —dijo ella con modestia, lanzándole una mirada que hizo flaquear su voluntad.

—Me gustaría —y de pronto habló irreflexivamente—. Mi mujer está muy enferma —apartó la vista al decirlo, intentando no pensar en lo que había ocurrido en los dos últimos días—. Las cosas han sido un poco difíciles y no estoy seguro de qué va a pasar.

—¿Muy enferma? —Daphne no quería pronunciar la palabra cáncer, pero él comprendió que se refería a eso.

—Muy enferma —confirmó Sam con una mirada triste.

—Lo siento.

—Yo también. No es fácil para ella ni para mí. Así que las cosas son un poco confusas.

—No pretendía aumentar la confusión —dijo Daphne, sentada tan cerca de él que Sam podía ver las atractivas formas detrás del escote.

—No la has aumentado en absoluto. No te disculpes. Hacía años que no me divertía tanto... y lo necesitaba de verdad —volvió a mirarla. Entre ellos se produjo entonces un intercambio de auténticos sentimientos que cogió a Sam por sorpresa. Ya no se trataba de un juego, estaba con una persona con la que podía hablar. De pronto Sam no quería separarse de ella—. ¿Bailamos una última vez? —no era eso lo que él pretendía hacer, y se sintió molesto consigo mismo durante un rato, pero luego lo embargó la ternura y el deseo que sentía por Daphne mientras bailaban muy juntos. Sus cuerpos se acoplaban perfectamente, como si estuvieran hechos el uno para el otro. Bailaron dos piezas más y finalmente Sam hizo un esfuerzo por marcharse. La acompañó al lado de Simon con pesar, como si ella fuera una joya prestada que detestara devolver.

—Parece que la han pasado muy bien —dijo Simon. Sospechaba lo que había sucedido y le intrigaba. Sam no le parecía un hombre que tuviera aventuras extraconyugales, pero estaba seguro de que andaba tras su prima. Aunque quizá no hubieran hecho otra cosa que hablar, ya que, al fin y al cabo, Sam se marchaba a casa—. Es una pequeña zorra, ¿verdad? —bromeó.

—Cuida bien de ella —replicó Sam con total seriedad, y se fue. De regreso a casa no hizo más que pensar en lo que había sentido bailando con Daphne. Era una noche que no olvidaría fácilmente. Cuando entró en el apartamento se sentía culpable. Y más aún al entrar en su dormitorio y descubrir la nota de Carmen sobre la almohada.

Aun así, no fue el rostro de Alex el que imaginó al dormirse, sino el de Daphne.

9

Sam llamó a su mujer a la mañana siguiente, al levantarse, pero la enfermera le comunicó que Alex estaba siendo tratada y no volvería hasta media hora después. Para entonces, Sam se dirigía al despacho, donde lo aguardaba un cliente y un buen montón de llamadas por hacer. Después de haberse ocupado de sus clientes, se encontró con Daphne en el pasillo. El rostro de la joven se iluminó al verlo, pero Sam se mostró extremadamente cortés e impersonal mientras charlaban. Daphne lo acompañó de vuelta a su despacho, caminando lentamente, y le dijo que esperaba no haberlo molestado la noche anterior. Se había dejado llevar, pero en adelante, prometió, tendrían una relación estrictamente profesional.

—Qué decepción —dijo Sam, riéndose—. Creía que había sido yo el que te había molestado.

—En absoluto —la voz de Daphne era una caricia, pero se comportaba con un decoro muy inglés—. No suelo perseguir a los hombres casados, pero eres demasiado atractivo, Sam. Deberían pintarte de negro, o taparte la cabeza con una bolsa cuando salgas con extraños. Eres muy peligroso —el juego seguía, siempre halagador para Sam.

—Supongo que debería haberme quedado en casa —dijo él, sin demasiada convicción—, pero me la pasé de miedo, sobre todo en el club.

—También yo —declaró ella. De pronto ambos comprendieron que volvían a flirtear.

—¿Qué podemos hacer? —Sam lo admitió con una sonrisa, antes que ella.

—Todavía no estoy segura. Darnos duchas de agua fría, supongo. Nunca lo he probado.

—Tal vez deberíamos probarlo juntos —propuso él, pero enseguida lamentó sus palabras. Cuando la tenía cerca no podía controlarse, sólo pensaba en seducirla. Nunca antes le había ocurrido y no tenía ni idea de cómo detenerlo. Eran como cerillos cerca de una llama—. Sencillamente tendremos que comportarnos como adultos —dijo por fin.

—Sí, señor —Daphne le lanzó una última sonrisa y se alejó por el pasillo en dirección al despacho contiguo al de Simon. Sam permaneció mirándola, incapaz de apartar los ojos de ella.

—¡Cuidado! —le dijo Larry, su viejo socio, al pasar junto a él—. Es peligrosa... como todas las chicas inglesas —susurró.

—¿Por qué no me ha avisado nadie? —fingió quejarse Sam, y entró en su despacho. Como si quisiera aclarar sus ideas, decidió llamar a Alex.

—¿Dónde estabas anoche? —quiso saber ella—. Te llamé.

—Lo sé. Lo siento. Estaba fuera con Simon y unos clientes nuevos de Londres. Me llamó cuando llegué a casa y me convenció para que fuera con ellos a cenar a Le Cirque —de repente se sintió como si estuviera dando demasiadas explicaciones para justificarse de algún modo—. ¿Cómo te encuentras hoy?

—Bien —respondió Alex, con tono aún deprimido—. Ayer vino a verme Liz Hascomb. Resulta que es voluntaria del grupo de ayuda del hospital.

—Eso está bien —dijo Sam, sintiéndose alejado de su mujer, que sólo sabía hablar de su enfermedad y de cuanto se relacionaba con ella—. ¿Crees que se lo dirá a los del bufete? —sabía que Alex quería mantener aquello en secreto.

—No, no lo creo. Liz es muy discreta. Quedó muy sorprendida cuando me vio... y fue de gran ayuda.

—Me alegro.

—¿Cómo está Annabelle?

—Muy bien. Excitada a más no poder por el Halloween. Se prueba el disfraz una y otra vez.

Las lágrimas rasaron los ojos de Alex al oír hablar de su pequeña.

—¿Vendrás hoy? —preguntó con voz vacilante, como si no estuviera segura de poder confiar en él. Sam se dio cuenta, y le dolió.

—Por supuesto. De vuelta a casa, pasaré por all .

Alex esperaba que fuera a verla a la hora de comer, pero no quiso presionarlo. Sam le dijo que no saldría a comer porque debía liquidar unos asuntos. Sin embargo, cuando intentó concentrarse, descubrió que no podía pensar más que en Daphne. Era una pesadilla. Tenía una esposa enferma, una hija pequeña y un montón de responsabilidades, y sólo se le ocurría pensar en la primita cachonda de Simon. Cuando fue al hospital, estaba de un humor de perros. Se sentía culpable y lamentaba incluso haber conocido a Daphne, que empezaba a ser una obsesión, como una droga que no hubiera probado nunca pero necesitara a toda costa.

—¿Qué te pasa? Pareces nervioso —Alex se dio cuenta a primera vista, lo que aún le fastidió más. Era como si alguien le hubiera colgado al cuello un letrero de neón en el que parpadeara la palabra "Daphne".

—No seas tonta —le respondió con involuntaria brusquedad—, sólo estoy preocupado por ti. Estamos impacientes porque vuelvas a casa.

—¿Le has contado algo a Annabelle?

—Pues claro que no.

—Creo que deberíamos decirle que he tenido un pequeño accidente durante el viaje.

—¿Y para qué?

Otra vez con lo mismo: el rechazo de la realidad. Alex no dejaba de asombrarse.

—Llevo un vendaje. Tendré una cicatriz, he perdido un pecho, no me encuentro bien. No podrá saltar encima de mí como si nada. ¿Es que no te das cuenta de que hemos de decirle algo, Sam? Es una niña, pero no estúpida.

—No tienes por qué pasearte desnuda delante de ella.

—¿Tendré que ocultarme durante el resto de mi vida? Suele bañarse conmigo y mirarme mientras me visto. Nunca le he ocultado mi cuerpo. Además, dentro de cuatro semanas empezaré a encontrarme fatal y seguramente muy cansada a causa de la quimioterapia. Es preciso que lo sepa.

—¿Por qué te empeñas en hacer un mundo de todo esto? ¿Por qué tienes que mezclarnos a Annabelle y a mí en tu problema? ¿Por qué no puedes soportarlo en silencio? No lo comprendo.

—Ni yo tampoco. No comprendo cómo puedes seguir fingiendo que no ocurre nada. Tendrán que comprenderme.

—Annabelle sólo tiene tres años y medio. ¿Qué esperas de ella? ¿Compasión? ¿Es eso? Alex, esto es morboso.

—Creo que estás loco.

—Deja de gimotear, deja de convertirlo en una pesadilla para todo el mundo. Habla con un psicoanalista, haz terapia de grupo, lo que sea, pero no nos lo eches encima a Annabelle y a mí como si fuera una carga de plomo. No nos castigues por tu desgracia.

Alex dio la espalda a su marido y se puso a mirar por la ventana.

—Ahora quiero que te vayas —dijo. Su tono era glacial.

—Será un placer —Sam salió de la habitación como un poseso y no la llamó por teléfono esa noche. Tampoco ella quiso hablar con él; llamó a Annabelle y le deseó buenas noches, pero no pidió hablar con Sam, lo cual no le pasó inadvertido a Carmen.

Sam se quedó en casa esa noche, pensando en lo que les aguardaba en el futuro, y no le gustó. La vida de Alex iba a girar constantemente en torno a su enfermedad y lo mal que se sentiría cuando le dieran la quimioterapia. Después llegarían los meses y años de esperar los resultados de las sucesivas pruebas para saber si el cáncer se reproducía, si iba a vivir un poco más. No era así como Sam quería pasar el resto de su vida. La Alex a la que había conocido y amado había desaparecido, reemplazada por una figura trágica que amenazaba con engullirlo.

El jueves hablaron un par de veces sobre Annabelle, y ambos estuvieron de acuerdo en que era mejor que Sam no fuera a verla al hospital. Liz Hascomb, en cambio, acudió diariamente.

El viernes Sam llegó a mediodía para llevársela a casa. Era la primera vez que se veían en dos días. La encontró muy frágil dentro del holgado vestido de punto que le había llevado de casa y que ocultaba la mayor parte del vendaje. También le había llevado un abrigo azul. Alex no se había molestado en maquillarse, pero seguía tan alta y esbelta como siempre, y destacaba por su limpia y abundante cabellera pelirroja. Tenía mejor aspecto del que esperaba Sam, pero sus ojos parecían demasiado grandes en el rostro pálido, y Sam percibió que le temblaban las manos cuando metía el camisón en la bolsa.

—¿Te encuentras bien, Alex? ¿Te duele? —le sorprendía que Alex tuviera tan poca vitalidad, menos incluso que el martes y el miércoles, y se preguntó si no sufriría alguna especie de recaída posoperatoria.

—Estoy bien —respondió Alex con la voz algo ronca—. Es que me asusta volver a casa, sin enfermera ni nadie que me ayude a vestirme, ni voluntarios del grupo de apoyo. De repente tengo que volver a salir al mundo y todo es diferente, o al menos yo he cambiado. ¿Y qué le diré a Annabelle cuando la vea? —sus ojos se llenaron de lágrimas al pensar en su hija. Había llorado ya la noche anterior, hablando de ello con Liz. Su secretaria la había tranquilizado, asegurándole que era perfectamente natural.

—¿Y entonces por qué Sam sigue actuando como si yo estuviera loca? —le había preguntado Alex.

—Porque también está asustado. Y eso también es natural. El único problema que tiene Sam es que no quiere admitirlo.

Realmente no parecía asustado al rodear a Alex con un brazo y coger su bolsa. Parecía dueño de la situación mientras bajaban en el ascensor y cuando subieron a la limusina que había alquilado para la ocasión.

El apartamento estaba silencioso cuando llegaron. Carmen había recogido a Annabelle y la había llevado a ballet. Alex quería instalarse antes de que su hija volviera a casa. Sam se deprimió al ver que se cambiaba de espaldas a él, y se ponía un camisón y una bata.

—¿Por qué no te dejas el vestido puesto? A lo mejor Annabelle se preocupa al verte con el camisón.

—Estoy muy cansada. Voy a acostarme un rato.

—Puedes acostarte con el vestido —le reprochó él. Creía que se estaba haciendo la inválida de nuevo y Alex lo sabía, pero estaba demasiado cansada para discutir. Cuando se tendió en la cama y encendió el televisor, vio que Sam volvía a ponerse el abrigo después de llevarle la comida que había dejado Carmen para ellos.

—¿Adónde vas? —tenía miedo de quedarse sola.

—Voy a la oficina —explicó él—. Intentaré volver pronto esta tarde. Tengo una reunión con Larry y Tom que no he podido cancelar. Llámame si me necesitas —Alex asintió y él le lanzó un beso, pero sin acercarse.

Alex permaneció en la cama durante largo tiempo, esperando a que su hija volviera y pensando en lo que iba a decirle. Todo lo que se le ocurrió quedó olvidado en cuanto vio a su preciosa niña, a la que tanto había echado de menos.

Annabelle dio un grito cuando vio a su madre de pie, en la puerta de su dormitorio, esperándola. Alex había oído el ascensor y luego la llave de Carmen en la puerta. Todo su cuerpo temblaba mientras esperaba el momento del reencuentro.

—¡Mami! —exclamó Annabelle, y se arrojó en brazos de Alex, que intentó protegerse del golpe, pero no pudo. Carmen vio que parpadeaba de dolor, pero Annabelle sólo se dio cuenta de que su madre había vuelto y se apartó rápidamente para mirarla con aire pícaro.

—¿Qué me trajiste del viaje?

Alex lo había olvidado por completo, y Annabelle se entristeció.

—¿Sabes qué? No había nada bueno que traerte, ni siquiera en el aeropuerto. Creo que tú y yo tendremos que ir a F.A.O. Schwarz la semana que viene para buscar algo. ¿Qué te parece?

—¡Bien! —Annabelle palmeó de contento, olvidando instantáneamente su decepción. Le encantaba ir a F.A.O. Schwarz con su madre. Luego se sorprendió al notar que Alex iba en camisón.

—¿Por qué llevas camisón? —preguntó con recelo, tal como había supuesto Sam.

—Estaba durmiendo mientras te esperaba. He tenido un pequeño accidente en Chicago.

—¿Un accidente? —Annabelle pareció impresionarse al principio, luego adoptó una expresión preocupada—. ¿Te has hecho daño? —estaba a punto de llorar. Alex la besó rápidamente para tranquilizarla.

—Más o menos —aún no sabía muy bien qué decirle.

—¿Te han puesto tiritas? —Alex asintió—. ¿Puedo verlas?

Alex se abrió la bata con manos temblorosas. Carmen emitió un gemido ahogado al ver el vendaje y la miró a los ojos.

—¿Te duele? —preguntó Annabelle, intrigada por el tamaño y el lugar en que tenía su madre el vendaje.

—Un poco —confesó Alex—, tendremos que ser cuidadosos para evitar golpes.

—¿Lloraste?

Alex volvió a asentir e instintivamente miró a Carmen, que tenía los ojos arrasados en lágrimas. La sirvienta tocó ligeramente el brazo de Alex, gesto que la conmovió en lo más hondo. Annabelle se fue corriendo a su habitación para coger una muñeca, momento que aprovechó Carmen para protestar.

—¿Por qué no me lo dijo, señora Parker? ¿Se encuentra bien?

—Con el tiempo —contestó Alex categóricamente.

Annabelle volvió brincando con tres muñecas y un libro. Tenía muchas cosas que contar del ballet y del colegio. También había hecho un dibujo para su madre, y estaba impaciente por que llegara el Halloween. En el colegio harían un desfile y Katie Lowenstein daría una fiesta. Al verla Alex se sintió renacer; tenía algo por qué luchar.

—¿Se encuentra bien, señora Parker? —le preguntó Carmen repetidas veces mientras madre e hija jugaban sobre la cama de Alex. Luego le llevó un sandwich de pollo y una taza de té y la instó a tomárselo. Liz llamó por teléfono para preguntar cómo iba todo, y le alegró notar que estaba más animada. Sin embargo, cuando Alex se quitó la bata porque tenía calor, se dio cuenta de que Annabelle se apartaba de ella un poco. Era evidente que la asustaba el vendaje. Sin decir nada, Alex volvió a ponerse la bata y se hizo el propósito de no dejar que Annabelle viera el vendaje más de lo estrictamente necesario. En algunos aspectos Sam tenía razón. Alex necesitaba de todo el amor y el apoyo de su familia, pero no quería su compasión ni asustarlos.

Más tarde Carmen fue a buscar a la niña para bañarla, pero Annabelle quiso bañarse con su madre.

—Puedes hacerlo en mi bañera con mi jabón de pompas, cariño, pero yo no puedo mojarme el vendaje hasta la semana que viene —en el hospital le habían puesto una gran bolsa de plástico sobre el vendaje para que pudiera ducharse—. Te bañas sin mí, ¿de acuerdo? —Annabelle aceptó. Alex echó un vistazo al reloj. Eran las cinco; Sam había dicho que volvería pronto, pero los viernes era día de mucho trabajo.

En efecto, Sam se hallaba en su despacho ocupado en los detalles de su último negocio.

—¿Aún trabajando? —preguntó Daphne con tono casual, asomándose a su despacho a las cinco y cuarto. Se disponía a marcharse. Ella y Simon pensaban ir a Vermont con unos amigos de Inglaterra. Todo el mundo les había hablado del espectacular cambio del follaje otoñal y Daphne había insistido en verlo.

—Es muy bonito —confirmó Sam, deseando irse con ellos. Se pasó una mano por los cabellos con aire sombrío. Era hora de volver a casa, pero temía ese momento. Ni siquiera Annabelle podría aliviar la tensión entre su mujer y él.

—¿Y tú? ¿Vas a hacer algo divertido? —preguntó Daphne, que

no tenía ganas de separarse de él. Le pareció muy triste y solitario, como si no tuviera ningún sitio a donde ir.

—No. Mi mujer acaba de volver del hospital. Creo que pasaremos un fin de semana casero.

—Lo siento, Sam —dijo Daphne en voz baja, lanzándole una de sus peligrosas miradas, que él recibió con una sonrisa.

—Gracias, Daphne. Que te diviertas. Nos veremos el lunes —ella asintió. Sentía deseos de acercarse y abrazarlo, pero tenía una expresión tan seria que no se atrevió. Se quedó mirándolo un rato, le lanzó un beso y se marchó, pensando que hubiera preferido pasar el fin de semana con él y no con Simon y sus amigos.

A las cinco y media Sam ya no tenía ninguna excusa. Se enfundó el abrigo y se fue. Caminó unas cuantas calles antes de coger un taxi. Aún no eran las seis cuando llegó a casa y Alex lo miró sorprendida. Estaba leyéndole un cuento a Annabelle mientras Carmen preparaba la cena. La mujer había insistido en quedarse todo el fin de semana.

—Hola. ¿Qué tal has pasado el día? —Alex intentó hablar con normalidad, pero Sam estaba incómodo y respondió como si fuera un extraño.

—Bien. Lo siento, llego tarde, pero he tenido un día muy ajetreado.

—No pasaba nada. He estado todo el rato con Annabelle. Nos hemos divertido mucho.

Cenaron todos en la mesa de la cocina. Annabelle habló hasta por los codos. A Alex le sorprendió que no se diera cuenta de la tensión que existía entre sus padres. La niña era muy feliz por volver a tener a su madre en casa, y no hacía más que contarle anécdotas, bromas, nuevas canciones e historias ininteligibles de sus amiguitos, así que la cena estuvo muy animada. Carmen limpió la cocina mientras Alex y Sam acostaban a Annabelle, pero cuando ellos estuvieron en su propio dormitorio la conversación se extinguió.

—¿Va todo bien en el trabajo? —inquirió Alex, preguntándose por qué su marido estaba tan nervioso.

—Sí —él no sabía qué preguntarle. No quería oír nada que estuviera relacionado con su enfermedad.

Sam encendió la televisión, buscando refugio en ella, y terminó quedándose dormido. Liz le había dicho a Alex que su marido tuvo la misma reacción inicial, pero que luego acabó por adaptarse; todo era cuestión de tiempo.

Sam se despertó después del último noticiario y miró a Alex como sorprendido de encontrarla a su lado. Sin pronunciar palabra se levantó y fue al cuarto de baño. Alex se había bañado ya lo mejor que había podido y se había puesto la chaqueta de un pijama sobre el camisón para disimular el vendaje. Cuando Sam volvió, con el pijama puesto, pareció vacilar antes de meterse en la cama.

Tenía miedo de su mujer, como si ésta fuera a contagiarle su enfermedad, y su propia incapacidad para aceptar la situación le aterrorizaba.

—¿Qué te pasa? —Alex lo miró con perplejidad. Sam no parecía estar seguro de querer dormir con ella, pero Carmen ocupaba la habitación de los invitados, así que no tendría más remedio.

—Yo... ¿no te... te haré daño si duermo contigo?

Alex sonrió a su pesar ante el aire torpe y azorado de su marido. En realidad todo aquello era patético.

—No me harás daño a menos que me des en la cabeza con un zapato. ¿Por qué? —era increíble; primero fingía que no había ocurrido nada y luego quería irse al otro confín de la tierra para no estar con ella—. No me vas a hacer daño, Sam —repitió Alex tranquilamente.

Sam se acostó, pero actuaba como si entre su mujer y él hubiera un campo de minas. Permaneció en el borde de la cama en una postura rígida, haciéndola sentir como si fuera una paria.

—¿Estás bien? —preguntó Sam con cierto nerviosismo antes de apagar la luz—. ¿Necesitas algo?

—Estoy bien —al menos lo bastante bien como para estar tendida al lado de su marido, pero él se durmió, siempre en el borde de la cama. Alex permaneció despierta, llorando.

A la mañana siguiente Sam se despertó antes que Alex, y cuando ésta se levantó él y Annabelle ya estaban vestidos y charlaban sobre ir a Central Park para hacer volar una cometa que Sam le había comprado a su hija.

—¿Quieres venir? —preguntó él, indeciso. Alex negó con la cabeza. Aún estaba muy cansada.

—Los esperaré aquí. Luego Annabelle y yo podríamos hacer galletas —dijo, intentando volver a formar parte de la rutina familiar.

—¡Bien! —exclamó Annabelle.

Padre e hija se fueron media hora después muy entusiasmados. Sam se había mostrado aún menos comunicativo con Alex que cuando ella se hallaba en el hospital. Era para desquiciar los nervios de cualquiera.

Volvieron a la hora de comer. Alex les había preparado sopa y sandwiches. Carmen se había ido a su casa por unas horas con la promesa de volver luego, a pesar de las protestas de Alex.

Annabelle explicó a su madre con gran excitación que la cometa había volado muy alto, cerca del estanque para barcos de modelismo, pero que luego se había enganchado en un árbol y papá había tenido que trepar para recuperarla.

—Bueno, no he tenido que trepar tanto —confesó él. Se la habían pasado en grande, y habían comprado castañas y galletas saladas.

Alex se había peinado y vestido mientras estaban fuera. Llevaba un suéter amplio y vaqueros. Apenas se notaba el vendaje y que le faltaba un pecho, pero Annabelle se dio cuenta más tarde, cuando estaba sentada en su regazo, apoyada contra ella.

—La tetita mala se ha hecho más pequeña, mami —dijo mirando fijamente el pecho de su madre—. ¿Se te ha caído al darte el golpe?

—Más o menos —Alex sonrió y procuró mantener la compostura, tarde o temprano habría de contárselo a su hija. Mejor que aprovechara ese momento. Sam se encontraba en otra habitación, y cuando volvió se sorprendió al oír lo que decían.

—¿Será diferente cuando te quites el vendaje? ¿Se ha ido del todo? —a Annabelle le asombraba que una parte de su madre hubiera podido desaparecer.

—Quizá. Aún no me he mirado.

—¿Se ha caído ella sola?

—No, pero me hecho mucho daño —Alex no quería mentir ni asustarla—. Por eso llevo este vendaje tan grande.

—¿Cómo ocurrió? —insistió Annabelle.

Sam miró a su mujer con indignación. Afortunadamente Annabelle fue a buscar uno de sus juguetes y se olvidó de su pregunta, lo que Alex agradeció de todo corazón, porque no sabía qué decir.

—¿Por qué has tenido que contárselo? Sólo tiene tres años y medio, Alex. No necesita formar parte de todo esto —tampoco él, y tenía casi cincuenta.

—Ni yo, Sam, pero no nos queda más remedio que aceptarlo. Además, me lo ha preguntado. Estaba sentada en mi regazo y se dio cuenta.

—Entonces no la sientes en el regazo. Hay mil maneras de evitarlo.

—Ya lo he notado. Y tú las has encontrado todas.

Por la tarde, Sam sorprendió a su mujer diciéndole que tenía que ir a la oficina, lo que no solía hacer prácticamente nunca durante el fin de semana. Estaba claro que deseaba alejarse de ella.

Eran las tres cuando Sam se fue. Alex se alegró; no podía soportar la atmósfera opresiva que existía entre ellos. Alex y Annabelle prepararon galletas y luego vieron *Peter Pan* y *La sirenita*.

—¿Por qué papá está enfadado contigo? —quiso saber Annabelle mientras preparaban la masa de las galletas, dejando atónita a su madre.

—¿Por qué crees que está enfadado conmigo? —inquirió, intrigada por la intuición de la niña.

—No te habla casi nunca.

—Quizá esté cansado —explicó Alex, amasando mientras Annabelle cogía grandes trozos y se los comía.

—Te echaba de menos cuando no estabas, y yo también —dijo Annabelle con seriedad—. Tal vez se enfadó porque te fuiste.

—Tal vez. Seguro que se le habrá pasado cuando vuelva a casa. —besó a su hija en la punta de la nariz y le tendió otro trozo de masa para que se lo comiera.

Mientras tanto, Sam se hallaba en su despacho con expresión taciturna. Tenía muy poco trabajo en que ocuparse. Sus negocios exigían el contacto con los clientes, no las ingentes cantidades de documentos que manejaba Alex en el suyo. Se había ido a la oficina para escapar de casa y ahora que se encontraba allí se sentía estúpido.

—¿Qué estás haciendo aquí? —la voz procedía de la puerta. Sam alzó la vista con un respingo. Creía que no había nadie en las oficinas. La alarma estaba puesta al llegar y el vigilante de la planta baja no le había dicho que hubiera alguien. Era Daphne; seguramente acababa de llegar. Vestía un jersey negro muy ajustado y unos elásticos negros que hacían más largas aún sus piernas. Llevaba el pelo recogido en una larga trenza y unos botines de ante negro de aspecto muy inglés.

—Pensaba que estabas en Vermont —comentó Sam, aún sorprendido.

—En teoría debería estar allí, pero Simon se agripó y sus amigos no querían irse sin él, así que nos hemos quedado todos. Había pensado aprovechar la circunstancia para adelantar un poco de trabajo. Espero que no te importe, Sam, no quería ser inoportuna. Parecías a miles de kilómetros de distancia cuando entré —observó con tono comprensivo y su aire tan sexy y juvenil—. ¿Qué tal van las cosas?

—No demasiado bien; si no, no estaría aquí —contestó él con sinceridad, estirando las piernas por debajo de la mesa y jugueteando con un lápiz. Era extraño que pudiera hablar con ella y en cambio no fuera capaz de decirle nada a Alex. Se levantó y se acercó a Daphne—. Ni siquiera sé para qué he venido —la miró tristemente y luego sonrió—. Quizá tenía el pensamiento de que te encontraría.

—Eso no es digno de ti —se burló ella—, pero lo aceptaré. ¿Te apetece una taza de café?

—Sí, me encantaría —la siguió hacia el cuarto en el que tenían la cafetera, oliendo su leve y cálido perfume de almizcle—. Lo siento —dijo de pronto, cuando ella se dio la vuelta para mirarlo—, esta semana me he estado comportando como un perfecto idiota. No sé lo que hago. Ha sido un infierno y no tenía derecho a desquitarme contigo.

—Si cenar conmigo en Le Cirque y luego llevarme a bailar es "desquitarse" conmigo, por favor, no dejes de hacerlo siempre que quieras, Sam —dijo ella, sonriendo provocativamente. No obstante, no todo era atracción sexual, también parecía sinceramente preocupada por él, y a Sam le halagaba. Pero entonces ella le formuló una pregunta para la que no estaba preparado y que le hizo sentir un nudo en el estómago—. ¿Se está muriendo tu mujer, Sam? —preguntó en voz muy baja.

—Podría ser —respondió al cabo de un momento—. No lo sé. Creo que está muy enferma, aunque yo no acabo de comprenderlo.

—¿Es cáncer lo que tiene?

—Le han extirpado un pecho esta semana —explicó Sam, tras asentir—, y ahora van a darle quimioterapia.

—Qué difícil para ti y para tu hijita —toda su simpatía estaba con Sam, nada para Alex.

—Supongo que sí... o que lo será... Eso de la quimioterapia parece algo horrible. No estoy seguro de que yo lo hiciera.

—Eso es lo que decimos todos, hasta que nos encontramos con el problema y tenemos que luchar con uñas y dientes, y probar cualquier cosa para curarnos. Mi padre murió el año pasado. Lo probó todo, incluso una especie de píldoras mágicas de vudú que adquirió en Jamaica. No puedo culpar a tu mujer por intentarlo, pero será una pesadilla para ti. Pobre Sam —se encontraban de pie en el pequeño cuarto sin ventilación mientras se hacía el café. La voz de Daphne no era más que un susurro.

—No deberías compadecerme a mí —replicó Sam, susurrando a su vez, sin saber en realidad por qué hablaban tan bajo, si no había nadie más allí, pero ansioso por acercarse más a ella y hablarle con un arrullo apenas—. Yo estoy bien...

—Pero no eres tú mismo —replicó Daphne, e hizo algo que cogió a Sam completamente desprevenido. Le rodeó el cuello con los brazos, le acarició la nuca hasta causarle escalofríos y lo besó. Sam notó que su cuerpo reaccionaba con un ímpetu que llegó a asustarlo y que a duras penas pudo controlar. Hubiera deseado arrancarle los pantalones elásticos y tumbarla en el suelo, pero no se atrevió más que a besarla y a recorrer su cuerpo ávidamente con las manos. Daphne era todo músculos, con un vientre liso y duro y un trasero espléndido y pequeño. Tenía un cuerpo de bailarina de ballet con senos abundantes. El beso se prolongaba, intenso y profundo. Fue Daphne quien se separó primero, sin respiración. Había iniciado una avalancha que ni ella misma podía ya detener—. Oh, Dios mío, Sam... no puedo... oh, Dios... cómo te deseo...

—Yo también te deseo —dijo Sam con voz ronca, devorando el cuello y los senos de Daphne con los labios. Se arrodilló luego ante ella y empezó a mordisquear su entrepierna. Daphne emitió un largo gemido. De repente Sam cayó en la cuenta de lo que estaba haciendo.

—Daphne... no podemos... —volvió a ponerse en pie, abrazándola estrechamente, sintiéndose más culpable que nunca, pero consumido por la pasión—. No puedo. No tengo derecho a complicar tu vida de esta forma... ni a hacerle esto a mi mujer.

—No me importa —replicó Daphne—. Soy una mujer adulta, que toma sus propias decisiones.

—No nos llevará a ninguna parte... mereces algo mejor. Estoy medio loco de deseo por ti. Lo he estado desde que te conocí, pero ¿qué es eso para ti?

—Un revolcón, espero —se echó a reír.

—Quisiera darte algo mejor, pero no tengo nada. Ahora no, todavía no. Y quizá nunca lo tenga.

—Serviría para empezar —dijo ella juguetonamente—. No pido mucho.

—Deberías hacerlo. Te lo mereces —y entonces, sin decir más, volvieron a besarse, prolongadamente, hasta que ninguno de los dos pudo soportarlo más—. Vamos a tener que hacer algo si esto sigue así —se rieron por la erección que era evidente a través de los vaqueros de Sam, y que Daphne acariciaba sin cesar.

—Yo iba a sugerir lo mismo —Daphne sonrió y lo besó una vez más. Luego se arrodilló para mordisquearle el bulto de la entrepierna.

—Para —dijo él sin convicción—. No... no sigas... Dios mío, Daphne... Dentro de nada te voy a jurar amor eterno si no paras.

—Esperaba que lo hicieras —le sonrió con aire travieso y se levantó para servirle una taza de café.

—¿Cómo es posible que esté haciendo esto? —se preguntó Sam, pensando en su familia.

—A veces ocurre. Son las realidades de la vida. No siempre funciona todo tal como lo habíamos planeado. En realidad no sé si funciona alguna vez. En mi vida al menos no.

—En estos momentos la mía es un desastre.

—¿Estás muy unido a ella? —inquirió Daphne, mientras se tomaban el café.

—Creía que sí, pero parece que ahora ya no podemos hablar de nada. Lo único que existe entre nosotros es su enfermedad. Sólo piensa en ella, sólo la enfermedad le interesa. No puedo soportarlo más.

—No se le puede culpar, pero creo que espera demasiado de ti, ¿no?

—Supongo que se lo debo —Sam decidió contar su más recóndito secreto—. Mi madre murió de cáncer cuando yo tenía catorce años. La odié por eso. Todo lo que recuerdo de ella es lo enferma que estaba, que siempre la estaban operando y que no hablaba de otra cosa. La cortaron en pedazos hasta que al final la mataron. Y su muerte mató a mi padre. Yo me sentía como si mi madre hubiera intentado matarnos a todos con ella, sólo que yo me resistí, me negué a formar parte de su tragedia. Es lo mismo que siento ahora con Alex. Es como si tuviera que alejarme de ella para salvarme —se sentía mejor después de haber hecho esta terrible confesión. Daphne parecía comprenderlo, mientras que Alex estaba demasiado encerrada en sí misma para ver el terror que se había apoderado de él.

—Pero no puedes hacerlo solo, ¿verdad? —comentó Daphne con su peculiar voz ronca que a él le hacía enloquecer.

—No estoy seguro. Creo que debería intentarlo, pero tú no me la estás poniendo fácil.

—En realidad —dijo ella, volviendo a acariciar el bulto de sus vaqueros hasta que creció bajo el tacto y obligó a Sam a cerrar los ojos por el placer que le causaba—, pensaba que te la estaba poniendo más dura.

—Desde luego —la besó, deseándola más que nunca, pero resuelto a no tenerla. No estaba obligado a entregar su alma a Alex, pero al menos debía serle fiel. Simplemente era cuestión de mala suerte que Daphne se hubiera cruzado en su camino en aquellos momentos. O quizá era lo que el destino le deparaba como compensación por lo que estaba perdiendo.

Permanecieron en aquel cuarto largo rato. Había anochecido ya cuando se percataron del tiempo transcurrido. Sam se sentía como si hubieran pasado días. Se abrazaron por última vez. Daphne lavó las tazas y las guardó, luego lo acompañó a su despacho.

—¿Vas a quedarte? —preguntó Sam. Él no tenía deseo ninguno de marcharse, pero debía hacerlo.

—Me llevaré el trabajo a casa —contestó ella. Sam la siguió hasta su despacho y allí volvió a besarla. Daphne cayó sobre su mesa abrazada a Sam, pero éste resistió una vez más la tentación de hacerla suya. Lo consiguió a duras penas, porque los pantalones elásticos que llevaba Daphne no conseguían ocultar sus encantos. Al fin acabó quitándole el jersey y se quedó maravillado ante la belleza de sus pechos, cuyos pezones erectos acarició y besó sin cesar.

Al cabo de media hora Daphne volvió a ponerse el jersey y finalmente abandonaron la oficina. Eran casi las siete. Se metieron en un taxi. Sam se sintió como un adolescente cuando empezó a meterle mano en el asiento de atrás mientras ella se reía disimuladamente.

—Será mejor que cierres con llave la puerta de tu despacho —le advirtió Sam—. No estoy seguro de que pueda controlarme cuando te vea.

La dejó en la Cincuenta y tres Este, donde Daphne había alquilado un apartamento en un antiguo edificio. Había pertenecido a una estrella de cine, de la que aún quedaban algunos muebles, pero Daphne afirmaba que estaban ya muy desvencijados.

—¿Quieres subir? —lo invitó, cuando ya había bajado del taxi; pero Sam negó con la cabeza.

—No confío en mí.

—Yo tampoco —dijo ella entre risas. De repente se puso seria y le cogió una mano—. Vuelve siempre que quieras. Aunque sólo sea para charlar. Estaré aquí esperándote, Sam. Aunque ahora te parezca una locura... creo que te quiero.

—Por favor... no... yo no puedo... pero gracias —le dio un leve beso. Daphne retrocedió y se despidió con la mano, mientras Sam anotaba mentalmente la dirección, a pesar de reprochárselo.

Llegó a casa al diez para las ocho. Alex lo aguardaba con cara larga, pero no dijo nada. Por un momento Sam creyó oler al perfume de Daphne y fue a lavarse las manos y a cambiarse el suéter.

—Debes tener mucho trabajo —dijo Alex cautelosamente después de acostar a Annabelle. Carmen había acabado ya de fregar los platos y se había metido en la habitación de invitados.

—Sí.

—El negocio debe ir muy bien. Antes nunca tenías que trabajar los fines de semana.

—Simon nos ha traído muchos clientes nuevos. Es fantástico.

—¿Y vigilas cómo maneja él las cosas? Quizá su estilo no sea como el tuyo o el de Tom y Larry. No querrás que luego resulte ser un fiasco y les arruine el negocio.

—No lo va a hacer. En Londres tiene reputación de atraer a grandes clientes y mucho dinero.

—¿Dinero limpio?

—Por supuesto —Sam volvió a enojarse. Ella siempre tenía que sospechar de todo. También él recelaba de Simon al principio, pero ahora estaba convencido de que daría un gran empuje al negocio. Y había conocido a Daphne gracias a él... ¿Qué más podía pedir? Cuando se sentaron a cenar, seguía pensando en ella.

—¿Y en qué has estado trabajando? —quiso saber Alex.

Sam estuvo a punto de atragantarse con la ensalada al oír su pregunta.

—No gran cosa... ciertos asuntos... de contabilidad.

—¿Desde cuándo te ocupas de eso? —Alex parecía escéptica, pero no suspicaz. Para ella era evidente que su marido se limitaba a mantenerse alejado.

La cena no fue nada cordial, ni siquiera interesante. Parecían no encontrar los temas que pudieran interesar a ambos, lo que no era frecuente, pero al menos estaban juntos. Alex se dijo que lo peor había ocurrido ya, o casi, y que lo único que le quedaba por hacer era sobrevivir al tratamiento. Con el tiempo las aguas de su matrimonio volverían a su cauce. Estaba segura.

Sin embargo, Sam mostró al acostarse la misma prudencia que la noche anterior. Era solícito y cortés, pero no se acercaba a ella. Una vez más, cuando él se hubo dormido, Alex lloró. Un pequeño beso o un abrazo hubiera bastado.

La tensión era tan grande que ambos se sintieron aliviados cuando acabó el fin de semana. Sam fue a trabajar a las ocho de la mañana del lunes. Alex llevó a Annabelle al colegio. A las nueve tenía cita con el doctor Herman, para que le revisara las suturas y el vendaje. Alex sentía pánico ante la inminencia de lo que podía ver cuando le cambiara el vendaje, pero aun se hubiera sentido peor si hubiera adivinado lo que Sam esperaba ver al llegar a su oficina. Daphne vestía un sucinto traje azul marino de Chanel, cuya minifalda dejaba al descubierto las largas piernas. Quería confirmar a Sam que lo ocurrido el sábado no había sido un error y que no se arrepentía. Deseaba a Sam más de lo que había deseado a ningún hombre en mucho tiempo, y así se lo dijo.

—Sólo quiero que sepas —le susurró, cerrando la puerta del lujoso despacho de Sam— que estoy enamorada de ti. No tienes que hacer nada. Ni siquiera desearme, pero yo te esperaré a cualquier hora y del modo en que a ti te convenga. Te acepto tal como eres, con tus responsabilidades. Te amo, Sam. Y soy tuya cuando me quieras.

Sam la besó con toda la angustia y la avidez que sentía, y Daphne le devolvió el beso antes de retroceder, sonreír y abandonar el despacho en silencio.

10

Alex sólo tuvo que aguardar media hora en la sala de espera. El doctor Herman la acompañó hasta su consultorio y le preguntó cómo se encontraba. Alex comentó que se sentía muy cansada, pero con poco dolor, y el médico pareció complacido al quitar el vendaje. Afirmó que la herida estaba muy limpia y cicatrizaba perfectamente, mejor, de hecho, de lo que él esperaba. También tenía los resultados de los análisis, que confirmaban sus previsiones. Cuatro ganglios linfáticos estaban afectados y el tumor tenía receptores hormonales negativos; el tratamiento más indicado para su caso era la quimioterapia, que empezaría al cabo de dos semanas, más o menos, en cuanto se hubiera recuperado de la operación.

No eran buenas noticias, pero Alex ya esperaba eso después de todas las explicaciones del médico. El hecho de que sólo tuviera cuatro nódulos o ganglios afectados era buena señal, a pesar de que el cáncer se hallara en su segundo estadio.

—La herida es muy limpia —dijo el médico—. Si decide hacerse la cirugía plástica su médico estará muy contento —el doctor Herman parecía alegrarse por todo, y Alex deseó sentir lo mismo, pero era imposible celebrar algo cuando se tenía cáncer.

El médico insistió entonces en saber cómo le iban las cosas. Había notado que Alex estaba más sombría que de costumbre, aunque también era de esperar.

—¿Se ha mirado ya la herida? —Alex sacudió la cabeza con expresión asustada—. Quizá debería hacerlo. Tiene que prepararse. ¿Y su marido?

—Tampoco la ha visto.

—Creo que será mejor que la mire usted primero. Pronto podrá bañarse y la verá, claro, pero le convendría echarle un vistazo en el espejo.

Nada de lo que le dijo el médico preparó a Alex para lo que vio cuando volvió a casa y, lentamente, se quitó el vendaje para ducharse. Se acercó resueltamente al espejo, intentando mantener la vista clavada en el rostro, pero luego dejó que bajara poco a poco, hasta que dio un grito y retrocedió. Era espantoso. Tenía la piel rosada y lisa, que acabaría volviéndose blanca. En el lugar de la incisión, donde se había extirpado completamente la mama, había una cicatriz roja. Era la cosa más horrible que había visto en su vida y ni siquiera el hecho de que probablemente serviría para salvarle la vida podía consolarla. Sintió náuseas. Se sentó en el suelo alfombrado del cuarto de baño y se abrazó las rodillas sollozando. Una hora más tarde la oyó Carmen. Alex seguía allí, llorando e hipando como una niña.

—Oh, señora Parker... señora Parker... ¿Qué ha ocurrido...? ¿Se ha hecho daño? ¿Quiere que llame al médico...? ¿Señora Parker?

—Alex no podía dejar de llorar; se limitó a negar con la cabeza y a apretar las rodillas contra su único seno.

—Váyase... váyase... —gritó con el mismo tono infantil de Annabelle. Carmen se arrodilló junto a ella, llorando como lo haría por un niño herido.

—No llore... no llore... todos la queremos... —dijo, intentando rodearla con sus brazos.

Pero Alex seguía negando con la cabeza y llorando sin parar.

—Él me odia... estoy tan horrible... me odia.

—Lo llamaré —dijo Carmen para tranquilizarla. Alex soltó un chillido y dejó caer la cabeza sobre las rodillas, suplicando que no lo hiciera.

—Déjeme sola.

Al ver a Alex inconsolable, Carmen volvió a la cocina, donde permaneció sentada, enjugando sus propias lágrimas y oyendo llorar a Alex, hasta que por fin ésta se detuvo.

—¿Puede ir a recoger a Annabelle, por favor? —pidió Alex con voz exhausta y completamente desprovista de emoción.

—¿Por qué no lo hace usted, señora Parker? A ella le encantará.

—No puedo —respondió Alex, que parecía más muerta que viva.

146

—Sí, sí que puede. Si quiere iré con usted. Venga... iremos juntas... —Carmen condujo a Alex a su pequeño vestidor, sacó un holgado vestido de punto del armario y lo sostuvo en alto—. A Annabelle le gusta mucho este vestido.

—No puedo, Carmen, no puedo hacerlo —empezó a sollozar de nuevo, pero esta vez Carmen la abrazó con fuerza.

—Sí que puede. Yo la ayudaré.

—¿Por qué? —Alex quería rendirse y morir de una vez, pero Carmen no iba a permitírselo.

—Porque la queremos. Vamos a ayudarla hasta que se ponga bien. Pronto estará recuperada —dijo con tono confiado, esperando infundir ánimos a Alex.

Pero Alex sacudía la cabeza mientras se metía en el vestido que Carmen sujetaba.

—No me pondré bien. Me van a dar quimioterapia.

—Ah, no... —Carmen la miró aterrorizada, pero luego recuperó el aplomo—. Muy bien... lo superaremos —Carmen estaba dispuesta a ayudar a Alex a toda costa, porque la consideraba una buena mujer que no merecía pasar por todo aquello—. Iremos a recoger a Annabelle y luego comeremos. Usted dormirá la siesta y yo llevaré a Annabelle al parque —se dirigía a Alex como si fuera una niña, lo que Alex agradeció profundamente en aquellos momentos de angustia.

Finalmente se fue con Carmen al colegio de Annabelle y luego volvieron las tres a casa caminando lentamente. Alex permaneció silenciosa todo el camino, pero Annabelle no pareció darse cuenta. Cuando llegaron a casa, Carmen les sirvió una sopa de tomate casera y un sandwich de pavo. Luego acostó a Alex y le dijo a Annabelle que su madre necesitaba descansar, lo que a la niña le pareció un juego. Ayudó a Carmen a arropar a su madre antes de irse al parque.

Por la tarde se lo contó a su padre y Sam se preguntó si Alex habría estado otra vez haciéndose la inválida.

—¿Qué ocurre? —preguntó a su mujer, cuando Annabelle ya estaba en la cama—. ¿Has estado durmiendo toda la tarde? —en su voz apenas podía disimular la reprobación.

—Sólo he echado una siesta. Estaba muy cansada. He ido a ver al doctor Herman —su voz era apagada y en su rostro no había expresión alguna.

—¿Tenía los resultados de los análisis patológicos?

—Sí. Tengo cuatro ganglios afectados. Necesito quimioterapia —contestó, y luego añadió—: Me ha quitado el vendaje.

—Bien. Esto ya es algo. Te habrás animado entonces —hablaba con entusiasmo para intentar alentarla, como si la quimioterapia no fuera nada. Alex lo miró como a un ser de otro planeta.

—No exactamente.

—¿Y por qué no? ¿Hay algún otro problema?

—Sólo uno pequeño... parece ser que el pecho se me ha caído con el vendaje.

—¿Y qué me dices con eso? ¿Por qué estás tan cansada?

—¿Qué esperas de mí? —le espetó Alex—. ¿Fotos de prueba? ¿Es que no te lo imaginas? He perdido un pecho. Para mí es muy importante y no me creo eso de que para ti no lo sea. Te has estado comportando como si tuviera lepra desde que volví a casa. No creo que a ti tampoco te parezca muy agradable.

—Nunca he dicho que lo fuera, pero no tiene por qué ser una tragedia.

—Quizá no, pero déjame decirte una cosa, te aseguro que no es nada bonito —le lanzó una mirada envenenada, llena del horror de lo que había visto en el espejo.

—No te pongas así. El médico te dijo que puedes arreglarlo más adelante.

—Claro, si quiero pasar por otra operación muy dolorosa, con un montón de injertos e implantes de silicón, que son peligrosos. A mí no me parece tan fantástico como a ti.

—De acuerdo, pero no hace falta que te pases el día llorando. Perder un pecho no es lo peor que podía haberte ocurrido.

—¿Y qué es lo peor?

—Morir —contestó él sin rodeos.

—Dame tiempo, a lo mejor también llego a eso. De momento tengo la impresión de que he perdido unas cuantas cosas a las que tenía cierto aprecio. Una de ellas el pecho izquierdo, y la otra mi marido. Es como si te hubieras caído por la ventana con mi pecho, ¿o no te has dado cuenta? Estoy harta de que desaparezcas a la menor oportunidad y finjas que no existo porque no puedes aceptar lo que ha sucedido.

—Eso no es cierto —replicó él, airadamente, porque era verdad y lo sabía.

—Y un cuerno. No me has ayudado lo más mínimo desde que supe la noticia, y desde que me operaron me has tratado como si fuera tu abuela y no tu mujer. ¿Cuánto tiempo va a durar esto, Sam? ¿Cuánto tiempo tendré que hacer penitencia por el pecado de haber perdido un pecho? ¿Hasta que me lo reconstruyan para que no te dé un susto de muerte cuando me desnude delante de ti, o es que hemos acabado para siempre? Me ayudaría saberlo, así no tendría que quedarme contigo y seguir molestándote, dándote asco cuando me duche.

—Me pones enfermo con tus análisis y acusaciones. No me sentiría peor si te hubieran quitado los dos pechos.

—¿En serio? ¿Apuestas algo? No tienes ni idea de lo horrible que es. Es peor de lo que piensas.

—Es tan malo como tú quieras que sea. Tú eres la que ha convertido esto en una agonía, la que no quiere aceptar lo que ha ocurrido.

—¿Estás seguro? —de repente ya no pudo controlarse más. Se desabrochó el camisón delante de Sam, a quien empezó a latirle el corazón con fuerza, pero era demasiado tarde para detenerla y, de todas maneras, había sido él mismo quien la había impulsado a aquello. Alex dejó caer al suelo el camisón. Sam emitió un gemido ahogado. Su mujer no se había vuelto a poner el vendaje. El rostro de Sam reflejó todo lo que Alex había imaginado—. ¿Bonito, eh? —sollozaba entrecortadamente, pero Sam no hizo ademán de consolarla.

—Lo siento, Alex —dijo; recogió el camisón y se acercó a ella—. Lo siento —repitió en voz baja, y la abrazó. Ambos se echaron a llorar.

—No puedo vivir con esto, Sam —dijo Alex entre sollozos, incapaz de comprender el porqué de todo aquello.

—Pasará... te acostumbrarás. Los dos nos acostumbraremos —dijo él, deseando que sus palabras fueran ciertas.

—¿Tú crees? —preguntó Alex tristemente—. ¿Quieres que me haga la cirugía plástica?

—Aún es demasiado pronto. ¿Por qué no esperas a ver qué tal estás dentro de un tiempo?

—Odio esto y me odio a mí misma —admitió ella, intentando ponerse el camisón, pero enredándose con él. Sam la ayudó; quería que se cubriera lo antes posible—. Siento estar enfadada contigo todo el tiempo. Es que no sé cómo comportarme.

—Ni yo tampoco —admitió él—. Supongo que tendremos que dar tiempo al tiempo.

—Sí —convino Alex, mirándolo, incapaz de creer que su marido quisiera volver a mantener relaciones sexuales con ella—. Tal vez.

—Te sentirás mejor cuando vuelvas al trabajo la semana que viene —comentó Sam con tono alentador, y encendió la televisión para no tener que seguir hablando.

—Quizá —replicó ella sin convencimiento, pensando que prefería recuperar a su marido antes que el trabajo.

Mientras miraba la televisión, Sam no dejaba de pensar en lo que había visto. No creía que pudiera volver a tocar a su mujer. Sentía más deseos que nunca de hacer suya a Daphne y se sentía más culpable aún al recordar los senos exquisitos que había acariciado.

—Ya no me siento una mujer —dijo Alex, cuando Sam apagó la luz a medianoche.

—No seas tonta, Alex. Un pecho no hace a una mujer. No has perdido tu personalidad y sigues siendo tan mujer como antes —sin embargo, nada en su proceder confirmaba esas palabras. Durante toda la noche, bien lejos de su mujer, sólo pudo pensar en Daphne.

11

Lo único que consiguió acercar a Sam y a Alex el siguiente fin de semana fue el Halloween. Recorrieron el edificio de apartamentos junto con Annabelle para pedir caramelos; la niña disfrazada de princesa, adorable en su pequeño vestido de terciopelo rosa con diamantes de fantasía. Llevaba además una pequeña corona plateada y una varita. También Alex solía disfrazarse; ese año no había preparado nada especial, así que acabó poniéndose una peluca negra y blanca y un viejo abrigo de pieles para imitar a Cruella de Vil. Sam sacó su disfraz de Drácula de todos los años y Alex lo maquilló.

—Te sienta muy bien la peluca negra y blanca —dijo Sam pensativamente, mirando a su mujer. Alex llevaba un ceñido vestido de punto rojo y una prótesis en el brasier, que pesaba mucho pero era sorprendentemente realista. Sam no tuvo más remedio que reconocer que Alex seguía teniendo cuerpo de modelo. Cada día se fijaba más en esas cosas, sobre todo con Daphne.

Él y Daphne se habían comportado admirablemente bien, aunque no sin grandes esfuerzos. Sólo una vez había cedido Sam al impulso de besarla cuando estaban solos en su despacho. Por lo demás, no habían hecho nada que no debieran, a pesar de las múltiples reuniones y comidas de negocios que habían tenido con sus clientes. Daphne resultaba de gran ayuda en sus nuevos negocios y tenía unos conocimientos extraordinarios sobre las finanzas internacionales. Por instinto, Sam no había hablado de Daphne a su mujer, porque estaba seguro de que ella se habría dado cuenta de que pasaba algo. Sus socios lo habían notado, desde luego, pero nadie se había atrevido a preguntar. Sólo Simon seguía haciendo alguna broma de vez en cuando acerca de lo atractivas que eran las chicas inglesas y sobre todo su prima. Sam siempre se mostraba de acuerdo con él, pero nadie podía adivinar cuán enamorado estaba de Daphne y cómo la deseaba.

—Tú también estás muy bien —dijo Alex al dar el último toque de maquillaje a Sam. Mientras estaban en el cuarto de baño, ella de pie maquillándolo, y él sentado, se había presentado la oportunidad perfecta para que Sam le dijera alguna cosa, para que la abrazara o incluso le diera un beso, pero no, a Sam le asustaba demasiado lo que pudiera suceder después, lo que pudiera esperar Alex y él no pudiera darle, porque ya no sentía la menor pasión por ella.

Alex le tendió los dientes de Drácula y Annabelle dio un grito de alegre terror al verlo.

—¡Oh, papi, te quiero! —exclamó, y se echó a reír. También sus padres sonrieron.

La tarde fue agradable. Se detuvieron a visitar a los vecinos y amigos del edificio, compartieron un vaso de vino con ellos y comieron caramelos con los niños. Cuando volvieron a casa Annabelle estaba medio dormida y sus padres de muy buen humor.

—Ha sido divertido —el Halloween siempre era fantástico desde que tenían a Annabelle. Antes no significaba nada para ellos. Al pensarlo Alex volvió a ponerse triste, consciente de que no podría tener más hijos.

También sabía que, a consecuencia de la quimioterapia, probablemente le llegaría la menopausia a los cuarenta y dos, cuando mucho. Era increíble cómo había cambiado todo en unas pocas semanas. Su marido se había alejado de ella de un modo que parecía irrevocable y que, sin embargo, él se negaba a admitir.

—¿Te vas a acostar ya? —Alex se sorprendió al ver que Sam se metía en la cama. Sólo eran las diez y ninguno de los dos parecía cansado al llegar a casa a las nueve y media.

—No hay otra cosa mejor que hacer —respondió Sam. En los viejos tiempos, eso hubiera significado que iban a hacer el amor, pero ahora Alex sabía que su marido sólo pretendía dormir o fingir que dormía antes de que ella saliera del cuarto de baño, como en efecto sucedió veinte minutos después.

Alex estuvo leyendo hasta tarde. Se sentía mejor. Volvería al trabajo el lunes siguiente. Tenía mucho trabajo pendiente y sólo disponía de dos semanas antes de empezar la quimioterapia y todo volviera a desorganizarse.

El lunes dejó a Annabelle en el colegio antes de dirigirse al trabajo y se sintió casi como en sus mejores momentos, a pesar de que Sam apenas le había hablado durante el desayuno y no había apartado la nariz del *Wall Street Journal* para darle un beso de despedida, pero ella ya empezaba a acostumbrarse. Al menos en el trabajo estaría ocupada y podría hablar con sus colegas.

—¿Sigue papá enfadado contigo? —preguntó Annabelle cuando caminaban en dirección al colegio.

—No lo sé —contestó Alex, mirando con interés a su hija—. No lo creo, ¿por qué?

—Parece diferente. No te habla mucho y no te da nunca besos, y parece enfadado cuando vuelve del trabajo.

—A lo mejor es que está cansado.

—Los mayores siempre dicen que están cansados cuando están enfadados, igual que papá. Será mejor que se lo preguntes.

—Muy bien, princesa, se lo preguntaré. Estabas guapísima el día de Halloween. La mejor princesa de la ciudad.

—Gracias, mami —Annabelle abrazó a su madre antes de echar a correr para unirse a los demás niños, y entrar en el colegio.

Alex alzó el brazo derecho para parar un taxi y dirigirse al bufete. Habían pasado dos semanas desde la operación y se sentía mucho mejor.

—Vaya, mira quién está aquí —Liz Hascomb recibió a Alex con una sonrisa radiante tan pronto como la vio, y rodeó su mesa para darle un fuerte abrazo.

Cuando Alex entró en su despacho encontró unas flores de Liz sobre la mesa y pulcros montones de expedientes que había completado Brock.

—¡Vaya! Parece que trabajaron de lo lindo sin mí.

—No crea —la tranquilizó Liz. Tenía una lista de mensajes de un brazo de largo. La mayoría para darle información sobre asuntos resueltos de los que se habían ocupado Matt o algún otro socio, y para los que Brock había realizado toda la labor de investigación. Otros clientes habían preferido esperar dos semanas, a que ella volviera. Alex se sentó en su mesa para leérselo todo, mientras Liz iba por una taza de café.

Alex alzó la vista cuando volvió a entrar Liz y sonrió. Se sentía estupendamente, de nuevo en su silla y entre amigos. Era como recuperar una parte importante de su identidad.

—¿Cómo se siente? —preguntó Liz, depositando la taza de café sobre la mesa.

—Bien. Muy bien en realidad. Estoy sorprendida. Sólo que me canso un poco.

—Tómelo con calma. Necesita un poco de tiempo —Liz volvió a su mesa y Alex se quedó sentada, mirando alrededor, saboreando la vuelta. Mientras se tomaba el café asomó la cabeza Brock Stevens.

—Bienvenida —dijo con una sonrisa.

—Gracias —replicó ella. Brock parecía más que nunca un chico grande. Llevaba gafas y un mechón de cabellos rubios le caía sobre los ojos, en los que había siempre una expresión traviesa—. Por lo que veo has hecho todo mi trabajo mientras estaba fuera. Quizá debería coger vacaciones permanentes.

—Ni hablar. He estado guardando todo el trabajo duro para ti. Por cierto, Jack Schultz ha llamado más de cien veces para darte las gracias.

—Me alegro de que ganáramos. Se lo merecía.

—También tú —Brock sabía que Alex había pasado por una operación, pero no conocía la índole de la misma. Algo que vio en los ojos de Liz al preguntarle le hacía sospechar que había sido grave—. ¿Qué vas a hacer hoy? —Alex le parecía más delgada y un poco cansada, pero muy atractiva.

—Ponerme al día con los expedientes, leer lo que has hecho e intentar imaginar qué me queda por hacer.

—Oh, unas cuantas cosas aquí y allá. Tenemos dos clientes nuevos a los que han demandado antiguos empleados. Han entrado cuatro nuevos casos y un importante pleito por calumnias de una estrella de cine. Matt conoce los detalles.

—Hombre afortunado. Quizá se lo deje todo a él —Alex parecía más relajada de lo habitual.

—¿Ya estás bien, Alex? —preguntó Brock con tono cordial—. Sé que has estado enferma. Espero que no haya sido nada grave.

Por un momento Alex pensó en contestar simplemente que estaba bien, pero decidió que iba a necesitar su ayuda en los meses siguientes y que no había razón para no contárselo.

—Ahora estoy bien. Y acabaré estándolo al final, espero. Pero tendré que pasar por algunos momentos malos —Alex vaciló, mirando fijamente su taza de café, buscando las palabras más adecuadas. La situación era nueva para ella; no estaba acostumbrada a ser humilde y a pedir ayuda. Alzó los ojos y se sorprendió al ver la bondad en la mirada de Brock. Parecía tan amable y atento que podía confiar en él plenamente—. Van a darme quimioterapia dentro de dos semanas —confesó con un suspiro, y le pareció notar que Brock contenía el aliento.

—Lo siento mucho —la mirada de Brock era penetrante y llena de preguntas silenciosas.

—También yo. Voy a seguir trabajando si puedo, pero no estoy muy segura de lo que va a pasar. Dicen que si todo va bien puedes seguir trabajando, aunque te cansas mucho. Tendré que esperar a ver cómo va todo.

—Haré cuanto pueda por ayudarte —dijo Brock, asintiendo comprensivamente.

—Lo sé, Brock —dijo Alex, notando que le temblaba la voz. Se había emocionado al comprender que tenía amigos, que sus compañeros de trabajo estaban dispuestos a ayudarla, aunque no la conocieran demasiado bien—. Te agradezco todo lo que has hecho. No hubiera podido arreglármelas sin ti. El juicio Schultz fue bastante duro, sobre todo con la operación pendiente sobre mi cabeza. Al menos eso ya ha quedado atrás.

Brock la miró, pero no preguntó dónde tenía el cáncer. El grueso traje de mezclilla blanco y negro que llevaba Alex no dejaba traslucir nada.

—Siento que tengas que pasar por todo esto, pero lo conseguirás —dijo Brock con tono confiado, como si intentara convencerla.

—Eso espero. Es todo un mundo nuevo para mí —dejó la taza de café y miró a Brock con aire reflexivo. Era agradable hablar con él—. Es todo tan extraño. Estaba acostumbrada a controlar mi vida. Me siento muy rara en la piel de alguien que tiene tan poco control sobre sí. No puedo hacer nada, salvo seguir la línea de puntos y esperar que me conduzca al lugar correcto. Y las posibilidades no son demasiado buenas. Creo que lo descubrieron a tiempo, al menos lo espero, pero ¿quién sabe...?

Brock extendió el brazo por encima de la mesa y le apretó la mano. El tacto sacó a Alex de su ensimismamiento. Sus ojos se encontraron.

—Tienes que desear superarlo. Ahora tú tienes que decidir que vas a conseguirlo cueste lo que cueste, por mal que la pases o te sientas, por mucho que duela o que te dé miedo. Es como una competición, como un juicio. ¡No dejes de pensar así ni por un segundo! —la vehemencia con que hablaba sorprendió a Alex, haciéndole pensar si tal vez él habría pasado por lo mismo, o quizá alguien de su familia—. No lo olvides nunca —Brock retiró la mano—. Si me necesitas, pega un grito —se irguió y miró a Alex con una sonrisa—. Me alegro de tenerte de vuelta. Volveré más tarde.

—Gracias, Brock. Por todo —Alex lo miró marcharse y volvió a su trabajo, pero las palabras de Brock y su calor la habían impresionado.

Matt Billings la invitó a comer y le habló de los casos nuevos del bufete, sobre todo el pleito de la estrella de cine, que le había encargado a otro socio, lo que de todas formas hubiera hecho la propia Alex. De vez en cuando le gustaba ocuparse de algún caso de difamación, pero aquél era demasiado delicado. La estrella afirmaba que una de las más prestigiosas revistas del país la había difamado. No iba a ser fácil demostrarlo, dados los limitados derechos de las celebridades en la prensa y la gran reputación de la revista, que se acogería sin duda a la Primera Enmienda de la Constitución sobre la libertad de expresión. Matt reconocía, además, que la demandante no era precisamente una perita en dulce.

—Afortunado Harvey —dijo Alex, refiriéndose al socio que se había hecho cargo del caso.

—Sí. Estaba convencido de que te alegrarías de no tener que llevarlo tú.

También le habló de un importante pleito industrial y de otros asuntos menores. La puso al corriente de todo y luego la miró y le preguntó cortésmente qué tal andaba de salud.

—Mejor, creo —respondió Alex, escogiendo sus palabras—. En realidad no me he sentido nunca enferma. Tenía lo que llaman una "zona gris", una masa que apareció hace un mes en una mamografía, justo antes del juicio por el caso Schultz. Llevé el juicio de todas maneras —él ya lo sabía—, y luego me ocupé del asunto. Sólo que éste no ha acabado del todo.

Matt enarcó una ceja y siguió escuchando atentamente. No le gustaba oír que Alex tenía problemas.

—¿Qué ocurre ahora? —preguntó con tono preocupado.

Alex respiró hondo. Sabía que tarde o temprano habría de pronunciar las fatídicas palabras y quizá había llegado el momento de hacerlo, con un viejo amigo y respetado colega.

—Me hicieron una mastectomía —le costó más decirlo de lo que pensaba, pero lo consiguió. Matt la miró consternado—. Y tienen que darme quimioterapia dentro de dos semanas. Quiero seguir trabajando, pero no tengo la menor idea de cómo me voy a encontrar. Me han dicho que estaré bien después de eso. Creen que han conseguido extirparlo todo, pero me darán la quimioterapia para asegurarse. Serán seis meses, pero quiero seguir trabajando.

Matt se había quedado de una pieza. Le costaba creer que una mujer tan joven y guapa, y con tan buen aspecto, tuviera cáncer.

—¿No preferirías tomarte esos seis meses de descanso? —inquirió amablemente, preguntándose al mismo tiempo cómo se las arreglarían sin ella.

—No —replicó ella francamente, temiendo que Matt la obligara. No quería quedarse en casa, compadeciéndose—. Prefiero trabajar. Me esforzaré cuanto pueda. Si me pongo demasiado enferma te lo diré. Tengo un sofá en el despacho. Si es absolutamente necesario cerraré la puerta con llave y me acostaré media hora. También puedo descansar a la hora de comer, pero no quiero quedarme en casa, Matt. Eso me mataría.

—¿Estás segura? —a Matt no le había gustado oír la última frase de Alex, pero lo impresionaba su resolución.

—Sí. Si cambio de opinión una vez que empiece, te avisaré, pero por ahora quiero quedarme. Sólo serán seis meses. Algunas mujeres la pasan fatal cuando están embarazadas, pero siguen trabajando. Nadie espera que se queden en casa. Yo tuve suerte y no me encontré mal durante el embarazo. Tampoco ahora quiero quedarme en casa.

—No es lo mismo, y tú lo sabes. ¿Qué dice el médico?

—Él cree que puedo hacerlo. Sólo tengo que limitar los juicios. Tengo un asistente muy bueno, y quizá los otros socios puedan ir a los juicios en mi lugar. Yo me ocuparé de todo lo demás, de la estrategia y de la investigación. Puedo ocuparme de todo el papeleo y de las mociones. Sólo necesito apoyo para los juicios, de modo que no recaiga toda la responsabilidad sobre mí en el momento final. No sería justo para el cliente.

—Ni tampoco me parece justo para ti —Matt estaba desolado por lo que acababa de saber, pero veía que Alex estaba resuelta a seguir adelante—. ¿Estás segura? —repitió.

—Totalmente.

Matt sintió crecer el respeto que sentía por Alex. Cuando abandonaron el restaurante, le rodeó los hombros con el brazo.

Todo el mundo era tan amable con ella que Alex sentía ganas de llorar. Todos menos Sam. Qué extrañas vueltas daba la vida.

—¿Qué puedo hacer para facilitarte las cosas? —preguntó Matt mientras caminaban de vuelta al bufete. Hacía un frío que helaba los huesos.

—Ya estás haciendo todo lo que puedes. Te iré informando sobre la marcha. Matt... —Alex lo miró con expresión suplicante—, por favor, procura no contárselo a nadie si no es imprescindible. No quiero convertirme en objeto de curiosidad ni de compasión. Si alguien necesita saberlo porque se le pide que comparta mi trabajo, o que colabore en un caso conmigo, bien, pero no lo convirtamos en tema de conversación.

—Comprendo.

Al cabo de una semana parecía que todo el mundo en el bufete lo sabía. La noticia se extendió como un reguero de pólvora entre secretarias, socios, asociados, pasantes e incluso uno de los clientes de Alex. Sin embargo, aunque Alex se sentía algo incómoda, le sorprendió que todos se mostraran comprensivos y dispuestos a ayudarla. Le enviaban notas, se detenían para saludarla y le ofrecían hacer cosas por ella. Al principio lo encontraba irritante en extremo, pero acabó comprendiendo que todos se preocupaban por ella. Su respeto profesional se había traducido inmediatamente en un afecto personal.

A la semana siguiente, su despacho estaba lleno de flores, notas y dulces caseros.

—Oh, Dios mío —gimió Alex al ver que Liz entraba con un pastel de chocolate mientras trabajaba en un expediente con Brock—. Cuando termine todo esto voy a pesar noventa kilos —no había dejado de escribir notas de agradecimiento desde que había vuelto a la oficina y secretamente entregaba parte de los dulces a Brock y a Liz, porque ya no podía llevar más a casa.

—¿Te apetece comer algo? —preguntó a Brock con una sonrisa cuando hicieron una pausa para tomarse un café—. Parece que llevo un restaurante.

—Es bueno para ti. Te recuerda que todo el mundo te quiere. —Brock había oído la noticia una y otra vez: Alex Parker... mastectomía... quimioterapia... podía morirse... Sabía más de lo que Alex le había contado. A Matt Billings le había causado tanta impresión que se lo había explicado todo a su secretaria y a otros cuatro socios inmediatamente después de comer con Alex. Y ellos a su vez se lo habían contado a los demás.

—Te parecerá una locura que diga esto ahora, pero soy muy afortunada.

—Sí, lo crees. Y vas a seguir siéndolo —replicó Brock con firmeza. La determinación con que hablaba siempre hacía que Alex se preguntara si sería un hombre religioso.

En casa todo seguía igual. Sam se había ido varios días a Hong Kong para reunirse con un contacto de Simon, y había cerrado un acuerdo por el que había salido en la primera página del *Wall Street Journal*. Parecía que la llegada de Simon había servido para aumentar aún más la aureola de Sam. Pero no le había dicho nada del acuerdo a su mujer, que se enteró por los periódicos. La noche en que Sam volvió de su viaje, Alex se lo comentó, dolida.

—¿Por qué no me habías dicho nada? —preguntó.

—Lo olvidé. Tú también has estado muy ocupada. Apenas nos hemos visto durante esta semana —sin embargo, Alex sabía que un negocio como aquél no podía haberse hecho en unos pocos días. sino que era cosa de un mes o más. Sencillamente, Sam había roto todas las vías de comunicación entre ellos.

Durante varios días después del viaje a Hong Kong, Sam se acostó inmediatamente después de cenar, insistiendo en que aún padecía el cambio de horario.

—¿De qué tienes miedo, Sam? —inquirió Alex finalmente, una de esas noches—. No voy a saltar sobre ti. Podrías quedarte levantado para ver algo más que *Plaza Sésamo* y las noticias, por no hablar de mantener una conversación de adultos.

—Ya te lo he dicho. Ha sido una semana muy dura. Y aún me duran los efectos del cambio de horario.

—Cuéntaselo al juez —replicó Alex sarcásticamente.

—¿Qué significa eso? —saltó él de inmediato.

—Nada, por el amor de Dios. Era una broma. Soy abogada, ¿recuerdas? ¿Qué demonios te ocurre?

—A mí no me ha parecido divertido —Sam había conseguido parecer insultado—. No ha tenido gracia.

—¿Y qué es lo que encuentras divertido? Desde luego no seré yo. No me has dicho más de cinco palabras seguidas desde que salí del hospital, o quizá desde que te hablé de la mamografía. ¿Cómo vas a comportarte cuando empiece con la quimioterapia?

—¿Cómo quieres que lo sepa?

—Bueno, veamos —dijo Alex—, si te molesté cuando te hablé de la mamografía y de la biopsia, te encabronaste de lo lindo cuando me operaron y apenas has hablado conmigo desde que volví a casa, ¿qué harás con la quimioterapia? ¿Me dejarás quizá? ¿O fingirás que no existo? ¿Qué tengo que esperar exactamente y cuándo va a acabar todo esto? ¿Cuando yo me rinda y admita que nuestro matrimonio se ha ido al diablo? Dame alguna pista.

—Muy bien, muy bien —Sam volvió lentamente hacia donde estaba Alex limpiando la mesa de la cocina. Annabelle se había acostado unas horas antes—. He sido muy duro durante seis semanas. Eso no significa que todo haya terminado. Aún te quiero —la miró con aire cohibido, torpe y desdichado. Lo que Alex le decía era cierto, pero no sabía cómo arreglarlo. El deseo de poseer a Daphne era demasiado fuerte, y si se acercaba a Alex de nuevo sería como renunciar a esa oportunidad. Por otro lado, tampoco podía traicionar a su mujer, así que se debatía en un lugar intermedio, presa del pánico, sin acercarse a ninguna de las dos, pero destruyendo su relación con Alex.

—Sólo necesito un poco de tiempo, Alex. Lo siento —sufría por su mujer, pero era incapaz de hacer un esfuerzo y dejar de soñar con Daphne.

—Creo que éste no es el mejor momento para cambiar de vida, Sam. Voy a necesitar tu ayuda con la quimioterapia y, para ser franca contigo, no me has ayudado absolutamente nada hasta ahora. No me das muchas esperanzas para el futuro —extrañamente se iba tranquilizando, olvidando su ira.

—Haré todo lo posible, pero a mí no se me da muy bien cuidar enfermos.

—Ya me he dado cuenta —sonrió—. Bueno, sólo quería comentártelo. Estoy asustada —dijo, con un tono más amable—. No sé cómo será.

—Estoy seguro de que no es tan malo como lo pintan. Es como

todos esos cuentos chinos que te contaron sobre el parto. La mayor parte no son más que tonterías.

—Eso espero —dijo Alex, porque había oído algunas de esas historias sobre la quimioterapia en las reuniones del grupo de apoyo, a las que había asistido por complacer a Liz, pero que habían resultado muy útiles—. De todas formas me alegro de que te vayan tan bien los negocios. Realmente parece que Simon es una joya. Supongo que estábamos equivocados con él.

—Desde luego. Te asombrarías si conocieras a la gente con la que me puso en contacto en Hong Kong. Son chinos ricos, de la industria naviera. A su lado los árabes son unos pobretones.

—¿Cuánto van a invertir contigo? —preguntó Alex, mientras ponía los platos en el lavavajillas.

Sam sonrió, orgulloso de sí mismo.

—Sesenta millones de dólares.

—Eso sí que es fabuloso —comentó con tono encomiástico, aunque seguía resentida por haber tenido que preguntarle para enterarse.

—Impresionante, ¿eh? —dijo Sam, recuperando la expresión del hombre del que se había enamorado Alex.

—Mucho. Estoy orgullosa de ti —dirigida a quien le había hecho tanto daño, era una sorprendente declaración, pero Alex se sentía obligada a reconocer sus méritos—. Supongo que te sentirás estupendamente.

En efecto, todo había sido fantástico, pues Daphne lo había acompañado. Sin embargo, también en Hong Kong se habían abstenido de mantener relaciones sexuales. Sam no deseaba traicionar a Alex, pero tampoco acostarse con ella.

Volvió al dormitorio y estuvo viendo la televisión durante un rato, pero, como de costumbre, cuando Alex entró media hora más tarde, él ya estaba dormido.

"Quizá padece de narcolepsia", se dijo Alex mientras cogía su portafolio, con el que se fue al estudio. Habría de ser paciente. Una mujer del grupo de apoyo había tenido problemas similares con su marido, e incluso se habían separado durante un año, pero luego habían vuelto a estar juntos. Hacía ya seis años que había superado la enfermedad. Estas historias servían para animar a Alex, aunque no la ayudaron de momento en su relación con Sam, con quien tuvo una gran pelea al día siguiente después de acostar a Annabelle.

161

Después de cenar Alex había explicado a su hija que iría al médico y que le darían una medicina con la que se pondría bastante mal. Quizá se le cayera el pelo. Para tranquilizar a Annabelle le dijo que sería un poco como ponerse una vacuna, que se pondría mal al principio, pero luego serviría para no volver a enfermar. Quería que ella lo supiera, porque a veces se encontraría muy mal y muy cansada. Cuando terminó, Annabelle estaba muy preocupada.

—¿Me llevarás a ballet?

—Algunas veces. Si puedo. Si estoy muy cansada te acompañará Carmen.

—Pero yo quiero que me lleves tú —se quejó Annabelle.

—También yo, pero dependerá de cómo me encuentre. Aún no lo sé.

—¿Llevarás peluca si se te cae el pelo? —preguntó la niña con curiosidad, haciendo sonreír a su madre.

—Quizá. Ya veremos.

—Esto será horrible. ¿Te volverá a crecer?

—Sí.

—Pero ya no será largo, ¿verdad?

—No. Será corto como el tuyo. Podríamos ser gemelas.

De repente Annabelle la miró aterrorizada.

—¿También se me caerá a mí?

Alex la rodeó rápidamente con los brazos para tranquilizarla.

—Pues claro que no.

Cuando la niña estaba ya dormida, Sam habló con Alex completamente fuera de sus casillas.

—Ha sido lo más repugnante que he oído en mi vida. Le has dado un susto de muerte.

—No es cierto. Estaba perfectamente cuando se fue a la cama. Incluso le he dado un libro sobre el tema. Se titula *Mamá se va a poner bien*.

—Eso es repugnante. ¿No viste su expresión cuando le hablaste del pelo?

—Maldita sea, tiene que estar preparada. Si voy a estar mal y no podré hacer cosas para ella, tiene que saberlo.

—¿Por qué no puedes sufrir en silencio? Siempre lo estás convirtiendo en su problema y en el mío. Rayos, ten un poco de dignidad.

—¡Hijo de puta! —Alex cogió a su marido por la camisa y se la desgarró. Los dos se quedaron atónitos. Jamás había hecho una cosa igual. Alex no hacía más que perder cosas desde seis semanas atrás y a él sólo se le ocurría criticarla—. ¡Maldita sea! Sólo intento luchar contra lo que me está sucediendo sin molestarte a ti ni hacerle daño a ella, sin suponer una carga para mis socios en el bufete, y tú me tratas como si fuera un perro. Pues que te den por el culo, Sam Parker. Que te den por el culo —toda la rabia y la angustia contenidas durante seis semanas explotaron como un volcán, pero Sam sufría demasiado por sí mismo para escucharla.

—Deja de felicitarte por lo noble y sufrida que eres. No haces más que quejarte por el pinche pecho, que ni siquiera era nada del otro mundo, así que ¿a quién le importa? Y luego te pasas la vida "preparándonos" para la quimioterapia. Acaba ya de una vez. No nos machaques constantemente. ¿Por qué la niña ha de sufrirlo contigo?

—Porque soy su madre y me quiere, y cuando me ponga enferma su vida se verá afectada.

—Tú sí que me pones enfermo. No puedo vivir con tus boletines diarios sobre el cáncer. ¿Por qué no sales a la calle y lo vas proclamando por ahí?

—¡No seas cabrón! Ni siquiera te interesaste por el resultado de los análisis patológicos cuando te lo comenté.

—¿Y qué importa eso? Ya te han cortado el pecho.

—Importa si me voy a morir o no, si es que a ti no te da igual. Tal vez sea como lo del pecho y si también desaparezco yo no te darás cuenta. No me extrañaría. No hablas conmigo para nada, y de tocarme ni pensarlo.

—¿Y de qué quieres que hablemos, Alex? ¿De quimioterapia? ¿De ganglios afectados? ¿De patología? No lo soporto más.

—Entonces, ¿por qué no te vas de una vez y me dejas sola? Para lo que me sirves...

—No voy a abandonar a mi hija. No iré a ninguna parte —replicó Sam, y salió del apartamento hecho una furia. Al llegar a la calle se detuvo un instante, luchando contra el deseo de coger un taxi que lo llevara a la calle Cincuenta y tres. Pero no quería dejarse llevar por sus impulsos. Se metió en una cabina y telefoneó a Daphne. Le dijo entre sollozos que odiaba a su mujer y se odiaba a sí mismo, que Alex iba a empezar la quimioterapia al día siguiente

163

y que él ya no podía soportarlo más. Daphne se mostró absolutamente comprensiva. Le preguntó si quería ir un rato a su casa, pero él contestó que no debía hacerlo. Se sabía demasiado vulnerable y no podía permitir que Daphne fuera la excusa para acabar con su matrimonio. Tenía que resolver la situación, aunque no supiera cómo. Alex lo estaba destruyendo, y sin saberlo lo mantenía alejado de Daphne.

Sam fue caminando hasta el East River y volvió también a pie. En el ínterin, Alex permaneció acostada en la cama mirando al techo. Estaba demasiado enfadada para llorar y demasiado dolida para perdonar a su marido. En unas pocas semanas Sam había destruido todo lo que habían significado el uno para el otro, todo el respeto que habían construido en sus diecisiete años de vida en común, olvidando por completo los votos del matrimonio: "En lo bueno y en lo malo, en la salud y en la enfermedad".

Sam volvió al cabo de dos horas, pero no entró a verla. Ella permaneció despierta durante toda la noche y él durmió en el sofá del estudio.

12

El consultorio de la oncóloga con quien la había enviado el doctor Herman estaba situado en la calle Cincuenta y siete. Herman le había comentado que la primera vez tendría que pasar allí una hora y media como mínimo, y de cuarenta y cinco minutos a hora y media en los días siguientes. Serían dos visitas al mes, al menos, claro está, que surgiera alguna complicación, en cuyo caso tendría que acudir más a menudo. La primera cita era a las doce del día.

Tanto Brock como Liz sabían que empezaba con la quimioterapia ese día. También Sam, que se había marchado a la oficina sin molestarse siquiera en desayunar. Tampoco la llamó para disculparse ni para desearle suerte. Alex comprendió que tendría que afrontarlo completamente sola.

El edificio del consultorio era moderno, cerca de la Tercera Avenida. La sala de espera tenía una agradable decoración de un suave tono amarillo, estaba bien iluminada y era aireada y espaciosa. Allí todo parecía alegre. Alex pensó que hubiera sido mucho más apropiado introducirla en un oscuro sepulcro. Se sintió aliviada al ver que Jean Webber, la oncóloga, era de su misma edad. Era una mujer tranquila y eficiente. A Alex le agradó descubrir, en el diploma que colgaba de una pared, que había estudiado Medicina en Harvard.

Primero charlaron un rato sobre los análisis patológicos y lo que significaban. Para Alex fue un alivio que volvieran a tratarla como a un ser humano inteligente. La oncóloga le explicó que las drogas citotóxicas que iban a usar no eran "venenosas", contrariamente a lo que se suponía, sino que tenían como objetivo destruir las células dañadas sin perjudicar las sanas. Según los análisis, la doctora Webber consideraba que tenía buenas perspectivas, pero que la quimioterapia era absolutamente necesaria para una cura completa. También le habían hecho análisis para examinar el DNA de las células y comprobar si tenía un número normal de cromosomas. El resultado era bueno, puesto que las células eran diploides, es decir, tenían las dos copias normales de cada cromosoma. Así, pues, podía considerarse afortunada dentro de la gravedad de la situación; pero el hecho de saber que tenía cáncer y que le esperaban seis semanas de quimioterapia deprimían irremediablemente a Alex.

La doctora Webber comprendió sus sentimientos. Era una mujer menuda de cabellos oscuros encanecidos, que llevaba peinados hacia atrás. No se maquillaba. Su rostro era amable y tenía unas manos pequeñas y de aspecto pulcro que usaba a menudo para dar mayor énfasis a sus palabras.

La doctora intentó explicar a Alex que si bien los efectos secundarios de la quimioterapia podían ser muy desagradables, no eran tan horribles como la gente creía, y que podían sobrellevarse con un tratamiento adecuado. Por lo demás, le aseguró que no causaban daños permanentes. Le dijo también que esperaba de ella que le informara puntualmente de todos los síntomas: pérdida de cabellos, náuseas, dolores musculares, fatiga y aumento de peso, y que asimismo podía experimentar dolores de garganta, resfriados y problemas de deposición. Dejaría de tener la menstruación de inmediato, pero no podía descartarse que volviera a aparecer después de la quimioterapia. Tenía un cincuenta por ciento de posibilidades de no quedar estéril, lo que le permitía abrigar la esperanza de tener más hijos. "Si aún tengo marido", se dijo Alex mientras escuchaba a la doctora. Ésta añadió que no se conocían defectos en los recién nacidos a causa de la quimioterapia.

Se corría el riesgo de que descendieran en exceso los glóbulos blancos, pero era una posibilidad remota. En algunos casos se producían irritaciones de vejiga. Lo único que sorprendió a Alex fue el aumento de peso; imaginaba que las náuseas y vómitos causarían más bien una pérdida de peso. La doctora le sugirió que se comprara una peluca o varias de inmediato.

La doctora Webber intentó informarla y tranquilizarla al mismo tiempo, y Alex imaginó que estaba con un nuevo cliente y que debía escucharlo antes de emitir un juicio. Durante un rato pareció un buen sistema, pero luego lo que oía acabó por turbar su presencia de ánimo.

Supo también que le harían un examen físico, además de un análisis de sangre, radiografías y pruebas de escáner, cada vez que acudiera a la consulta, donde disponían de los equipos más avanzados. La doctora le explicó que tomaría una droga oral, Citoxán, durante los catorce primeros días de cada mes, y que luego le pondrían intravenosas de metotrexato y fluorouracil el primer y octavo días del mes. Quería que Alex descansara más de lo habitual el día antes de que le dieran las drogas, para reducir al mínimo los problemas y que no descendieran los glóbulos blancos.

—Al principio le parecerá todo muy confuso, pero se acostumbrará —añadió la doctora con una sonrisa. Alex se sorprendió entonces al darse cuenta de que llevaban una hora hablando.

Alex se desvistió cuidadosamente y dejó sus ropas dobladas sobre una silla, como si cada momento, cada gesto tuvieran extraordinaria importancia, y no dejaba de estremecerse. Las manos le temblaban como hojas mientras la doctora le examinaba la cicatriz y asentía aprobatoriamente.

—¿Ha escogido ya un cirujano plástico? —preguntó. Alex negó con la cabeza. Aún no había considerado esa opción. En realidad ni siquiera sabía si le importaba. Pensando en ello se le saltaron las lágrimas. Mientras, la doctora la pinchó en un dedo para el análisis de sangre. De repente a Alex se le hizo un nudo en la garganta y ya no pudo contener los sollozos. Al final acabó disculpándose.

—No se preocupe —le dijo la doctora tranquilamente—, llore cuanto quiera. Sé que todo esto es aterrador. La primera vez siempre es la peor. No se preocupe, tenemos muchísimo cuidado con estas drogas.

Alex sabía que precisamente por ese motivo era muy importante escoger a un buen oncólogo. Había oído hablar de personas a las que había matado una quimioterapia mal administrada. Pensó entonces en sí misma. ¿Y si reaccionaba mal? ¿Y si se moría? No volvería a ver a Annabelle, ni a Sam... a pesar de la horrible pelea que habían tenido la noche anterior.

La doctora Webber empezó con una solución de dextrosa y agua, a la que intentó añadir la droga, pero la aguja se salía de la vena constantemente, causando cierto dolor a Alex. La doctora retiró la aguja enseguida, examinó el otro brazo de Alex y luego sus manos, que no habían dejado de temblar.

—Por lo general prefiero empezar con dextrosa y agua, pero hoy no tiene las venas demasiado bien. Se la inyectaré "de golpe" y lo intentaremos de esta manera la próxima vez. Le escocerá un poco, pero será más rápido y creo que se alegrará de acabar antes.

Alex estaba de acuerdo, pero la idea de que se la inyectaran "de golpe" la asustó un poco.

La doctora cogió una mano de Alex y examinó atentamente la vena más prominente del dorso. Luego inyectó la droga en ella. Alex tuvo que esforzarse por no perder el conocimiento ante las sensaciones que experimentaba. Tan pronto como acabó, la doctora pidió a Alex que apretara con fuerza sobre la vena durante cinco minutos, tiempo que ella empleó en hacer una receta para el Citoxán. Después fue a buscar una pastilla y un vaso de agua y se los entregó a Alex para que se los tomara.

—Bien —dijo luego, satisfecha—, acaba de recibir su primera dosis de quimioterapia. Quiero que vuelva dentro de una semana exactamente y que me cuente todos los problemas que haya podido tener. No sea tímida, no crea que es una molestia para mí. Si le parece que le ocurre algo raro o se siente mal, llámeme. Haremos cuanto podamos por ayudarla —tendió a Alex la lista de los efectos secundarios normales y de los que no lo eran—. Estoy disponible las veinticuatro horas del día y no me importa que mis pacientes me llamen —sonrió cordialmente y se levantó. Era mucho más baja que Alex y parecía una mujer muy activa.

Alex se consideró afortunada por tenerla como médico. La situación era semejante a la de los clientes que tenía ella en el bufete, personas que tenían terribles dificultades legales y habían de enfrentarse con pleitos aterradores. Ella se ocupaba de sus problemas con la mejor de las voluntades, pero no padecía su angustia. De repente Alex envidió a la doctora.

Eran las dos cuando cogió un taxi para volver a su despacho. Le dolía la mano, en la que la doctora le había puesto una tirita. No se sentía mal, no se había muerto. Pensó en comprarse una peluca cuando bajaban por Lexington Avenue. Le pareció deprimente pensar en ello, pero seguramente la oncóloga tenía razón, sería mejor tener la peluca a mano para cuando la necesitara que dedicarse luego a recorrer las tiendas con la cabeza oculta bajo una pañoleta.

Pagó al taxista y subió a su despacho. Liz no se hallaba en su escritorio. Alex se hizo cargo de los mensajes que había sobre su mesa y por fin empezó a relajarse un poco. Quizá no fuera tan malo después de todo, se dijo, justo cuando entraba Brock en mangas de camisa y con un fajo de documentos. Eran las cuatro.

—¿Qué tal te fue? —le preguntó Brock con expresión preocupada. Tenía un modo de inquirir por su salud, nada formal ni empalagoso, que conmovía a Alex, como si fuera su hermano pequeño.

—Hasta ahora bien. Aunque ha sido espantoso —no tenía con él la intimidad suficiente para decirle que había llorado y creído morir.

—Eres una buena chica —dijo él—, ¿quieres una taza de café?

—Me encantaría.

Volvió al cabo de cinco minutos y estuvieron trabajando juntos una hora. Alex se marchó a las cinco en punto. Había sido un buen día en general, pero fatigoso.

—Gracias por tu ayuda —le dijo a Brock antes de marcharse. Habían iniciado juntos el caso de un pequeño empresario al que habían demandado por discriminación. Se trataba de una mujer enferma de cáncer que afirmaba no haber sido tenida en cuenta para una ascenso a causa de su enfermedad. El empresario había hecho todo lo posible por ayudarla, incluso había dispuesto una habitación aparte para ella en el trabajo, de modo que pudiera descansar siempre que lo necesitara, le había dado tres días libres a la semana mientras recibía la quimioterapia y le había guardado su puesto de trabajo. En realidad la mujer parecía curada del cáncer y ya no quería trabajar, pero tenía un montón de deudas después de los tratamientos. Como había descubierto Alex por experiencia propia, las compañías de seguros sólo se hacían cargo de una mínima parte de los gastos por tratamientos contra el cáncer, y quien no disponía de recursos abundantes podía hallarse en serias dificultades. Aun así la mujer no tenía derecho a sacarle ese dinero al empresario, que se había ofrecido incluso a ayudarle económicamente, hecho que ella negaba y del que él no tenía pruebas. Como de costumbre, Alex sentía lástima por su defendido. Odiaba la injusticia de las personas que pretendían embolsarse el dinero de otros sólo porque éstos disponían de él. Se hallaba, además, en inmejorables condiciones para llevar el caso, puesto que tenía información de primera mano sobre el cáncer.

—Hasta mañana, Brock —se despidió.

—Cuídate. Abrígate y cena bien.

—Sí, mamá —bromeó ella. Eran las mismas cosas que le había recomendado Liz. Lo que no esperaba era ganar peso. Sabía que Sam detestaba a las mujeres corpulentas—. Gracias de nuevo —finalmente se fue a casa pensando en lo agradables que eran todos con ella y en que no tendría que volver a ver a la doctora Webber hasta la semana siguiente. Liz le había comprado las pastillas, que Alex llevaba ya en el bolso. Era como tomar la píldora anticonceptiva otra vez. No podía olvidarse ni un solo día.

Annabelle se estaba bañando cuando su madre llegó al apartamento, y cantaba acompañada de Carmen. Era una canción de *Plaza Sésamo*. Alex se unió a ellas al entrar en el cuarto de baño tras dejar su portafolio.

—¿Qué tal te fue en el día? —preguntó Alex a su hija cuando se inclinó para besarla.

—Muy bien. ¿Te has hecho daño en la mano?

—No... oh, esto. Ha sido en la oficina.

—¿Te duele?

—No.

—A mí me pusieron una tirita de Snoopy en el colegio —dijo Annabelle orgullosamente.

Carmen le comunicó a Alex que Sam había llamado para decir que no iría a cenar. Alex no había sabido nada de él en todo el día y suponía que seguiría furioso por lo de la noche anterior. Pensó en llamarle al trabajo, pero después de la terrible escena que habían vivido le pareció mejor esperar a que llegara a casa. Sam había empezado a salir de noche con sus clientes más de lo que solía. Quizá no fuera más que otra manera de mantenerse alejado de ella.

Cenó con Annabelle y luego decidió esperar a Sam despierta, pero estaba tan agotada que a las nueve se durmió, con la luz encendida.

Mientras ella dormía, Sam cenaba con Daphne en un pequeño restaurante del East Sixties.

Él le contaba sus penas y Daphne escuchaba comprensivamente sin exigirle nada, sin presionarlo ni reprocharle por lo que no le daba.

—No sé lo que me pasa —decía Sam, cuyo bistec empezaba a estar demasiado frío. Daphne lo escuchaba y le sujetaba una mano—. Me da mucha lástima, sé que me necesita, pero ya no siento nada más que ira hacia ella y rabia por lo que le ha ocurrido a nuestra vida. Tengo la impresión de que todo ha sido culpa suya, aunque sé que no es cierto, pero tampoco es culpa mía. Sólo ha sido mala suerte. Ahora empieza con la quimioterapia y yo no puedo soportarlo. Ya no puedo ni mirarla, ni quiero ver lo que pueda ocurrirle. Es horrible de ver y a mí no se me dan bien estas cosas. Dios mío —estaba al borde de las lágrimas—, me siento como si fuera un monstruo.

—Pero no lo eres —le dijo Daphne amablemente, sosteniendo aún su mano—, sólo eres humano. Estas cosas resultan terriblemente desconcertantes. No eres enfermera, por amor de Dios. No esperará que te ocupes de ella... o que tengas estómago para... —vaciló, buscando las palabras adecuadas— mirarlo. Debe ser horroroso.

—Lo es —admitió él—. Ha sido una carnicería. Como si hubiera cogido un cuchillo y le hubieran cortado el pecho. Me hizo llorar la primera vez que lo vi.

—Qué terrible para ti, Sam —dijo Daphne con gran simpatía—. ¿No crees que lo entendió? Es una mujer inteligente. No esperará que no te afecte.

—Espera que esté con ella, que vaya a la quimioterapia con ella y que hable de todo eso con nuestra hija. Y yo no puedo soportarlo. Quiero recuperar mi antigua vida.

—Tienes todo el derecho del mundo —afirmó Daphne. Era la mujer más comprensiva que Sam había conocido en toda su vida. Sólo quería estar con él, a pesar de las limitaciones que había impuesto a su relación. Finalmente Sam había accedido a cenar con ella de vez en cuando, siempre que quedara bien claro que no se acostarían juntos. Seguía sin querer traicionar a Alex, aunque todos los de su oficina creían ya que estaba teniendo relaciones con Daphne. Ésta, por su parte, le había dejado bien claro que estaba tan enamorada de él como para aceptar cualesquiera condiciones, siempre que no dejaran de verse.

—Te quiero tanto —dijo Daphne en voz baja.

—También yo te quiero —admitió él, consumido por emociones contradictorias—. Eso es lo más extraño de todo esto. Te quiero a ti y también la quiero a ella. Te deseo, pero tengo obligaciones con ella; es lo que queda entre ella y yo.

—Ésa no es vida para ti, Sam —comentó Daphne tristemente.

—Lo sé. Quizá con el tiempo todo se arregle por sí solo. Tampoco ella ha de ser muy feliz. Al final acabará por odiarme. Creo que ya me odia, en realidad.

—Entonces es una idiota. Eres el hombre más bueno del mundo —afirmó Daphne con toda convicción, pero Sam sabía que no era cierto, igual que Alex.

—Yo soy el idiota —dijo, sonriendo—. Debería agarrarte y salir corriendo antes de que recuperes tu buen juicio y te busques a alguien más joven con una vida menos compleja —no había sentido tantos remordimientos desde la adolescencia, ni siquiera por Alex.

—¿Y adónde me llevarías? —preguntó ella con aire inocente, mientras empezaban por fin a comer.

—Tal vez a Brasil... o a una isla cerca de Tahití... a algún lugar cálido y sensual donde te tuviera para mí solo, con flores y aromas tropicales —mientras hacía esta descripción, notó que la mano de Daphne lo buscaba con dedos diestros bajo la mesa—. Eres una chica muy mala, Daphne Belrose.

—Quizá deberías comprobarlo uno de estos días. Empiezo a sentirme como una virgen —se burló ella, consiguiendo que Sam se ruborizara.

—Lo siento.

—No lo sientas —dijo ella, hablando ya con seriedad—. Así valdrá más la pena cuando por fin te decidas —estaba segura de que Sam acabaría cediendo, sólo era cuestión de tiempo. Daphne opinaba que un hombre como él merecía la espera. El jefe de meseros se había sentido honrado al verlos aparecer en su restaurante. No en vano Sam Parker era uno de los peces gordos de Wall Street.

—¿Por qué eres tan paciente conmigo? —preguntó Sam. Con el postre había pedido la única botella de Château d'Yquem del restaurante, que valía doscientos cincuenta dólares.

—Ya te lo he dicho —Daphne empleó un tono de conspiradora—, porque te quiero.

—Estás loca —dijo Sam, inclinándose para besarla. Luego brindaron con el Château d'Yquem—. Por la prima de Simon —propuso Sam, pero pensaba: "Por el amor de mi vida". Se preguntó cómo era posible que Alex tuviera cáncer y que él se enamorara de otra mujer. No se le ocurrió pensar que ambos acontecimientos estuvieran relacionados.

—Un día de éstos voy a estarle muy agradecido a Simon —comentó, y ella se echó a reír.

—O estarás furioso con él. Es lo malo de tantos preámbulos. Estás alimentando mucha expectación y al final podría decepcionarte.

—No lo creo —replicó él confiadamente, deseando poseerla allí mismo.

Después de la cena la acompañó a casa, pero se negó a subir, como siempre. Se demoraron largo rato en la entrada, besándose y acariciándose.

—Podríamos hacer esto arriba, ¿sabes? —dijo Daphne, incitándolo con sus labios y sus manos—. Creo que sería un gran alivio para los vecinos.

—Sería un gran alivio para mí, te lo juro. No sé cuánto tiempo voy a poder aguantarme —dijo él, y la besó de nuevo con desesperación.

—Espero que no mucho, querido Sam —le susurró en el oído, mientras lo cogía por las nalgas y lo oprimía contra sí. Sam se estremeció de deseo al percibir que Daphne no llevaba ropa interior, a pesar del viento frío de noviembre.

—Me estás matando —comentó, con la voz enronquecida a causa de la deliciosa agonía que experimentaba—. Y tú vas a coger una pulmonía.

—Entonces será mejor que me calientes, Sam.

—Dios mío, cómo lo deseo —cerró los ojos y la apretó con más fuerza.

Por fin consiguió desprenderse de ella, no sin un gran esfuerzo, y recorrió caminando las veinticinco calles que lo separaban de su casa para despejar la cabeza. Cuando llegó a su apartamento era casi medianoche y Alex estaba profundamente dormida con la luz encendida. Sam se quedó mirándola durante un buen rato, pidiéndole perdón en silencio, pero suspirando por Daphne. Apagó la luz y se acostó. A las seis de la mañana lo despertó un extraño sonido, chirriante y mecánico, que no cesaba y que le impidió volver a dormirse por más que intentó no hacerle caso. Al principio creyó que era una máquina, luego pensó que podría ser la alarma, y después tuvo la fantástica idea de que el ascensor se había averiado. Comprendió entonces que el sonido lo producía Alex, que vomitaba violentamente en el cuarto de baño.

Sam aguardó unos instantes, vacilante. No sabía si acudir o no. Por fin se levantó y se acercó a la puerta del cuarto de baño.

—¿Estás bien?

Alex tardó mucho en contestar.

—Genial, gracias —dijo. No había perdido el sentido del humor, pero no dejaba de vomitar.

—¿Te habrá sentado mal alguna cosa? —preguntó Sam, negándose todavía a aceptar la realidad.

—Creo que es por la quimioterapia.

—Llama al médico.

Alex asintió y siguió vomitando. Sam decidió ir a ducharse al cuarto de baño de la habitación de invitados. Volvió media hora después y encontró a Alex tumbada en el suelo del cuarto de baño con un paño húmedo sobre la frente y los ojos cerrados.

—¿No estarás embarazada?

Alex negó con la cabeza sin abrir los ojos. No tenía fuerzas ni para insultarlo. Había tenido el periodo antes de operarse. Había pasado uno de los "días azules" desde entonces y él ni siquiera quería hablar con ella. ¿Cómo podía pensar que estuviera embarazada? ¿Cómo podía ser tan estúpido?

Poco después Alex conseguía atravesar el dormitorio a cuatro patas para llamar por teléfono a la doctora Webber. El servicio permanente de llamadas la puso en contacto con ella. La doctora le dijo que se trataba de una reacción habitual a la primera dosis del tratamiento, aunque lamentaba enterarse de que le había ocurrido a ella. Sugirió que comiera con moderación, comer algo le asentaría el estómago y debía tomar la pastilla, por mucho que vomitara. También le ofreció recetarle algún medicamento para las náuseas, pero Alex tenía miedo de meterse más productos químicos en el cuerpo.

—Gracias —dijo Alex con voz áspera, y fue a vomitar nuevamente, aunque esta vez sólo duró unos minutos. Ya no le quedaba por echar más que la bilis y tenía el cuerpo molido. Le costó una eternidad vestirse, y cuando entró en la cocina tenía un tono verdoso en la cara. Sam se había ocupado de vestir a Annabelle, manteniéndose alejado de su mujer.

—¿Estás enferma, mami? —preguntó Annabelle, muy preocupada.

—Un poco. ¿Recuerdas la medicina de que te hablé? Bueno, me la tomé ayer y me cayó mal.

—Debé ser una medicina muy mala —comentó Annabelle.

—Pero me pondrá bien —replicó Alex con firmeza, e intentó comer un trozo de tostada a pesar de la repugnancia que le causaba. Se dio cuenta entonces de que Sam la miraba con gran fastidio por encima del periódico. Ya había sido bastante malo despertarlo con sus vómitos, pero aún era peor que le diera explicaciones a Annabelle—. Lo siento —le dijo con un tono más que desagradable, y Sam volvió a sumergirse en su periódico.

Tan pronto como Sam se marchó a llevar al colegio a su hija, sin comentar nada, Alex volvió a vomitar y pensó en quedarse en casa todo el día. Se sentó en la cama, lloró y decidió llamar a Liz, pero finalmente no lo hizo. Algo en su interior le dijo que no se rindiera, que fuera a trabajar aunque reventara.

Volvió a lavarse la cara, se peinó, se lavó los dientes y se aplicó otro paño húmedo en la frente. Luego, con expresión resuelta, se puso el abrigo y cogió su portafolio. Tuvo que sentarse de nuevo en el rellano con el estómago completamente revuelto, pero consiguió llegar al ascensor. El aire fresco de la calle le sentó bien, pero el trayecto en taxi no fue afortunado. Cuando llegó a la oficina volvía a tener unas fuertes náuseas. A duras penas consiguió llegar al sanitario de señoras, donde vomitó una vez más. Al llegar a la puerta de su despacho, donde Brock y Liz se hallaban hablando, tenía un aspecto horrible. Ambos la siguieron al interior y la miraron con honda preocupación mientras Alex se dejaba caer en su silla completamente exhausta.

—¿Se encuentra bien? —preguntó Liz.

—No demasiado. Ha sido una mañana muy dura —Alex cerró los ojos al notar nuevas náuseas, pero se negó a ceder y pasaron. Abrió los ojos y vio a Brock, que la miraba con el entrecejo fruncido.

—Liz fue por una taza de té. ¿Quieres acostarte un rato?

—Francamente, no creo que pudiera volver a levantarme —confesó ella—. ¿Por qué no nos ponemos a trabajar? —propuso valientemente.

—¿Podrás?

—No preguntes —replicó Alex con tono sombrío, y Brock fue a buscar sus papeles meneando la cabeza. Como siempre en el trabajo, iba en mangas de camisa y con las gafas de concha subidas sobre la frente mientras no las necesitaba. Volvió con lápices en el bolsillo, un bolígrafo entre los dientes, un montón de papeles de medio metro de alto y una caja de galletas Saltine para Alex.

—Pruébalas —dejó caer la caja sobre la mesa y se sentó. Mientras trabajaban, observaba a Alex, que parecía sentirse un poco mejor, distraída de sus penurias. Liz le llevaba té con frecuencia y Alex iba mordisqueando las galletas.

—¿Por qué no te acuestas un rato a la hora de comer? —sugirió Brock, pero Alex negó con la cabeza. No quería interrumpir el trabajo una vez iniciado. Pidieron sandwiches de pollo y Alex llegó incluso a comer.

Una hora más tarde el pánico se adueñaba de ella, pues empezaba a notar de nuevo las violentas acometidas de las náuseas. Sin decirle una palabra a Brock, fue al diminuto cuarto de baño contiguo a su despacho, donde vomitó y permaneció media hora presa de horribles náuseas. Brock se quedó oyéndola, sin poderlo remediar, sufriendo por ella. Al cabo de un rato salió y volvió con un paño mojado, una bolsa de hielo y una almohada. Sin llamar ni pronunciar una sola palabra, abrió la puerta del cuarto de baño, a la que afortunadamente Alex no había echado el pestillo. De repente Alex notó los fuertes brazos de Brock que la cogían, cuando ella pretendía arrodillarse junto a la taza y se desplomaba contra la pared. Por un momento Brock pensó que se había desmayado, pero Alex seguía consciente.

—Apóyate en mí, Alex —le dijo en voz baja—. Relájate.

Alex no discutió, no dijo nada; estaba demasiado enferma y agradecía cualquier ayuda que le ofrecieran. Se echó hacia atrás sobre Brock, que se sentó en el suelo con ella en los brazos. El cuarto de baño era demasiado pequeño para sus largas piernas, pero lo consiguieron. Brock le puso la bolsa de hielo en la nuca y el paño húmedo en la frente. Alex abrió los ojos y miró a su ayudante, pero no dijo nada; no podía.

Brock tiró de la cadena y cerró la tapa del sanitario. Después de un rato, la tumbó sobre la almohada y la cubrió con una manta. Se quedó sentado junto a ella, cogiéndola de la mano y mirándola sin decir nada.

Pasó una hora antes de que Alex pudiera hablar por fin con un hilo de voz. Estaba completamente agotada.

—Creo que ahora ya puedo levantarme.

—¿Por qué no te quedas aquí echada un rato más? —le aconsejó él, pero luego cambió de idea—. Voy a moverte, Alex. No hagas nada, tú déjate llevar —la levantó en brazos sin el menor esfuerzo, sorprendido de lo poco que pesaba para su altura, y la depositó sobre el sofá de piel gris del despacho. Luego le colocó la almohada debajo de la cabeza y la manta por encima: Alex se sentía un poco avergonzada por rendirse de aquella manera, pero podía más el agradecimiento.

—Cierra la puerta —susurró, cuando Brock terminó de arroparla y la observó como una madre a su bebé.

—¿Por qué?

—No quiero que entre alguien y me vea —le había asegurado a todo el mundo que podría trabajar durante la quimioterapia, pero el comienzo no era muy prometedor.

Brock hizo lo que le pedía y se sentó en una silla a su lado. No quería dejarla sola, aunque parecía algo repuesta.

—¿Quieres que te lleve a casa? —preguntó cautelosamente.

—Me quedo —contestó Alex, sacudiendo la cabeza.

—¿Quieres dormir un rato?

—Sólo quiero estar aquí acostada. Tú ponte a trabajar. Me levantaré dentro de unos minutos.

—¿Hablas en serio? —preguntó Brock, asombrado, admirándola más que nunca. Era una auténtica luchadora.

—Sí —respondió ella—. Tú ponte a trabajar... Brock... Gracias.

—No hay de qué —Brock susurraba como ella—. Para eso están los amigos.

Brock apagó algunas de las luces. Alex estuvo acostada con los ojos cerrados durante media hora, luego se levantó y se sentó a trabajar con él. Tenía la ropa un poco arrugada, los cabellos en desorden, y la voz ronca, pero ninguno de los dos mencionó lo ocurrido.

Liz entró con té, café y algo para picar. Brock se había acordado de abrir la puerta, así que nadie se enteró de lo que había pasado. A las cinco en punto de la tarde, Brock acompañó a Alex al ascensor, llevándole el portafolio.

—Te buscaré un taxi —dijo.

—¿No tienes nada más que hacer que ayudar a las ancianas a cruzar la calle? —bromeó Alex. Aquella tarde se habían convertido en amigos. Alex no olvidaría jamás la ayuda prestada. No sabía qué había hecho para merecer su amistad, pero la había impresionado muchísimo—. Seguro que fuiste *boy scout.*

—Pues sí. No había nada mejor que hacer en Illinois. Además, siempre he tenido debilidad por las ancianas.

—Eso parece —dijo Alex, sonriendo. Ella se sentía como si tuviera cien años, pero Brock la veía siempre hermosa.

Él le dijo que aguardara en el vestíbulo mientras le conseguía un taxi. Alex quiso impedírselo, pero Brock salió a la calle antes de que pudiera decir nada. Además, le pagó el taxi para que no se lo quitara nadie mientras volvía a buscarla.

—Todo arreglado —la metió en el taxi y la despidió agitando la mano.

Alex se alejó en el taxi, asombrada aún y más que agradecida. Cuando llegó a casa se sentía como un trapo viejo. Le hubiera encantado darse un baño caliente con su hija, pero no quería que Annabelle viera su cicatriz, así que se bañó sola con el pestillo echado. Se sentó después a cenar con Annabelle, pero no probó la comida. Se excusó diciendo que comería con papá.

Sam volvió a casa a las siete, justo a tiempo para leerle un cuento a Annabelle antes de dormir. Él y Alex se sentaron luego a dar cuenta de la cena que les había dejado Carmen, pero Alex se limitó a picotear un poco. Realmente no podía comer nada.

—¿Han ido mejor las cosas hoy? —preguntó Sam, tan solícito como le fue posible, pero sin dar la impresión de que quisiera hablar de ello.

—He estado bastante bien —contestó ella, desechando contarle nada de lo ocurrido en el bufete—. Tengo un montón de casos nuevos.

Eso era lo que quería oír Sam, así que sonrió y dijo:

—Nosotros también —intentó olvidar la pelea de la noche anterior y las cosas horribles que se habían dicho—. Tenemos muchos clientes nuevos gracias a Simon.

—¿No habrá alguna trampa en todo eso, Sam? —preguntó Alex, suspicaz, un poco nerviosa por la magnitud de los negocios de su marido.

—Deja de buscarle tres pies al gato. Siempre piensas como abogado —la reprendió él sin la menor delicadeza.

—Gajes del oficio —Alex sonrió débilmente. Volvía a sentir náuseas sólo con oler la comida.

Cuando se quedó sola en la cocina recogió la mesa, pero cuando terminó, lo poco que había comido volvió a pasarle la factura. Acabó en el cuarto de baño de su dormitorio, presa de horribles arcadas, pero esta vez no tenía al lado a Brock Stevens con una almohada y una bolsa de hielo.

—¿Qué te pasa? —preguntó Sam por fin, acercándose a la puerta. Tuvo que admitir que su mujer tenía muy mal aspecto—. A lo mejor no es sólo la quimioterapia. Tal vez tengas apendicitis o algo así —le resultaba difícil creer que la quimioterapia pudiera tener aquellos efectos.

—Es la quimioterapia —afirmó Alex, con una voz que parecía salida de *El Exorcista*, y volvió a vomitar.

Sam se marchó, incapaz de soportarlo. Al final Alex consiguió llegar a la cama y se derrumbó sobre ella, exhausta, mientras su marido la miraba con enojo.

—Ya sé que no es muy comprensivo por mi parte, pero ¿cómo es que has estado bien en el trabajo todo el día y te pones a vomitar en cuanto me ves? ¿Es una manera de pedirme que te compadezca, o soy yo el que tiene ese efecto sobre ti? —preguntó.

—Muy gracioso.

—¿No crees que pueda ser una reacción emocional, o alérgica? —nunca había visto a nadie vomitar tan violentamente y con tanta frecuencia.

—Créeme, es la quimioterapia —repitió Alex—. Tengo un papel donde se enumeran los efectos secundarios. ¿Quieres leerlo?

—La verdad es que no. Me conformo con tu palabra —tras unos instantes, añadió—: No te pusiste así cuando estabas embarazada.

—Entonces no tenía cáncer ni me estaban dando quimioterapia —replicó Alex con aspereza.

—Yo creo que es psicológico. Deberías llamar al médico, en serio.

—Ya lo hice ayer. Me dijo que lo sentía, pero que era normal.

—A mí no me parece normal —insistió Sam, cerrado a toda lógica.

Al final acabaron durmiéndose. Cuando Alex se despertó a la mañana siguiente volvía a tener náuseas, pero no vómito. Fue ella quien llevó a Annabelle al colegio, lo que la hizo sentirse mejor. De repente cada pequeño paso hacia la normalidad le parecía una victoria. Consiguió trabajar durante toda la mañana sin tener náuseas ni distraerse.

Sin embargo, por la tarde, cuando estaba trabajando con Brock después de comerse un sandwich de pavo, volvió a ponerse fatal y tuvo que ir al cuarto de baño, sintiéndose morir. Esta vez Brock no vaciló en entrar con ella y sujetarle la cabeza y los hombros mientras vomitaba, lo que en un principio turbó a Alex, pero era menos terrible que estar sola.

—Deberías haber estudiado para médico —comentó después, apoyada en él y sonriéndole tímidamente.

—No soporto ver la sangre —confesó Brock.

—¿Pero sí los vómitos? ¿Qué pasa, te gustan las mujeres que vomitan?

—Me encantan —replicó él, riendo—. Muchas de mis citas del instituto y de la universidad acababan así. Al final se me daba bien. Se supone que en Nueva York las cosas son más refinadas, pero tal vez no, ¿eh?

—Estás loco —Alex estaba demasiado débil para moverse. Se hallaban de nuevo sentados en el suelo del cuarto de baño—. Pero empiezas a gustarme —era un poco como estar casada con él. No había pudor entre ellos, sólo la necesidad de Alex y el deseo de Brock de aliviarla. Alex se preguntó si era Dios quien le mandaba al amigo preciso en el momento justo.

De repente, Brock se puso a hablar en serio.

—Mi hermana también pasó por esto —dijo con gran tristeza.

—¿Por la quimioterapia? —se sorprendió Alex, como si nadie antes que ella hubiera tenido que sufrir lo mismo.

—Sí. Tenía cáncer de mama, como tú. Estuvo a punto de dejar el tratamiento muchas veces. Yo estaba en el penúltimo curso de la universidad y volví a casa para cuidarla. Tenía diez años más que yo.

—¿Tenía? —preguntó Alex con nerviosismo.

—Tiene —corrigió Brock, sonriendo—. También tú lo superarás, pero tienes que seguir con la quimioterapia por mal que te encuentres, por terrible que sea y por mucho que la odies. Tienes que hacerlo.

—Lo sé, pero estoy muy asustada. Seis meses me parecen una eternidad.

—No lo son —afirmó Brock, con voz de hermano mayor—. La muerte es la eternidad.

—Comprendido. En serio.

—No juegues con esto, Alex. Tómate las pastillas y ve todos los días al tratamiento. Yo te acompañaré si quieres. También fui con mi hermana. A ella le asustaban las agujas.

—No puedo decir que a mí me gusten, pero no me pareció tan mal hasta que empecé con la vomitona. En fin, es una manera de hacer amigos —se sonrieron. Brock no llevaba las gafas puestas y tenía la corbata torcida. Sus ojos parecían muy sabios, a pesar de sus treinta y dos años. Tenía el alma vieja y un buen corazón.

—¿Volvemos al trabajo? —propuso Alex después de un rato. Liz, que estaba depositando el correo sobre la mesa del despacho, se sorprendió al verlos salir juntos del cuarto de baño.

—Hola —dijo Alex despreocupadamente—, estábamos celebrando una reunión.

Liz se echó a reír. No tenía la menor idea de qué habían estado haciendo, pero se dijo que era divertido mientras volvía a su mesa.

—La gente va a pensar que nos picamos o que esnifamos cocaína si seguimos así —comentó Alex entre risas—, o que tenemos relaciones sexuales en el cuarto de baño.

—Se me ocurren cosas peores —dijo Brock, ya distendido, y se sentó frente a Alex.

—Sí, a mí también —habían pasado casi dos meses desde que hiciera el amor con Sam por última vez, y no era probable que volvieran a hacerlo, tal como estaban las cosas entre ellos. De todas formas, no era el sexo lo que podía preocuparle en aquellos momentos en que estaba luchando por su vida. Ella y Brock siguieron trabajando toda la tarde. Luego Brock insistió en buscarle taxi otra vez, a pesar de las protestas de Alex.

El viernes Alex se sintió con fuerzas para llevar a Annabelle a ballet. Era asombroso que pudiera seguir realizando su vida normal, aunque fuera a viento y marea. Empezaba a creer que tal vez conseguiría sobrevivir. Otra cuestión era si también se salvaría su matrimonio. A ella, en todo caso, le parecía muy poco probable.

13

La doctora Webber se mostró muy satisfecha con los progresos de Alex el lunes siguiente.

—Todo va muy bien —le dijo. Los análisis sanguíneos eran buenos, y pudo inyectarle primero la solución de dextrosa y agua, lo que resultó menos traumático para Alex, que ahora ya sabía qué debía esperar.

Los efectos fueron los mismos, pero no la sorprendieron. Brock siguió ayudándola y Liz la vigilaba como un ángel guardián.

—Empiezo a sentirme culpable por todo esto —comentó Alex a Brock mientras estaban sentados de nuevo en el cuarto de baño después de su segunda semana de tratamiento.

—¿Por qué? —inquirió Brock con genuino asombro.

—Porque no eres tú al que están dando quimioterapia. ¿Por qué has de pasar por todo esto? No eres mi marido. No tienes obligación alguna.

—¿Y por qué no compartirlo? —contestó él—. ¿Por qué no dejar que otra persona te ayude? Podría ocurrirnos a cualquiera de nosotros. Nadie está a salvo. Tal vez sea yo quien necesite ayuda algún día.

—Yo te ayudaré —afirmó Alex—. Nunca olvidaré lo que estás haciendo por mí —dijo con toda sinceridad.

—En realidad lo hago por un ascenso —bromeó Brock, ayudándola a ponerse en pie. Hacía una hora que estaban en el cuarto de baño.

—Ya me imaginaba que tenías algún motivo oculto —dijo ella sonriendo. La segunda mano de tratamiento resultaba más agotadora aun que la primera, y sólo faltaban dos días para el día de Acción de Gracias. Se sentía cansada sólo con pensar en preparar el pavo—. ¿Por qué no te quedas con mi puesto? —comentó en tono de guasa—. Lo harías muy bien.

—Prefiero trabajar contigo.

Brock la miró y, por un momento, Alex notó algo extraño y diferente entre ellos. No estaba segura de lo que significaba ni de si debía admitir su existencia, pero apartó la vista, turbada. Tal vez no debería mostrarse tan abierta con él, tal vez se estaban haciendo íntimos. Ella era una mujer casada y él, se dijo, no era más que un chiquillo a su lado.

—También a mí me gusta trabajar contigo, Brock —dijo amablemente, tratándolo de nuevo como a un jovencito, y luego se rió de sí misma, lo que constituía una de las cualidades que más gustaban a Brock—, cuando no te estoy vomitando encima.

—Ya me ocupo yo de quedarme detrás —replicó él con el tono jocoso que podía emplearse entre personas que habían pasado juntas todo aquello.

—Qué simpático.

Por la tarde charlaron sobre sus respectivos planes para el día de Acción de Gracias. Brock iba a visitar a unos amigos de Connecticut y ella se quedaría en casa con Sam y Annabelle. Alex confesó que no tenía muchas ganas de cocinar.

—¿Por qué no lo hace tu marido, entonces? ¿Sabe cocinar?

—Sí, pero la comida de Acción de Gracias es mi especialidad. Además —añadió, admitiendo lo que no le había dicho a nadie—, siento la necesidad de demostrarle algo. Está encabronadísimo con todo esto. Algunas veces tengo la impresión de que me odia por lo que está ocurriendo. Necesito demostrarle que aún puedo hacer todo lo que solía, que nada ha cambiado —al decirlo, le pareció un poco patético, pero Brock pareció comprenderlo a la perfección.

—Sólo ha cambiado temporalmente. ¿Él no lo entiende así?

—Todavía está demasiado enfadado para comprenderlo.

—Debe ser muy duro para ti.

—Sí, ni lo digas.

—¿Cómo lo toma tu hija?

—Bien. Se preocupa mucho cuando me pongo mala, pero yo intento mantenerla alejada de todo esto. No es fácil para nadie.

—Necesitas buenos amigos que te ayuden a superarlo —le dijo Brock cordialmente.

—Soy afortunada por tenerte a ti —declaró Alex, sonriendo.

La víspera del día de Acción de Gracias Alex abrazó a Brock y le aseguró que aquel año daba gracias por tenerlo a su lado. Luego abandonaron juntos el bufete. Extrañamente, Alex se sintió triste al despedirse de él. Mientras vomitaba, siempre a su lado, había acabado por confiar plenamente en Brock y hacerlo partícipe de sus sentimientos. De repente los cuatro días de fiesta sin poder hablar con él se le presentaron muy solitarios.

Cuando llegó a casa, vio el pavo en el refrigerador y pensó en todo lo que habría de hacer al día siguiente: el relleno, los buñuelos, las verduras y el puré. Y a Sam le gustaba comer pastel de calabaza y de frutas, mientras que Annabelle prefería el de manzana. También había prometido hacer puré de castañas y salsa casera de arándanos. Se ponía enferma sólo de pensarlo, pero aquel año, más que ningún otro, tenía que hacerlo. La parecía que su relación con Sam dependía de ello.

También Sam tuvo una cariñosa despedida en la oficina. Daphne se iba a Washington, D.C., para visitar a unos amigos. Sam la acompañó a la estación de trenes y contempló su partida con una punzada de tristeza en el corazón. Cada día se sentía más apegado a ella y más desdichado cuando no la veía. Le asustaba pensar que iba a pasarse cuatro días solo con Alex, pero reconocía que tal vez les hiciera bien. Sin embargo, en cuanto llegó a casa por la noche, comprendió que no iba a ser fácil fingir que las cosas eran igual que antes.

Alex estaba tumbada en la cama con una bolsa de hielo sobre la cabeza. Acababa de vomitar, comentó Annabelle a su padre.

—Mami está enferma —susurró—. ¿Comeremos pavo?

—Pues claro que sí —la tranquilizó Sam, y la metió en la cama. Luego fue a ver a su mujer.

—¿Quieres que vayamos a un restaurante mañana o que lo dejemos correr? —le preguntó con tono acusador.

—No seas tonto —contestó Alex—. Estaré bien.

—Pues no lo parece —Sam se debatía siempre entre la compasión y la idea de que Alex exageraba, de que todo era psicológico—. ¿Quieres que te traiga algo? ¿Ginger ale? ¿Coca-Cola? ¿Algo de comer?

En realidad nada aliviaba a Alex en aquellos días. Se levantó un rato más tarde e intentó hacer algo en la cocina. Puso la mesa para el día siguiente, pero cada paso que daba era una agonía. Le dolía todo el cuerpo, como si estuviera agripada. Esa noche también le molestó la vejiga, y cuando fue a acostarse Sam estaba dormido y ella se sentía medio muerta, pero su marido había prometido ayudarla al día siguiente.

Puso el despertador a las seis y cuarto, porque el pavo era muy grande y tardaría mucho en asarse y el día de Acción de Gracias solían comer a mediodía. Pero cuando se despertó, se encontraba demasiado mal para moverse y perdió una hora vomitando en el cuarto de baño, tan silenciosamente como le fue posible.

Cuando se levantó Annabelle, Alex había metido ya el pavo en el horno. Poco después se levantaba Sam. Annabelle quería ir al desfile de Macy's y Alex no quiso aguarle la fiesta pidiendo a Sam que se quedara a ayudarle.

Padre e hija se marcharon alrededor de las nueve. Alex había conseguido preparar el relleno y la verdura y estaba a punto de empezar con las papas. Afortunadamente habían comprado los pasteles, pero aún le faltaban los buñuelos y el puré de castañas. Sin embargo, en el momento mismo en que se fueron, Alex volvió a ser presa de las arcadas y vomitó de modo tan violento que se asustó y estuvo a punto de llamar a las urgencias médicas, deseando con todas sus fuerzas que Brock estuviera allí para sostenerla. Se puso una bolsa de hielo y finalmente se metió en la ducha para seguir vomitando, pensando que tal vez el agua la relajara. Cuando Sam y Annabelle volvieron a las once y media, Alex seguía en camisón y tenía la cara de color gris.

—¿No te has vestido aún? —preguntó Sam, escandalizado. Alex ni siquiera se había molestado en peinarse, tal como lo veía él. No obstante, el pavo olía bien y todo lo demás parecía estar en marcha—. ¿A qué hora comeremos? —preguntó, mientras Annabelle iba a su habitación a jugar y él encendía el televisor para ver un partido de futbol americano.

—A la una por lo menos. He empezado un poco tarde con el pavo —y era un remilgo que lo hubiera conseguido, considerando cómo se había encontrado.

—¿Necesitas ayuda? —preguntó Sam con tono desenfadado, poniendo los pies en alto.

Era ya un poco tarde para ofrecerse, pero Alex no dijo nada. Fue al dormitorio, se puso un vestido blanco y se peinó, pero no tenía tiempo ni ganas de maquillarse. Prácticamente tenía el color del vestido cuando se sentó a comer. Sam la observó mientras trinchaba el pavo, irritado al verla sin pintar. ¿Era porque quería parecer enferma? ¿Quería que le tuviera lástima?

La pobre Alex no tenía ni idea de cuál era su aspecto, aunque se sentía fatal, como si tuviera todo el cuerpo sumergido en plomo, y apenas podía moverse mientras servía la comida.

Sam bendijo la mesa como siempre hacía ese día. Empezaron a comer y Annabelle se dispuso a contar todo lo que había visto en el desfile, pero Alex tuvo que salir corriendo. El trabajo, el calor de la cocina y los olores fueron demasiado para ella. Hizo todo lo posible por no vomitar, pero no le sirvió de nada.

—Por el amor de Dios —la recriminó Sam, yendo tras ella, desesperado por mantener una apariencia de normalidad—, ¿es qué no puedes al menos hacer el esfuerzo de quedarte sentada con nosotros?

—No puedo —dijo Alex entre arcadas y lágrimas—, no puedo parar.

—Esfuérzate un poco. Annabelle merece un día de Acción de Gracias mejor. Todos nos lo merecemos.

—¡Basta ya! —le gritó ella, sollozando, a pesar de que sabía que Annabelle los podría oír—. ¡Deja de tratarme así, cabrón! ¡No puedo evitarlo!

—Y una mierda no puedes. Te pasas el día arrastrándote por ahí en camisón con cara de muerta, asustando a todo el mundo. No te esfuerzas lo más mínimo salvo para ir al trabajo. Pero para nosotros todo es rondar por la casa como un fantasma y vomitar cuando te interesa.

—Que te den por el culo —gimió Alex y volvió a vomitar. Tal vez Sam tuviera razón. Tal vez fuera emocional. Quizá su reacción se debía a que ya no podía soportar más la actitud de su marido. Pero, fuera lo que fuera, no podía evitarlo. No volvió a la mesa hasta el postre. La pobre Annabelle miró a su madre con rostro preocupado y triste.

—¿Te encuentras mejor, mami? —le preguntó con tono apagado y muy abiertos los grandes ojos—. Siento que estés enferma.

Sí, tal vez Sam tenía razón y ella los hacía infelices a todos. Pensó que sería mejor morirse, porque ya no sabía qué pensar. Su marido era un completo extraño, todo el amor y la bondad que le había demostrado durante años se había desvanecido.

—Estoy bien, cariño. Ahora me siento mejor —le dijo a Annabelle, sin hacer el menor caso a Sam.

Después de la comida Annabelle se recostó en el sofá con su madre mientras ésta le contaba cuentos. Sam se encargó de limpiar la cocina. Annabelle acababa de irse a su habitación en busca de una cinta de video cuando Sam salió de la cocina con expresión furiosa.

—Gracias, por este fantástico día de Acción de Gracias —dijo con sarcasmo—. El año que viene recuérdame que me vaya a otro sitio.

—Yo invito —replicó Alex, igualmente sarcástica. Sam ni siquiera le había agradecido todo el ajetreo que le había exigido la preparación de la comida.

—Se lo has estropeado a nuestra hija, ¿lo sabes, no? Ni siquiera podías estarte una hora sentada, porque no se daría cuenta de lo enferma que estás.

—¿Cuándo te volviste un completo hijo de puta, Sam? ¿Sabes?, no me había dado cuenta de lo cabrón que eres. Debía estar demasiado ocupada.

—A lo mejor lo estábamos los dos —musitó él, y se fue al estudio a ver el futbol. Sam ya había tenido otros días de Acción de Gracias como aquél. Años durante los que su madre estaba demasiado enferma para salir de su habitación y, desde luego, para cocinar un pavo. Su padre solía emborracharse. En cuanto Sam se fue a la universidad, no se molestó siquiera en volver a casa para ningún tipo de celebración. Las fiestas significaban mucho para él, y asimismo que Alex se esforzara especialmente en esos días. Esta vez se había comportado igual que su madre y la odiaba por eso.

Después del partido de futbol fue a dar un largo paseo por el parque. Cuando volvió, cenaron las sobras. Alex parecía más animada. Tal como lo percibía él, una vez estropeada la comida, ella ya se sentía mejor.

Annabelle seguía triste. Mientras Sam estaba fuera, le había preguntado a su madre por qué ella y papá siempre se estaban gritando. Alex le había contestado que no significaba nada, que eran cosas que hacían los mayores a veces, pero Annabelle no parecía convencida.

Sam insistió en acostar a Annabelle, puesto que, señaló sarcásticamente, sin duda su madre estaba demasiado enferma para hacerlo. Alex recordó lo que había dicho Annabelle y no quiso discutir. Fue a su dormitorio después de darle un beso de buenas noches a su hija, pensando en lo desgraciada que era su vida.

Cuando Sam entró en el dormitorio, Alex lo miró con resignación. Tal vez sería mejor aceptar por fin que todo había acabado entre ellos.

—No tienes por qué quedarte aquí, ¿sabes? Yo no te retengo.

—¿Qué se supone que significa eso? —preguntó Sam sobresaltado, y Alex pensó que tal vez estuviera esperando ese momento, que no tenía agallas para decirle que quería dejarla y esperaba que ella tomara la iniciativa.

—Parece que últimamente eres muy desdichado y que no quieres estar conmigo. La puerta está abierta, Sam, puedes irte cuando quieras —eran las palabras más duras que había pronunciado hasta entonces, pero necesarias si había de salvar su vida y, quizá, su matrimonio.

—¿Me estás echando? —inquirió Sam, con un tono casi esperanzado, o al menos así le pareció a Alex.

—No. Te estoy diciendo que te quiero y que quiero seguir casada contigo, pero que si el sentimiento no es mutuo, puedes marcharte cuando te convenga.

—¿Por qué dices eso? —inquirió Sam, receloso. Interiormente se preguntaba si su mujer sabría algo. ¿Le habrían contado algún chisme sobre Daphne?

—Lo digo porque empiezo a creer que me odias.

—No te odio —replicó él con tristeza y la miró cautelosamente, temeroso de decir demasiado—. Ya no sé lo que siento. Estoy furioso por lo que ha pasado. Es como si un relámpago hubiera caído sobre nosotros hace dos meses. Nada ha sido igual desde entonces. Estoy furioso y asustado. Estoy triste. Ya no pareces la misma persona. Ni tampoco yo soy el mismo. No puedo soportar estar hablando constantemente de enfermedades y tratamientos —en realidad no hablaban de eso casi nunca, pero Alex sabía que aún así era demasiado para él.

—Creo que te recuerdo a tu madre —dijo Alex con toda sinceridad—, y que es más de lo que puedes soportar. Quizá temes que yo muera y te abandone igual que ella —tenía lágrimas en los ojos, pero Sam no se acercó a ella—. También yo lo temo, pero hago todo lo posible por evitar que ocurra.

—Quizá tengas razón. Quizá todo sea más complejo de lo que parece, pero yo lo veo mucho más sencillo. Creo que ambos hemos cambiado y que algo se ha roto entre nosotros.

—¿Y ahora qué?

—Eso es lo que todavía no sé.

—Pues dímelo cuando lo sepas. ¿Quieres hacer psicoterapia conmigo? —preguntó—. A muchas personas que han tenido que pasar por esto las ha ayudado. El nuestro no es el primer matrimonio que atraviesa por dificultades porque uno de los cónyuges tiene cáncer.

—Diablos, ¿por qué le echas la culpa de todo a eso? —lo ponía nervioso que dijera esa palabra—. ¿Qué demonios tiene que ver?

—Ahí fue donde empezó todo, Sam. Antes éramos felices.

—A lo mejor no. A lo mejor sólo ha servido para poner de manifiesto algo que ya existía. Quizá tres años de hacer el amor siguiendo un programa hormonal para tener otro hijo nos han afectado más de lo que pensábamos —todo aquello no había parecido molestarlo hasta entonces, pero cualquier cosa era posible.

—¿Quieres asesoramiento? —volvió a preguntar Alex.

—No —respondió él, meneando la cabeza. Sólo quería a Daphne. Ella era su cura, su huida, su libertad—. Quiero resolver esto yo solo.

—No creo que puedas. Sam. Ni tú ni yo podemos. ¿Vas a marcharte o no? —preguntó con nerviosismo, temiendo que dijera que sí.

—No creo que debamos hacerle eso a Annabelle, sobre todo antes de Navidad y de su cumpleaños —Alex quiso gritar "¿Y yo qué?", pero se contuvo—. Lo que quiero es más libertad. Creo que cada uno debería vivir su vida sin dar explicaciones. Podemos volver a hablar dentro de un par de meses, quizá después del cumpleaños de Annabelle.

—¿Qué vamos a decirle a ella? —Alex estaba destrozada, pero intentó disimularlo.

—Eso es cosa tuya. Mientras vivamos juntos, dudo mucho que se dé cuenta.

—No estés tan seguro. Hoy me ha preguntado por qué ahora nos estamos gritando todo el tiempo. Lo sabe, Sam. No es estúpida.

—Entonces debemos comportarnos mejor delante de ella —observó él con un tono lleno de reproches. Alex sintió ganas de golpearlo, pero decidió intentar amoldarse a la nueva situación por el bien de Annabelle.

—Creo que va a resultar más duro de lo que tú piensas —dijo Alex, pensando que tras diecisiete años de matrimonio sería imposible vivir como simples compañeros de departamento.

—Será tan fácil como nosotros queramos. Además, en los próximos meses yo tendré que viajar bastante.

—Tu negocio parece haber cambiado drásticamente —comentó ella, intentando olvidar el tema personal—. ¿A qué se debe?

—Simon ha abierto nuevas vías para nosotros.

—Sigo creyendo que deberías tener cuidado con él, Sam. Tal vez tu primera impresión era la correcta.

—A mí me parece que te has puesto paranoica con ese tema y no quiero discutirlo contigo.

—Ya veo. ¿Y qué hacemos a partir de ahora? ¿Nos decimos buenos días y buenas noches en el pasillo? ¿Ya no cenamos juntos?

—Si nos lo permiten nuestros horarios, sí. No veo por qué las cosas han de ser diferentes, al menos en lo que se refiere a Annabelle, pero yo me iré a la habitación de invitados.

—¿Cómo vas a explicárselo a ella? —preguntó Alex. Le pareció que Sam lo tenía todo planeado y que sólo esperaba que ella se lo planteara. Ahora confiaba tan poco en su marido como en Simon.

—Estando tú tan enferma —dijo Sam sarcásticamente—, estoy seguro de que comprenderá que no quiera molestarte.

—Qué amable —dijo Alex con tono glacial, ocultando el dolor y la decepción que sentía—. Desde luego esto va a ser muy interesante.

—Creo que por ahora es la única solución. Es un término medio.

—¿Entre qué y qué? ¿Entre abandonarme porque he perdido un pecho y aparte porque te has hartado de mí? ¿Qué esfuerzo has hecho tú desde que empezó todo esto?

—Siento que lo veas de ese modo, pero al menos lo estamos intentando, por Annabelle.

—No intentamos nada —corrigió ella—, fingimos. ¿A quién quieres engañar, Sam? Este matrimonio se ha terminado.

—No estoy dispuesto a divorciarme de ti —anunció él con tono protector, consiguiendo que Alex se saliera de sus casillas.

—Ésa sí que es buena. ¿Y por qué no? ¿Crees que quedarías mal? ¿Te preocupa lo que dirían tus amigos? ¿Que te has divorciado de la pobre Alex que ha perdido un pecho? Quedarás mucho mejor si esperas unos meses. En realidad podrías esperar los seis meses de la quimioterapia y así todo el mundo pensaría que me has estado apoyando. Diablos, Sam, apestas. Eres el mayor fraude de la ciudad. Me da igual lo que piensen los demás, yo lo sé y es bastante. Vete a donde te dé la gana. Hemos terminado.

—¿Cómo estás tan segura? Ojalá yo lo estuviera —dijo Sam con sinceridad. Quería ser libre, pero una parte de sí no deseaba abandonar a su mujer. Quería seguir disponiendo de todas las opciones sin ninguna responsabilidad; quería a Daphne y también tener la posibilidad de volver con Alex, tal vez un año más tarde.

—Tú me has convencido —replicó Alex—. Te has portado como un auténtico cabrón desde la mastectomía. La única excusa que encontraba para ti era que no sabías cómo reaccionar, pero, ¿sabes una cosa?, ya no me sirve. Estoy harta de buscarte excusas. Que si estás cansado... que si estás asustado... que es muy duro para ti... que te recuerdo a tu madre... Como ser humano eres despreciable —los dos tenían lágrimas en los ojos.

—Lo siento Alex —Sam apartó la vista y ella se echó a llorar—. Lo siento —repitió Sam, volviéndola a mirar, pero sin acercarse a ella ni intentar consolarla.

Salió del dormitorio y Alex lo oyó moverse en el estudio. Media hora más tarde oía cerrarse la puerta del apartamento.

Sam estuvo caminando durante horas hacia el río, y luego se dirigió lentamente hacia el sur hasta que por fin se encontró en la calle Cincuenta y tres. Sabía qué quería y se preguntaba si no habría destruido su matrimonio para poder tenerlo, pero era demasiado tarde para pensar en eso. Sentía haber hecho daño a Alex, pero también ella le había hecho daño a él, aunque no fuera culpa suya. Era extraño, pero tenía la impresión de que su mujer lo había traicionado.

Se detuvo en una cabina telefónica de la Segunda Avenida. Era absurdo llamar a Daphne, que se había ido a Washington, pero quiso oír su voz en el contestador automático y dejarle grabado que la quería.

Daphne contestó a la segunda llamada. Por un instante Sam estuvo demasiado sorprendido para hablar.

192

—¿Daphne?

—Sí, soy yo —su voz era sensual y somnolienta. Seguramente dormía cuando había sonado el teléfono—. ¿Quién es?

—Soy yo. ¿Qué estás haciendo aquí? Pensaba que habías ido a Washington a pasar el día de Acción de Gracias.

Daphne rió y se desperezó lánguidamente. Sam la vio en su imaginación, como si la tuviera delante. Él se estaba quedando helado en la cabina.

—Y he ido. Nos dimos un atracón a la hora de comer, fuimos a patinar sobre hielo y volvimos en avión esta noche. Todos tenían cosas que hacer mañana. En realidad no pensábamos pasar allí el fin de semana. ¿Dónde estás tú? —Sam no la había llamado por la noche desde que Alex empezara con la quimioterapia y ella, por su parte, le llamaba sólo esporádicamente. Era demasiado lista para obrar de otro modo.

De repente Sam soltó una risita maliciosa en respuesta a su pregunta.

—Me estoy congelando el culo en una cabina de la Cincuenta y tres con la Segunda. He caminado durante horas y tuve ganas de llamarte.

—¿Qué demonios estás haciendo ahí? ¿Por qué no subes a tomarte una taza de té al menos? Te prometo que no te morderé.

—Te tomo la palabra —dijo Sam y luego, sintiéndose muy triste y vulnerable, añadió—: Te he echado de menos.

—Yo también —musitó ella con voz acariciadora—. ¿Qué tal ha ido la comida de Acción de Gracias?

—Muy triste. Preferiría no hablar de eso. Ella se enfermó. Fue duro para todos, sobre todo para Annabelle... No sé... Tuvimos una larga charla esta noche. Ya te lo contaré.

Mientras lo escuchaba, Daphne lo notó diferente, más libre y abierto. Parecía cansado y dolido, eso sí, pero ya no tenía aquella ansiedad que provocaban en él los sentimientos contradictorios.

—Sube antes de que te congeles.

—Llego en un momento.

Se hallaba a menos de una calle de distancia e hizo el camino corriendo. De repente comprendió que la casa de Daphne era el único lugar donde deseaba estar desde que la conociera. Daphne era joven, hermosa y perfecta.

Apretó el timbre y Daphne le abrió. Sam subió corriendo las escaleras como un adolescente y se detuvo al ver a Daphne esperándolo en la puerta. Los exuberantes cabellos negros le tapaban un pecho y dejaban el otro al descubierto. Llevaba un delicado camisón de algodón blanco con pequeños bordados, completamente transparente. Sin decir una sola palabra, Sam se acercó a ella, la metió dentro y cerró la puerta.

El apartamento era cómodo y cálido. Sam le quitó el camisón por encima de la cabeza sin más preámbulos, echó hacia atrás sus sedosos cabellos y la contempló en todo su esplendor: los pechos perfectos, la cintura estrecha, las largas y gráciles piernas, y el exquisito triángulo en que se juntaban.

—Oh, Dios mío... —fue todo lo que dijo. En el dormitorio sólo había encendida una pequeña lámpara. Sam depositó a Daphne sobre el colchón de plumas que había traído ella desde Inglaterra. Era más hermosa y sensual de lo que hubiera podido soñar, y con una gran experiencia. Daphne lo llevó al borde del éxtasis y lo sintió explotar en su interior media docena de veces antes del amanecer. Fue la noche más extraordinaria en la vida de Sam. Encendió el fuego de la chimenea y le hizo el amor en el suelo, delante de las llamas. Luego volvieron a la cama, y finalmente lo hicieron en la bañera. Y cuando se despertaron a mediodía, a Sam le pareció increíble que la deseara de nuevo. Daphne recorrió su estómago con labios de terciopelo hasta llegar a los muslos, después retrocedió hasta hallar lo que estaba buscando, y él se vino en su boca.

—Oh, Dios... Daphne... vas a matarme... —murmuró Sam—, pero vaya manera de morir... —la tomó en sus brazos y se dijo que era muy afortunado. Por fin se sentía libre de Alex y no deseaba a ninguna otra mujer en el mundo salvo a Daphne.

—Te amo —le susurró, mientras ella se dormía de nuevo en sus brazos, de espaldas a él, con las nalgas redondas y perfectas oprimidas contra su cuerpo.

—Yo también te amo —replicó ella, medio dormida, pero sonriendo. Siempre había sabido que valía la pena esperarlo.

Sam se abrazó a ella, abarcando sus senos con las manos y se dispuso a dormir, intentando no pensar en Alex.

14

Por simple cortesía, Sam llamó a Alex el viernes por la tarde y le dijo que no volvería a casa el resto del fin de semana. No le contó dónde estaba y ella no hizo preguntas. Sam le aseguró que volvería a llamarla y luego habló con Annabelle y le dijo que la echaba de menos. Se preguntó si Alex sospecharía dónde se hallaba, pero decidió no pensar en ello. Después fue con Daphne a Bloomingdale's y se compró media docena de camisas, unos cuantos vaqueros, pantalones de pana, una chaqueta, calcetines, ropa interior y un suéter. También compraron una maquinilla de afeitar y el resto de objetos de aseo que necesitaba en una farmacia. Sam no quería volver a casa todavía ni ver a Alex.

Esa noche preparó la cena para Daphne, que fingió ayudarlo, para entrar y salir continuamente de la cocina completamente desnuda. Al final la cena estuvo a punto de quemarse. La dejaron en el microondas y se fueron a la cama. A medianoche, Daphne hizo una tortilla. Se pasaron la mayor parte del tiempo explorando sus cuerpos y preferencias. Charlaron hasta tarde, Sam hizo palomitas y estuvieron viendo películas antiguas, pero se perdían siempre lo más interesante porque hacían el amor una y otra vez y siempre volvían cuando la película se estaba acabando.

Su segunda noche fue tan extraordinaria como la primera. El sábado por la mañana tenían la impresión de que eran amantes desde siempre y Sam comprendió que quería pasar el resto de su vida con ella.

—¿Qué quieres hacer hoy? —preguntó, mientras se desperezaban en la cama. La idea de pasarse el día haciendo el amor volvió a anidar en su mente, pero se dijo que deberían intentar algo más.

—¿Sabes patinar sobre hielo? —preguntó Daphne, sentándose, con aspecto de niña traviesa, pero muy desarrollada.

—Era del equipo de hockey en Harvard —contestó él orgullosamente.

—¿Vamos a patinar?

Fue como empezar a vivir de nuevo. Daphne era joven y vital, no tenía responsabilidades ni cargas. Fueron a patinar al Wollman Memorial de Central Park, donde ella impresionó a Sam con sus magníficas piruetas. Luego la llevó a comer a la Tavern-on-the-Green, pero a las dos de la tarde volvían a estar de nuevo en la cama sintiéndose como si hubieran estado separados una eternidad.

—¿Qué vamos a hacer con el trabajo? —preguntó Sam mientras yacían uno al lado del otro después de hacer el amor por segunda vez a las cuatro y media—. No estoy seguro de poder alejarme de ti el tiempo suficiente para levantarme e ir a la oficina —además, le había dicho a Alex que viviría con ella los dos meses siguientes y que volverían a hablar sobre su relación después del cumpleaños de Annabelle. Se lo había explicado ya a Daphne, que lo había considerado una solución muy razonable.

—Sería terriblemente difícil para tu hijita si desaparecieras de repente, sobre todo justo antes de Navidad —comentó Daphne, y Sam se alegró de que fuera tan comprensiva.

—Estoy impaciente porque la conozcas.

—Despacio, cariño, despacio —dijo Daphne, y se puso a describir los tormentos sexuales que le esperaban. Todo recuerdo familiar se desvaneció de inmediato. Por la noche, Daphne comentó que iría a esquiar a Suiza con su hijo por Navidad, durante una semana. Sam sugirió entonces que pasaran unos días en Gstaad cuando el hijo de Daphne volviera con su padre, y luego en París.

Emplearon el fin de semana en hacer planes y conocerse mejor. Sam creía estar más enamorado que nunca, pero eso era sólo porque intentaba olvidar a Alex.

También Alex intentaba olvidar a su marido. Pasó un fin de semana tranquilo con Annabelle, recuperando fuerzas. Aún se sentía mal, pero no vomitó con demasiada frecuencia. La llamó Liz y un par de amigos que habían oído rumores, pero Alex no tenía ganas de ver a nadie. A Annabelle le dijo que su padre se había ido en viaje de negocios y la niña pareció aceptarlo.

Sam no volvió a casa el domingo por la noche, pero Alex no se preocupó. Él había llamado un par de veces durante el fin de semana, pero ella se había limitado a pasarle el teléfono a su hija.

Fue un alivio que llegara el lunes y con él el trabajo. Después de dejar a Annabelle en el colegio se dirigió al bufete y se sintió mucho mejor. Todo el mundo parecía más descansado y feliz después de aquellas cortas vacaciones.

—¿Qué tal el fin de semana? —preguntó Brock mientras trabajaban el lunes por la tarde. Él se la había pasado en grande con sus amigos de Connecticut, aunque había vuelto lleno de moretones después de jugar al futbol americano.

—¿La verdad? —Alex sonrió cautelosamente—. Ha sido una porquería. Creo que Sam y yo hemos comprendido finalmente que todo ha terminado. El día de Acción de Gracias yo me encontraba muy mal y él se puso como un loco. Sigo creyendo que le recuerdo a su madre y el modo en que murió, pero él no quiere admitirlo. Sencillamente se pone furioso y actúa como un idiota. En cualquier caso hemos acordado que cada uno vivirá su vida, pero bajo el mismo techo, lo que va a resultar todo un desafío. No tengo fuerzas para oponerme. Volveremos a plantear la situación dentro de siete semanas, después del cumpleaños de Annabelle.

—Todo esto suena muy civilizado.

—Supongo que lo es —dijo ella tristemente—. En realidad a mí me parece patético. Es asombroso lo que dos personas pueden hacerse la una a la otra cuando se esfuerzan. Nunca creí que pudiera sucedernos a nosotros, pero supongo que la vida está llena de sorpresas —se sentía demasiado cansada para luchar contra aquella situación.

Su estado mejoró en las dos semanas siguientes, en que no tuvo que tomar pastillas ni le pusieron intravenosas. Pero cuando volvió a empezar, quince días antes de Navidad, tuvo la misma reacción que la primera vez. Fue especialmente duro porque comprendió que le sería imposible hacer sus compras de Navidad. Tenía el catálogo de F.A.O. Schwarz sobre la mesa y había señalado varios artículos con un círculo, pero no tenía ganas ni energía para ir a comprarlos.

—Me siento fatal —admitió ante Brock, mientras estaba tumbada en el sofá de su despacho. Algunas veces trabajaban así, mientras él le pasaba información que ella debía interpretar.

—¿Qué puedo hacer por ti? —preguntó Brock—. ¿Quieres que te compre algo?

—¿Desde cuándo tienes tiempo para eso? —ambos estaban enterrados bajo una avalancha de casos nuevos. Alex le había pasado un par a Matt, pero intentaba ocuparse de los demás con ayuda de Brock.

—Podría ir por la noche. Las tiendas cierran tarde en esta época. ¿Por qué no me haces una lista?

Alex no tuvo tiempo ni de contestar. Salió disparada hacia el cuarto de baño para vomitar, y tardó media hora en volver.

A la semana le pusieron otra intravenosa que la dejó aún más débil. Sólo faltaban siete días para Navidad y no había comprado un solo regalo. Liz y Brock decidieron ocuparse personalmente. Alex se puso tan enferma que tuvo que quedarse un día entero en casa. Liz acudió a recoger la lista de compras. Le apenó ver a Alex tan mal y encontrarla llorando. Alex había estado mirándose en el espejo. El pelo se le caía a puñados. Llevaba largos mechones en las manos cuando abrió la puerta a Liz.

—¡Mire lo que me está ocurriendo! —dijo sollozando. Sabía que eso llegaría, pero no había tenido tiempo de comprarse la peluca, como le había sugerido la doctora Webber—. No puedo soportarlo más —exclamó, llorando como una niña en los brazos de Liz, que intentaba consolarla—. ¿Por qué tenía que ocurrirme esto a mí? No es justo.

Liz se alegró de haber ido ella a buscar la lista en lugar de Brock. Sabía que él idolatraba a Alex y le hubiera roto el corazón verla en aquel estado.

Liz llevó a Alex a la sala de estar después de que hubiera tirado los mechones de cabello a la basura. Alex se sentó y siguió sollozando. Llevaba un albornoz y tenía un aspecto horrible, pálida y con los ojos enrojecidos. Su rostro se había redondeado ligeramente. Seguía siendo atractiva, pero parecía muy enferma y terriblemente desgraciada.

—Tiene que ser fuerte —le recordó Liz con firmeza, resuelta a no dejar que Alex se hundiera en la autocompasión.

—He sido fuerte —contestó Alex, casi gritando—. ¿Y de qué me ha servido? Sam está, pero es como si se hubiera ido. Viene a medianoche, o no viene, vive en la habitación de invitados como si fuera un extraño y sólo lo veo cuando estamos con la niña. Yo estoy

198

enferma todo el tiempo. Annabelle me tiene miedo, y eso que aún no me ha visto sin pelo. La pobre niña no tiene aún cuatro años y su madre es un monstruo.

—¡Basta! —le espetó Liz, sorprendiendo a Alex—. Tiene muchas cosas por las que estar agradecida, y esto no va a durar para siempre. Dentro de cinco meses, con un poco de suerte, todo habrá terminado. Y si Sam no es capaz de aceptar la realidad, a la mierda con él. Tiene que pensar en sí misma y en su hija, en nadie más. ¿Lo entiende?

Alex asintió y se sonó la nariz, atónita ante la firmeza con que le hablaba su secretaria, pero ésta, al fin y al cabo, había pasado por lo mismo.

—La quimioterapia es horrible, y perder un pecho también, pero no debe rendirse. El pelo le volverá a crecer y no seguirá vomitando para siempre. Tiene que pensar en el futuro. Piense en lo que quiere hacer dentro de cinco meses. Concéntrese en eso y olvide todo lo demás; no pierda de vista ese objetivo —le aconsejó.

—No vomitar más sería fantástico para empezar.

—Al final acabará acostumbrándose. Es terrible decirlo, pero es así.

—Lo sé. Ahora me siento en el cuarto de baño como si ya lo estuviera esperando. Ya no me sorprende —de repente volvió a sentirse sobrecogida—. Pero lo de perder el pelo es otra cosa. Sé que debía haberme preparado para ello, pero...

—¿No se ha comprado una peluca?

—No he tenido tiempo —respondió Alex, sintiéndose estúpida.

—Yo le compraré una. Una preciosa peluca pelirroja como su propio cabello —Liz le palmeó el hombro—. Bueno, ¿dónde está esa lista? Haré lo que pueda ahora y el resto nos lo dividiremos Brock y yo esta noche. De lo que quede me ocuparé este fin de semana.

Carmen le había prometido, además, que se quedaría hasta tarde para ayudarle a envolver los regalos. Era increíble. ¿Quién le hubiera dicho tres meses antes que las tres personas más importantes de su vida iban a ser su ama de llaves, su secretaria y su asistente en el bufete?

Tampoco esperaba que fuera Sam el que le fallara completamente. En las escasas ocasiones en que lo veía parecía tener siempre prisa e iba muy elegante.

Brock y Liz volvieron esa noche con su cargamento de paquetes. Alex había llamado a Brock al trabajo para pedirle que comprara un buen bolso para Liz en Saks. Brock había elegido un hermoso bolso negro de piel de lagarto y ambos convinieron en que a Liz le encantaría. Fue ella la que se marchó primero. Brock se quedó un rato más, tomando una taza de té con Alex en la cocina.

—Gracias por hacer todo. Soy una carga para todo el mundo.

—No es para tanto —replicó él tranquilamente—. Hacer las compras de Navidad para una amiga no es exactamente como escalar el Kilimanjaro, aunque tal vez lo hiciera también por ti. Pero me tendrías que avisar con tiempo.

Alex le sonrió agradecida. Quedarse un día en casa le había hecho muy bien; no se sentía tan débil. Aun seguía un poco trastornada por su cabello. Llevaba una pañoleta de Hermès en la cabeza para recibir a Liz y a Brock, que ya estaba avisado. Liz no había encontrado una peluca adecuada para ella, pero Alex le dijo que iría a comprar una a primera hora del día siguiente.

—¿Estás sola ahora? —inquirió Brock, refiriéndose a Sam.

Alex le comprendió perfectamente y se encogió de hombros.

—La mayor parte del tiempo. Ya me voy acostumbrando. Creo que Annabelle la pasa peor que yo, aunque ella lo vea más a menudo.

Brock se dio cuenta de que iba a ser una Navidad muy triste para Alex con su matrimonio a punto de irse al garete y una salud tan frágil. Sintió lástima y deseó poder cambiar las cosas. Pensaba ir a esquiar a Vermont entre Navidad y Año Nuevo, pero se preguntó si Alex aceptaría que se quedara en la ciudad para hacerle compañía. Entonces se le ocurrió una idea mejor.

—A lo mejor esto te suena un poco raro, pero ¿te gustaría venir conmigo a Vermont entre Navidad y Año Nuevo? —Brock estaba al tanto del programa de su tratamiento; así pues sabía que por esas fechas se encontraría en su mejor momento, ya que no tomaría pastillas ni le pondrían la intravenosa—. Podrías ir con Annabelle. Me alojaré en la casa de unos amigos que me la prestan cada año, en Sugarbush. Es muy rústica, pero cómoda. Tú podrías quedarte todo el día junto al fuego y a Annabelle la inscribiríamos en un curso de esquí.

—En realidad creo que Sam la llevará de viaje antes de irse a Europa. Me parece que irán a Disneylandia —de todas formas, Alex

200

no se imaginaba yéndose a Vermont con Brock, por amable y comprensivo que fuera, y éste se dio cuenta de sus dudas.

—¿Por qué no lo piensas? Aquí vas a quedarte muy sola.

—Muy bien —prometió Alex, pero no lo decía en serio.

Brock se fue al cabo de un rato. Alex se acostó pensando una vez más en que era afortunada por tener tan buenos amigos y sintiéndose mucho mejor. Eso fue hasta que se levantó a la mañana siguiente y volvió a verse en el espejo. Durante la noche se le había caído más pelo y algunas partes del cuero cabelludo habían quedado ya al descubierto. Se echó a llorar desconsoladamente, pero recordó que Annabelle podía entrar en cualquier momento y volvió a ponerse la pañoleta. Cuando fue a preparar el desayuno, le sorprendió encontrar a Sam en la cocina con su hija, a la que ya le había dado sus *cornflakes*.

—Estás muy guapa, mami —le dijo Annabelle, admirando el traje verde oscuro y la pañoleta a juego que llevaba Alex. Realmente tenía un aspecto muy elegante y europeo.

—¿A qué viene todo esto? —dijo Sam, sonriendo a su mujer, que no solía vestirse así para ir al bufete—. ¿Vas a algún sitio especial? —preguntó por simple cortesía. Sólo intentaba ser agradable, Alex no se engañó al respecto. Ni siquiera tenía la sensibilidad suficiente como para adivinar por qué llevaba una pañoleta en la cabeza, y ella no pensaba decírselo.

—Tengo una cita —se refería a la tienda de pelucas de la Calle Sesenta que le había recomendado la doctora Webber—. ¿Queda algo por comentar sobre la Navidad? —preguntó—. Se quedará aquí conmigo y luego te la llevarás, ¿no? ¿Será el veintiséis? ¿Una semana?

—La llevaré a Disneylandia; permaneceremos allí hasta el día uno, luego la traeré y me iré a Suiza —Sam sonrió a su hija—. Y estaré de vuelta para el día de su cumpleaños.

—Parece que tienes una agenda muy apretada —observó Alex con tono cáustico—. ¿Pasarás el día de Navidad con nosotras, o tienes otros planes? —Annabelle puso mala cara.

—¿No vas a estar aquí, papá? —preguntó.

—Pues claro que sí —le aseguró él, lanzando una mirada furiosa a Alex—. En Navidad estaremos todos juntos.

La niña se tranquilizó de inmediato. Alex se recostó en la silla y cerró los ojos, esforzándose por contener una oleada de náuseas.

Era agotador estar con su marido, e incluso a veces con Annabelle. Exigían demasiadas energías.

Sam llevó a Annabelle al colegio y Alex fue a la tienda de pelucas. Vaciló al entrar, pero rápidamente comprobó que tenían un nutrido conjunto. Al poco rato había elegido dos modelos muy caros que tenían una increíble semejanza con sus propios cabellos, y también una peluca de cabellos cortos estilo paje y otra que imitaba a la perfección los rizos de Annabelle y su color cobrizo natural. Las pagó con cheque y se puso una con cierta cautela. Era más larga y brillante que sus propios cabellos y estaba peinada con mucho gusto. Le quedaba de maravilla con el traje verde y la pañoleta, que se anudó alrededor del cuello. Volvía a sentirse humana.

—¡Vaya! ¡Fíjate! —Brock lanzó un silbido cuando Alex entró en la oficina, y Liz la miró con una sonrisa de oreja a oreja. Alex seguía estando muy pálida pero tenía mucho mejor aspecto que el día anterior.

—¿Fuiste a la peluquería? —preguntó Brock. Súbitamente recordó lo que le había dicho Liz y se sintió como una idiota.

—Podría decirse que sí.

—Me gusta —comentó Brock con tono admirativo, haciendo que Alex sintiera cierto azoramiento por el modo en que la miraba. Se habían hecho muy amigos en los últimos dos meses, pero sólo eran eso, amigos. Sin embargo, de vez en cuando Alex había visto algo diferente en los ojos de Brock, miradas que dirigía a la mujer y no a la compañera de trabajo.

Se pusieron a trabajar y la mañana transcurrió plácidamente. A la hora de comer Alex se tendió en el sofá y echó una siesta. Sus colegas del bufete iban a comidas y fiestas navideñas, pero Alex no tenía fuerzas más que para el trabajo y su hija.

Durante la tarde trabajó sola en su despacho. Luego se reunió con dos socios del bufete antes de volver a casa. Brock tenía más compras que realizar. Cuando Alex entró en su apartamento, encontró a Carmen envolviendo regalos. Se sintió inútil e impotente, pero estaba demasiado cansada para ayudarla.

Sam volvió a casa por la noche con un abeto, le puso los adornos y se marchó. Alex se quedó sola y deprimida, recordando otras Navidades, antes de que naciera Annabelle, que parecían pertenecer a otro tiempo y otro mundo. Por la noche se dedicó a leer la correspondencia en la cama. Vio entonces una invitación abierta que Sam había dejado sobre la mesita. Era una fiesta navideña que daban unos amigos. Alex no lo lamentó demasiado, no tenía fuerzas para ir a ningún sitio, y mucho menos a fiestas.

El sábado llevó a Annabelle a ver al Santa Claus de Macy's. Al llegar a casa vomitó de puro cansancio. Al cabo de un rato Annabelle entró en el cuarto de baño. Alex estaba tendida en el suelo, con los ojos cerrados y sin la peluca. Prácticamente ya no le quedaban cabellos, y se había recortado los pocos mechones que aún no habían caído.

—¡Mami! ¡Se te ha caído el pelo! —gritó Annabelle mirando la peluca junto a su madre. Alex se levantó de un salto. Annabelle se echó a llorar, agarrándose la cabeza, horrorizada, mientras Alex intentaba consolarla.

—No es más que una peluca, cariño, no pasa nada. No pasa nada —pero su hija seguía mirándola con horror. No era una bonita visión aquel cuero cabelludo con unos pocos mechones aquí y allá. De hecho Alex había pensado en afeitárselos—. Recuerda que te dije que a mamá se le caería el pelo, pero no pasa nada, volverá a crecer —Alex estaba de rodillas abrazada a su hija, pero la niña no paraba de llorar—. Te quiero, no llores por favor... —Alex odió la peluca y la razón por la que debía llevarla.

Annabelle tardó un buen rato en tranquilizarse, y seguía trastornada cuando Carmen llegó por la tarde. Rápidamente se lo contó todo.

—No pasa nada, se acostumbrará —le dijo Carmen a Alex, dándole unas palmaditas en el brazo.

Alex se puso la peluca más corta y mientras Annabelle dormía la siesta decidió dar un paseo y tomar el aire. Faltaban dos días para Navidad, pero a ella no le parecía así. Liz y Brock habían hecho todas sus compras, excepto un bonito juego de tocador para Sam que había encargado personalmente a Tiffany's y un libro de arte que había pensado regalarle desde mucho antes.

—¿Se encontrará bien sola en la calle, señora Parker? —preguntó una Carmen solícita.

—Sí, sólo quiero pasear por Madison unos minutos.

—¡Hace mucho frío, póngase un sombrero! —le recomendó cuando Alex atravesaba la puerta.

—¡No lo necesito! —le respondió Alex, con una sonrisa. Llevaba una de las pelucas.

Mientras bajaba en el ascensor, pensó en la Nochebuena. Sam le había asegurado que la pasaría con ellas, pero no lo había visto en toda la semana. Ni siquiera le pedía que lo acompañara a las fiestas habituales de aquellos días. De todas formas ella misma había rechazado una invitación de sus mejores amigos para ir a cantar villancicos a Greenwich Village.

Alex estuvo mirando los escaparates de la Avenida Madison, sobre todo los de Ralph Lauren, que estaban especialmente bonitos. Se hallaba frente a esos grandes escaparates cuando por la puerta de la tienda salió una joven muy atractiva y bajó los escalones riendo y hablando con acento británico. Llevaba un corto abrigo negro y altas botas negras de ante que resaltaban sus espléndidas piernas. También llevaba un gran gorro de marta cibelina que le daba un aire muy romántico. Se volvió entonces hacia un hombre, y Alex sonrió al ver que él se detenía para besarla. Le recordaron a Sam y a sí misma en épocas felices; incluso el hombre se parecía un poco a él. Vestía un traje bien cortado de color azul marino y llevaba los brazos llenos de paquetes envueltos en brillante papel rojo con los lazos dorados. Había algo enternecedor y agridulce en aquella pareja, que se detuvo una vez más para besarse. Alex miró detenidamente al hombre que se inclinaba sobre la chica del gorro de pieles y se dio cuenta de repente que era Sam. Se le quedó mirando con la boca abierta, comprendiéndolo todo en un instante: Sam estaba enamorado de otra mujer. Se preguntó cuánto tiempo tenía aquella situación, y más aún, si no se remontaría incluso a una época anterior a su enfermedad, que quizá sólo le había servido como excusa para dejarla.

Alex quería apartar los ojos de ellos, pero no podía. Vio que Sam cogía a la chica por el brazo para cruzar la calle y meterse en otra tienda, sin saber que eran observados.

Las lágrimas rodaron por las mejillas de Alex. Comprendió que su matrimonio estaba definitivamente roto. Ella no podía competir con una mujer que no parecía tener más de veinticinco años, e incluso Sam parecía más joven. Se apresuró a volver por Madison, sin hacer caso de los que cantaban villancicos, ni de los Santa Claus que hacían sonar sus campanillas, ni de los adornos navideños. Lo único que tenía ante sí eran los pedazos rotos de su vida.

Media hora después de abandonar el apartamento ya estaba de vuelta, pálida como un cadáver. Las manos le temblaban violentamente cuando colgó el abrigo y entró con aire lúgubre en su dormitorio. Cerró la puerta y se tumbó en la cama para pensar una vez más en Sam y en lo que había visto.

Se metió luego en el cuarto de baño y se miró en el espejo. Se quitó lentamente la peluca para ver de nuevo aquello en lo que se había convertido. Pensó entonces en la chica que acompañaba a su marido y comprendió la amarga verdad: ella ya no era una mujer.

15

Sam volvió a casa temprano para pasar la Nochebuena, después de despedir a Daphne, que se marchaba a Londres, en el aeropuerto.

Le había regalado una espectacular pulsera de brillantes y un alfiler con un corazón de rubíes que había comprado en Fred Leighton. Sam siempre había sido generoso y también a Alex le había comprado algo, aunque no tan importante. Para ella había escogido un bonito reloj Bulgari —sabía que a Alex le gustaba—, pero nada que expresara amor. No deseaba que lo malinterpretara.

La Navidad fue diferente y no hubo modo de disimularlo. Por mucho que lo intentaron, también Annabelle se dio cuenta y se echó a llorar cuando colocaron las galletas para Santa Claus y la sal y las zanahorias para sus renos.

—¿Y si no me trae lo que he pedido? —preguntó entre sollozos. Ni Sam ni Alex pudieron consolarla. Finalmente admitió que tenía miedo de que Santa Claus se enfadara con ella porque ese año le había pedido algo un poco más "difícil"—. Le pedí que mamá se ponga bien para dejar de tomar la medicina y que el pelo le vuelva a crecer —al oírla Alex tuvo que girar la cara para ocultar las lágrimas.

—¿Y qué te dijo él? —preguntó Sam, también emocionado. ·

—Me dijo que eso era cosa de Dios, no de Santa Claus.

—Tenía razón, princesa —le explicó Sam, mientras Alex se sonaba la nariz y se ajustaba la peluca, que era una de las largas—. Pero mamá se pondrá bien de todas formas y le volverá a crecer el pelo —a Sam le había sorprendido enterarse de que Alex había perdido el pelo. Estaba tan absorto en su aventura con Daphne que

207

no se daba cuenta de nada, no sabía lo que ocurría en casa, ni prestaba demasiada atención a sus negocios.

Larry y Tom le habían hecho preguntas molestas un par de veces. Por su parte Simon se había alegrado de que saliera con su prima. Larry le había comentado que él y Frances, su mujer, estaban muy apenados por Alex, dando a entender que también lo sentían por "ellos". Era evidente, dada su relación con Daphne, que su matrimonio atravesaba una crisis. Lo único que se le ocurrió a Sam fue que sus socios le tenían envidia. Jamás le pasó por la cabeza que lo consideraran un cabrón por abandonar a Alex cuando más lo necesitaba.

Al final Annabelle se calmó y consiguió dormirse. Parecía tan feliz al ver juntos a sus padres que a Alex se le partió el corazón.

—No me había dado cuenta de que se te había caído el pelo —le comentó Sam más tarde, en la cocina, con azoramiento, cogiendo una de las galletas destinadas a Santa Claus. Aquel año había menos de todo: menos galletas, menos pasteles, menos regalos. Incluso el abeto parecía más pequeño. Tampoco habían enviado tarjetas navideñas de felicitación. Alex no tenía ganas, ni hubiera sabido cómo firmarlas. ¿De Alex... y quizá de Sam...?

—No creí que quisieras saberlo —replicó Alex, intentando no pensar en la mujer que había visto el día anterior con su marido. Lo peor era que no se trataba de un lío pasajero, a todas luces. Viéndolos cualquiera supondría que estaban casados.

—Volverá a crecer —dijo Sam, incómodo como siempre en presencia de su mujer.

—El pelo sí, nuestro matrimonio no —dijo Alex con pena. Habían acordado no volver a hablar de ello todavía, pero le fue imposible evitarlo.

—¿Estás segura? —inquirió él mirándola directamente a los ojos.

—¿Tú no? Tengo la impresión de que tú ya te has decidido.

—Nunca se sabe. Los viejos tiempos no se olvidan fácilmente.

—A mí no me parecen tan viejos. Tal vez tú fueras desgraciado desde hace mucho tiempo.

—No creo que desgraciado sea la palabra. He estado confuso desde que te pusiste enferma. Eso te cambió —no era ni siquiera una acusación, se limitaba a afirmarlo. Para él, justificaba su comportamiento y era un billete hacia la libertad.

—Creo que nos ha cambiado a los dos. No creo que cosas como ésta te dejen igual que antes. Es un largo y duro camino hacia la supervivencia.

—Debe ser terrible —comentó Sam, mostrándose comprensivo por primera vez. Alex se dio cuenta entonces de que llevaba unos días más amable. El amor lo había aplacado; pero no era el amor por su mujer—. Has pasado por un trago muy amargo.

—Y aún queda más —dijo ella sonriendo—. Cuatro meses y medio exactamente.

—¿Y luego qué?

—Luego habrá que esperar a ver si se reproduce. La barrera de los cinco años parece ser la más importante. Se supone que tenía el tipo de tumor con mejores posibilidades y que la quimioterapia me dará aún más garantías. Imagino que uno sigue viviendo y procura no pensar en ello. Las mujeres que conozco y que se operaron ya hace años aseguran que no lo recuerdan más que cuando tienen que ir a la revisión anual. Ya me gustaría a mí haber llegado ahí. Ahora estoy bastante asustada —era la primera conversación sería que sostenían sobre el tema de su enfermedad. Alex estaba asombrada. Fuera quien fuera la chica, lo había vuelto casi humano. Pero no era agradecimiento lo que Alex sentía, sino envidia, tristeza e ira.

—Si se reprodujera —dijo Sam, intentando animarla—, supongo que podrías volver a luchar contra ello.

—No es probable —explicó Alex, deseando poder quitarse la peluca. Le picaba bastante la cabeza, pero no se atrevía a dejar que Sam la viera—. Salvo en contadas ocasiones no se sobrevive en caso de que se reproduzca. Por eso utilizan tratamientos tan agresivos la primera vez.

Sam empezaba a comprenderlo mejor. Al principio no le había parecido tan horrible, pero quizá porque no había querido prestarle la debida atención al ver a Alex después de estar con Daphne, sintió una gran lástima por su mujer, pero nada más. Sólo le quedaba compasión y el recuerdo de tiempos mejores.

—¿Qué vas a hacer mientras Annabelle esté fuera conmigo? —preguntó para cambiar de tema.

—Nada. Dormir, descansar, trabajar. Últimamente no tengo una gran vida social. Las pocas fuerzas que tengo las empleo en Annabelle y en mis casos.

—¿Por qué no te vas fuera tú también? A lo mejor te sentaría bien. ¿O no puedes?

—Sí que podría. Tengo dos semanas libres de tratamiento cada mes, pero prefiero quedarme aquí —no quería irse con Brock, al que apenas conocía, a pesar de su estrecha colaboración en el bufete, y tampoco quería irse sola. Prefería estar en su casa y en su cama, cerca de su médico por si tenía algún problema. En aquellos momentos se sentía muy introvertida y dependía mucho de las cosas que le eran familiares.

—No me gusta pensar que te quedarás aquí sola —dijo Sam con un tono de culpa en la voz. Extrañamente, al marcharse Daphne se sentía más responsable de Alex, pero tampoco eso le gustaba, porque era como si la enfermedad lo atase. En realidad se alegraba de poder marcharse.

—Estaré bien. No quiero ir a ninguna parte, y tengo mucho trabajo por hacer.

—Hay más cosas en la vida que el trabajo —comentó Sam con una sonrisa.

—¿Las hay, Sam?

Sam salió de la cocina sin responder, preguntándose si Alex se habría dado cuenta de que salía con otra, o si alguien se lo habría dicho. Lo dudaba. Estaba demasiado preocupada por sí misma para sospechar nada.

Todos los regalos de Annabelle estaban escondidos en un armario cerrado. Los pusieron bajo el árbol poco después de las nueve de la noche y luego se retiraron a sus respectivas habitaciones. Alex estuvo leyendo un rato. Oyó sonar el teléfono a medianoche, pero dejó que contestara Sam. Suponía que la llamada no era para ella, y tenía razón. Era Daphne, que acababa de llegar a Londres y echaba de menos a Sam. Al hablar con ella se dio cuenta de lo mucho que le deprimía estar con Alex, que parecía haber renunciado a vivir.

—Te echo muchísimo de menos, querido —le aseguró Daphne—. No sé cómo voy a soportar estar aquí sin ti. Date prisa en venir. Dios mío, hace un frío terrible —Daphne había olvidado el duro invierno londinense y la calefacción de su piso no funcionaba. Se quejó de que sólo tenía una chimenea y de que le faltaba Sam para calentarla.

—Para —le dijo él—, o me subo al primer Concorde que salga.

210

—Ojalá pudieras. No podré soportarlo.

Finalmente colgaron. Sam permaneció despierto pensando en ella, deseándola con toda su alma. Ni siquiera al principio de su relación con Alex había habido tanta pasión.

El día de Navidad, Annabelle se despertó a las seis de la mañana. Fue un día largo y alegre. Le gustaron todos sus regalos. A Sam le conmovió el lujoso regalo que le había comprado Alex y afirmó que le encantaba. También a Alex le gustó el reloj, pero comprendió que Sam ya no quería hacerle regalos personales y se sintió muy dolida.

Alex consiguió preparar rosbif y buñuelos, disimulando lo mejor que pudo su malestar. En general no resultó tan desastroso como el día de Acción de Gracias. Después de comer se tumbó un rato, y se puso la peluca más corta para que Annabelle y ella parecieran gemelas. Incluso Sam afirmó que le gustaba.

Alex llevaba un suéter rojo y unos pantalones de ante negros que le daban un aspecto muy atractivo. Tenía la cara un poco más llena y había subido de peso, pero no lo bastante como para afearla.

Por la tarde se fueron los tres a dar un paseo. Cogieron un taxi para ir al Rockefeller Center y ver a los patinadores. A Sam le recordaron a Daphne y volvió a echarla de menos.

Alex quedó agotada por el esfuerzo y tuvieron que regresar en taxi. Necesitó ayuda de Sam hasta para llegar a su dormitorio.

—¿Está bien mamá? —preguntó Annabelle.

Sam asintió, debatiéndose entre la compasión por Alex y la rabia por la angustia que provocaba en su hija con su enfermedad.

—Está bien —respondió con firmeza.

—¿No se pondrá mal mientras nosotros estamos en Florida?

—Estará perfectamente. Carmen la cuidará.

La niña se tranquilizó con las respuestas de su padre, que Alex confirmó en cierta medida levantándose para hacerle la maleta. Era divertido guardar las pequeñas cosas de su hija, pero de repente Alex notó que el pánico se apoderaba de ella. ¿Y si llegaba el día en que ya no pudiera ocuparse de su hija y Annabelle tenía que irse a vivir con Sam? Se sintió enferma otra vez sólo de pensar que también podía perderla a ella, y se sentó con el cuerpo tembloroso. Por fin recuperó la compostura y acabó de hacer la maleta. No iba a permitir que Sam o aquella mujer se quedaran con Annabelle. Fue el miedo lo que le hizo quedarse a cenar con su marido y su hija esa noche.

A la mañana siguiente ayudó a Annabelle a vestirse, le aseguró que se la pasaría muy bien con su padre y le dijo que la llamara cuando le apeteciera. Luego la abrazó con fuerza como si temiera no volver a verla. Annabelle percibió el pánico de su madre y se echó a llorar en el momento de la partida. Sabía por instinto que su madre se sentía muy sola.

—Te quiero —le dijo Alex con lágrimas en los ojos, cuando Sam y Annabelle se metían en el ascensor. Sam le lanzó la ya familiar mirada de fastidio, viendo que su hija no dejaba de llorar.

—Estará bien —le recordó a Annabelle mientras bajaban en el ascensor. Alex no tenía derecho a ponerse de aquella manera y asustar a la niña. Volvió con fuerza el resentimiento que le provocaba su mujer desde octubre, y se alegró de alejarse de ella.

Sam y Annabelle cogieron un taxi para ir al aeropuerto de La Guardia. Alex se quedó sola en su dormitorio, sintiéndose perdida. En ciertos aspectos había sido agradable estar de nuevo con Sam aquellos dos días, pero también muy doloroso. Era como mirar algo que ya no volvería a tener y recordar todos los motivos por los que lo había amado. Aún seguía queriendo a su marido, a pesar de todo, pero después de haberlo visto con la chica no tenía sentido seguir esperándolo, y era un alivio que se hubiera marchado.

Al cabo de un rato limpió la cocina e hizo la cama de Annabelle. Le había dado el día libre a Carmen, puesto que sin la niña no necesitaría ayuda. Vagó entonces por el apartamento hasta que decidió ducharse. Pensó en vestirse y dar un paseo, pero recordó el encuentro con Sam y la chica, tres días atrás, y se le fueron las ganas. De todas formas, cierto sentido espartano le dijo que al menos se duchara y vistiera. Para ello se quitó la peluca y casualmente se vio de reojo en el espejo: había quedado completamente calva. Se quitó también la bata y el camisón y se miró. Parecía un maniquí de los que se ven tirados y desmontados en el suelo de los grandes almacenes el día que cambian los escaparates.

Alex se echó a llorar, sintiéndose como un pájaro roto que vuela vacilante hasta el suelo para morir. Quiso morir, morir antes de que le arrebataran lo poco que le quedaba. ¿Por qué esperar a que Sam le pidiera el divorcio para casarse con aquella chica, y a que Annabelle se entusiasmara con ella? ¿Para qué esperar a que la mataran ellos, o la dejaran sola?

Mientras seguía de pie frente al espejo, llorando, oyó el teléfono, pero no se molestó en ir a contestar. La angustia de su enfermedad y de las duras realidades con las que se enfrentaba acabaron por revolverle el estómago y cayó de rodillas, acometida de nuevo por las arcadas. Cuando terminó todo, se tendió en el suelo un rato. Finalmente volvió a la cama tal como estaba y se enroscó bajo las sábanas. No comió nada en todo el día, y Sam y Annabelle no llamaron. Padre e hija habían huido hacia la vida, a un mundo de sol, mientras que ella yacía sola en las negras sombras de su propio invierno. Al final su estómago vacío volvió a reaccionar y tuvo que ir al cuarto de baño. El día transcurrió con lentitud para Alex, entre llantos y vómitos, acompañada siempre por el espectro calvo que veía en el espejo. No encendía las luces, pero lo veía.

Hacia el anochecer volvió a sonar el teléfono, pero tampoco esta vez se molestó en contestar. Sólo tenía deseos de acabar con todo y dejar de vivir.

El teléfono no cesaba de sonar, mientras Alex permanecía en la cama, deshecha en lágrimas, esperando a que parara. Al final no tuvo más remedio que cogerlo, pero no dijo nada.

—¿Hola?

Alex conocía la voz, pero no pensaba con claridad.

—¿Hola, Alex? —repitió la voz.

—Sí —respondió, aturdida—. ¿Quién es?

—Brock Stevens —por la manera de hablar de Alex, Brock se preguntó si estaría peor o si le habrían dado una dosis adicional en su tratamiento.

—Hola, Brock —dijo Alex por fin, pero sin la menor vitalidad—. ¿Dónde estás? —en realidad no le importaba, pero tenía que decir algo.

—Estoy en Connecticut, con unos amigos. Quería preguntarte otra vez si quieres venir a Vermont. Yo me voy mañana.

Alex sonrió. Brock era un gran chico, pero muy estúpido. ¿Para qué necesitaba una amiga moribunda?

—No puedo. Tengo trabajo.

—Nadie trabaja esta semana y, además, estamos al día en el bufete.

—De acuerdo —dijo Alex, notando que le volvían las arcadas—. Soy una mentirosa, pero no puedo ir de todas formas.

—¿Tienes a tu hija en casa? —preguntó Brock, resuelto a no ceder sin luchar. Estaba convencido de que el viaje le sentaría bien. Se lo había comentado a Liz y ambos estaban de acuerdo en que el aire fresco haría maravillas, siempre que no se cansara en exceso.

—Annabelle está en Florida —contestó Alex—. Y seguramente Sam está con su novia.

—¿Te lo ha dicho él? —quiso saber Brock, enfadado. Opinaba que el marido de Alex era un completo idiota que no la merecía, pero no podía decírselo a ella.

—Los vi juntos el día anterior a Nochebuena. Es una chica muy joven y muy guapa —hablaba como si estuviera borracha y Brock acabó preocupándose aún más—. Y estoy segura de que tiene dos de todo. Sam odia lo que no es perfecto.

—Alex, ¿te encuentras bien? —preguntó Brock, consultando su reloj y preguntándose cuánto tiempo le llevaría llegar a la ciudad. También podía llamar a Liz para que fuera ella. No le gustaba nada lo que oía. En el estado en que se encontraba Alex, y sola, podía hacer cualquier locura.

—Estoy bien —le aseguró ella, muy quieta y con los ojos cerrados—. Hoy se me ha caído el poco pelo que me quedaba. Ahora tengo un aspecto mucho más limpio.

—¿Por qué no descansas un rato? Estaré ahí dentro de una hora aproximadamente, ¿de acuerdo?

—De acuerdo —contestó Alex obedientemente, colgó el teléfono y se olvidó de Brock. Quería olvidarlo todo. Quizá si dejaba de comer durante seis días, estaría muerta cuando volviera Annabelle. Poco a poco la venció el sueño. Un rato después oyó una alarma, un timbre o un ruido. Procuró no hacerle caso durante un buen rato, hasta que se dio cuenta de que era el timbre de la puerta. No imaginaba quién podía ser, así que intentó poner oídos sordos a la llamada, pero el timbre sonaba sin cesar. Luego, quien llamaba se puso a aporrear la puerta y Alex no tuvo más remedio que ponerse la bata para ir a ver quién era. Echó un vistazo por la mirilla; era Brock Stevens. Sorprendida, abrió la puerta y se quedó mirando a Brock, que vestía un grueso suéter, pantalones de pana, parka y botas. Parecía traer con él un aire fresco y nuevo, pero su rostro reflejaba mucha preocupación.

—Me has dado un buen susto —dijo.

—¿Por qué? —Alex se balanceaba un poco, pero Brock la conocía demasiado bien para saber que no había bebido. Sencillamente estaba muy enferma y con toda probabilidad no había comido. Alex se hizo a un lado para dejarlo pasar. Entraron en la sala de estar y entonces Alex se vio en un espejo y advirtió que no llevaba peluca.

—Mierda —exclamó, mirando a Brock como una niña pequeña—, ya me viste.

—Te pareces a Sinead O'Connor, pero más guapa.

—Yo no sé cantar.

—Tampoco yo —dijo Brock, mirándola y pensando que en realidad se parecía a Audrey Hepburn. Era hermosa incluso sin el pelo. La belleza de su cara aparecía realzada, como si fuera un ser exquisito de otro planeta. En ella había una luminosidad que no dejaba nunca de afectarle—. ¿Qué ha ocurrido? —le preguntó. A través del teléfono había percibido algo extraño.

—No lo sé. Me vi en el espejo esta mañana y Annabelle se fue y yo volvía a estar enferma... es demasiado... Sam y esa otra mujer... ya no puedo seguir luchando. Sencillamente son demasiadas cosas.

—Así que has decidido rendirte —dijo Brock, enojado y hablando casi a gritos.

—Tengo derecho a tomar mis propias decisiones —replicó Alex, sobresaltada pero triste.

—¿Ah, sí? Tienes una hija pequeña, y aunque no la tuvieras, tienes obligaciones contigo misma, por no hablar de la gente que te quiere. Tienes que luchar contra esto, Alex. No será fácil, pero no puedes tumbarte y dejarte morir sólo porque "son demasiadas cosas".

—¿Y por qué no? —replicó ella con un completo desapego.

—Porque lo digo yo. ¿Has comido? —preguntó con tono agresivo, y no se sorprendió cuando Alex negó con la cabeza—. Ve a vestirte. Yo te haré algo de comer.

—No tengo hambre.

—No me importa. No voy a escuchar más sandeces —la cogió por los hombros y la sacudió suavemente—. Me importa un comino lo que te hayan podido hacer otros, o lo que pienses de tu vida ahora. Aunque te quedes en los huesos, con un pecho o con dos, y calva como un aguilucho, tienes la obligación de luchar por tu vida, Alex Parker. Por ti, por nadie más. Eres un bien precioso y los demás te necesitamos. Cuando te mires en el espejo y no te guste lo que veas, recuerda que esa mujer eres tú. Todos los adornos que puedas ponerte no significan nada. Eres exactamente la misma persona que eras antes de que todo eso ocurriera, o mejor. No lo olvides.

Alex lo contemplaba asombrada mientras él le echaba el sermón. Sin decir una sola palabra fue al cuarto de baño, se quitó la bata y abrió el grifo de la ducha. Entonces permaneció mirándose en el espejo durante largo rato y vio a la misma mujer que había visto por la mañana, pero, al mismo tiempo, comprendió que Brock tenía razón. No era por Annabelle ni por Sam ni por Brock, ni por nadie más por quien debía luchar, sino por sí misma, por lo que había sido, lo que era y siempre sería. Eso Sam no podría quitárselo lloró quedamente, pensando en lo que Brock acababa de decirle, se metió en la ducha y dejó que el agua caliente se deslizara por su cuerpo.

Después de la ducha se puso unos vaqueros, un suéter y la peluca corta que había dejado en el lavabo por la mañana. Finalmente entró descalza en la cocina.

—No tienes por qué ponerte peluca cuando estés conmigo —dijo Brock con una sonrisa—, a menos que te haga sentir mejor.

—Me siento extraña sin ella —admitió Alex.

Brock había preparado huevos revueltos, papas fritas y unas tostadas. Las papas eran demasiado para Alex, pero lo intentó con los huevos revueltos y las tostadas y consiguió comer un poco. No quería pasarse la noche en el cuarto de baño. Tenía el estómago hecho un asco, pero sospechaba que Sam estaba en lo cierto y que era una reacción emocional.

Durante un rato permanecieron en la cocina en silencio. Alex comentó luego que a Annabelle le habían gustado mucho todos sus regalos.

—Me divertí comprándolos —afirmó Brock—. Me gustan los niños —sonrió, aliviado al ver que Alex comía.

—Entonces, ¿por qué no te has casado? —preguntó Alex.

—Bartlett y Paskin no me dejan tiempo —contestó él con una sonrisa de adolescente que lo hacía muy atractivo.

—Tendremos que empezar a aligerarte de casos —bromeó Alex.

Siguieron charlando durante un rato sobre las fiestas, sobre lo difícil que habían sido para Alex aquellos dos días con Sam. Después Brock recogió los platos.

—No hace falta, Brock. Ya lo haré yo más tarde.

—Claro, ¿por qué no? Ya te ves capaz de escalar montañas, ¿no? Bueno, ¿qué me dices de Vermont? No he venido hasta aquí por motivos de salud, ¿sabes? He venido por ti —dijo, mirándola directamente a los ojos.

—Creo que es mejor que no vaya.

—No voy a renunciar tan fácilmente. También Liz cree que te caería bien el cambio de aires.

—¿Qué es esto? ¿Un comité? —comentó Alex riendo, pero también conmovida—. ¿Es que no le importa a nadie lo que piense yo?

—Francamente, no.

—¿No conoces a nadie real con quien pasar esta semana?

—Tú a mí me pareces muy real —replicó él con mirada resuelta.

—No te dejes engañar por este montón de pelusa —dijo Alex, sacudiendo la cabeza y señalándole la peluca—. Estoy demasiado enferma para ser divertida y, por si eso fuera poco, estoy casada.

—Tal como lo planteas no parece que lo estés, o al menos no lo estarás por mucho tiempo —comentó Brock sin rodeos.

—Pues sí que me animas mucho —dijo Alex, riendo todavía—. Bueno, digamos que soy mercancía de segunda mano —Alex se interrumpió y se le quedó mirando. Luego agregó—: ¿Me estás pidiendo que vaya contigo como pareja? —era obvio que le resultaba difícil de creer.

—No —contestó Brock con una carcajada—. Pero si te hace sentir mejor, estaré encantado. Te lo pido como colega, un colega al que le gustaría ver un poco de color en esa cara pálida, que te sentaras frente al fuego para beber un chocolate caliente y que te fueras a dormir por la noche pensando que estás con amigos y no sola en un apartamento de la ciudad.

—Es una descripción muy agradable para un chico de tu edad.

—Es que lo es. Y tengo mucha experiencia en cuidar y alimentar a ancianitas como tú. Ya te dije que mi hermana tenía, tiene, diez años más que yo.

—Dale el pésame de mi parte —dijo Alex—. Seguro que no pudo negarse.

—Por eso vine a verte —continuó él, con una agradable sonrisa.

—Creía que habías venido a comer gratis.

—Eso también.

—Debes haberte aburrido mucho en Connecticut —Alex seguía con la broma. Se la pasaban muy bien juntos.

—Me he aburrido en Connecticut. Bueno, ¿vas a venir o qué?

—¿Quieres decir que tengo alternativa? Empezaba a pensar que me ibas a cargar sobre el hombro para llevarme a la fuerza.

—No está descartado, si no te portas bien.

—Estás tan loco como una cabra, ¿lo sabes? ¿Para qué me necesitas, para que me pase todo el camino hasta Vermont vomitando y llegue medio muerta?

—Ya estoy acostumbrado. No sabría qué hacer sin eso.

—Estás loco.

—Tú en cambio eres muy guapa, y para esto están los amigos.

—¿Sí? —dijo Alex, conmovida—. Pensaba que sólo servían para comprarte los regalos de Navidad, ocuparse de todos tus casos y recogerte del suelo del cuarto de baño cuando te pones enferma.

—Cierra la boca y haz la maleta. Me voy a poner colorado.

—Imposible.

—Te recogeré a las ocho, ¿o es demasiado pronto? —preguntó Brock, preocupado.

—A las ocho está bien. Y tú, ¿estás seguro? ¿Y si quieres ligar?

—Es una casa grande. Te encerraré en tu habitación. Lo prometo.

Ambos sonreían mientras se dirigían a la puerta. De repente Alex estaba impaciente por marcharse con él. Algo había cambiado en ella, deseaba aferrarse a la vida y, más que nada en el mundo, superar su enfermedad. Tenía que hacerlo.

16

Los días pasados en Vermont fueron los más felices de Alex en mucho tiempo. Antes de marcharse, llamó a Sam para informarle dónde podía encontrarla, y su marido se sorprendió al oír que se iba fuera de la ciudad.

—No sabía que podías viajar —dijo con tono preocupado—. ¿Estás segura de que estarás bien allí? ¿Quién está contigo?

—Un amigo del trabajo. Estoy bien. Nos veremos en Nueva York el día de Año Nuevo —le dio el número de Vermont, pero Sam no la llamó.

La casa que habían prestado a Brock era sencilla, pero muy confortable. Tenía cuatro dormitorios y una especie de dormitorio común. Brock cedió a Alex la mayor de las habitaciones que había en el piso superior y él ocupó una pequeña de la planta baja para no molestarla. Durante el día se sentaban juntos como viejos amigos para leer o hacer crucigramas, y libraban batallas de bolas de nieve como chiquillos.

También dieron largos paseos por la nieve y Alex intentó esquiar, pero resultó un esfuerzo excesivo. De todas formas se sentía mucho más saludable y sólo tuvo un día realmente malo, pero se quedó en la cama y por la noche estaba mucho mejor.

Brock halló un viejo trineo en el garaje el día posterior a su llegada y en ocasiones lo utilizaba para llevar a Alex y evitar así que se cansara.

Por las noches se encargaba también de hacer la cena y cuando Alex le decía que saliera con sus amigos, él se limitaba a reír y afirmaba que estaba muy cansado. Una noche fueron a cenar a Chez

219

Henri y disfrutaron muchísimo. Otro día se encontraron en la posada para para comer después de que Brock estuviera esquiando. Alex no dejaba de señalarle las chicas guapas y también le mostró discretamente un grupo de jóvenes y atractivas esquiadoras con las que pensaba que él se la pasaría mejor.

—Tienen catorce años, por el amor de Dios. ¿Es que quieres que me arresten? —comentó entre las risas de ambos.

—¡No es cierto! Lo menos tienen veinticinco —afirmó Alex, fingiéndose ofendida.

—Es lo mismo —a Brock no le atraían ni las treintañeras. Era feliz con Alex, pero no intentaba nunca propasarse ni la hacía sentirse incómoda. Hablaban mucho de Sam. Alex tuvo que admitir que le había dolido mucho verlo con otra mujer.

—Creo que yo lo hubiera matado. O a ella —comentó Brock.

—No tiene sentido —dijo Alex, negando con la cabeza—. No es culpa de la chica. Sencillamente ocurrió. Y creo que cuando me miro al espejo lo comprendo.

—Ésas son tonterías —Brock se enfadaba cuando la oía decir esas cosas—. ¿Y si le hubiera ocurrido a él? ¿Y si él hubiera perdido un brazo, una pierna o un testículo? ¿Lo hubieras mandado a paseo?

—No, pero es que somos diferentes. Y supongo que esto... es un símbolo de la femineidad. No creo que haya muchos hombres que lo sepan llevar mejor. No todos los maridos son como el de Liz.

—No creo que un hombre tenga que tirar su matrimonio por la borda sólo porque su mujer ha perdido un pecho, el pelo o un zapato. No sé cómo puedes aceptarlo —Brock hablaba enardecido por la indignación.

Alex lo miró con una sonrisa maternal.

—No tengo otra elección por el momento. Él es así, Brock, lisa y llanamente.

—¿Y eso es todo? ¿Te rindes y ya está? —preguntó Brock, escandalizado por su falta de espíritu de lucha.

—¿Qué sugieres que haga? ¿Pegarle un tiro a esa chica?

—Pegárselo a él —replicó Brock—. Se lo merece.

—Eres un romántico —lo acusó Alex.

—También tú.

—¿Y qué? Con eso no pagaré el alquiler ni conservaré a mi marido. Él odia todo lo que sea deforme o enfermo. Ni siquiera es capaz de mirarme. Me vio una vez la cicatriz después de la operación y casi se desmaya. Lo pongo enfermo. Es difícil que podamos seguir siendo un matrimonio feliz.

—Admítelo. Es un cobarde.

—Quizá, pero tiene muy buen gusto para las mujeres. La chica es muy guapa, Brock. De hecho tiene la edad perfecta para ti. Tal vez deberías echarle los perros y hacer que Sam tenga que competir por ella.

A Brock no le pareció el momento adecuado para decirle que era a ella a quien quería echarle los perros. Estaban muy a gusto y no quería estropearlo.

Pasaron la noche de Fin de Año en casa viendo la televisión, comiendo palomitas y hablando sobre sus sueños de adolescencia, sus carreras respectivas y lo que esperaban para el futuro. Alex le deseó una mujer que supiera cuidar de él. Por su parte Brock le deseó salud y felicidad en la forma que ella prefiriera. A medianoche cantaron la típica canción de despedida del año en perfecta armonía.

Al día siguiente los dos se pusieron tristes por tener que marcharse. Sin embargo, Alex volvía a casa con nuevas fuerzas para luchar contra su enfermedad.

Durante el trayecto a Nueva York, Alex permaneció silenciosa, pensando en volver a ver a Sam, aunque sólo fuera por una noche. Imaginaba que su marido se marchaba a Europa con aquella chica. De vez en cuando Brock le preguntaba si se encontraba bien y ella contestaba que sí, pero siempre perdida en sus pensamientos. Mientras rodaban por la autopista, Brock le cogió la mano durante un rato para animarla.

Llegaron a casa de Alex al atardecer. Brock parecía realmente triste cuando la dejó en la puerta, y Alex se quedó sentada en el coche un minuto más, preguntándose cómo darle las gracias.

—Me has devuelto la vida, ¿lo sabes? Me la he pasado en grande.

—Yo también —afirmó Brock, acariciándole suavemente la mejilla con los dedos—. No dejes que nadie te menosprecie. Eres la mujer más extraordinaria que conozco —tenía lágrimas en los ojos al decirlo. Sabía llegar al corazón de Alex con muy poco esfuerzo.

—Te quiero, ¿lo sabías? Y eres un tonto. La única persona extraordinaria que hay por aquí eres tú. Serás un partido maravilloso para una chica afortunada.

—Estoy esperando a Annabelle —replicó él con su característica sonrisa de adolescente, que a Alex tanto le gustaba.

—Es afortunada. Gracias de nuevo, Brock —le dio un beso en la mejilla y le entregó su bolsa al portero.

Cuando Sam y Annabelle volvieron a casa por la noche, encontraron a Alex con mucho mejor aspecto.

Annabelle tenía muchas cosas que contar sobre Disneylandia. Reía y bostezaba al mismo tiempo. Se durmió en cuanto le dio un beso a Alex.

—Parece que se la ha pasado de miedo —dijo Alex con una sonrisa.

Sam también le notaba algo diferente. Parecía como si su mujer hubiera hecho las paces consigo misma y con lo que le estaba ocurriendo.

—Y yo —dijo—. Es muy buena compañía. Me ha sabido muy mal tener que volver.

—La he echado mucho de menos —admitió Alex.

Ellos no se habían echado de menos, o al menos nada dijeron. Su matrimonio era pura fórmula.

Sam se marchó a Londres a la mañana siguiente, mientras Annabelle y su madre desayunaban. Prometió llamar en cuanto llegara a Suiza y Annabelle le recordó que debía volver a tiempo para su cumpleaños. Cuando se fue, la niña miró a Alex sorprendida, porque su padre no le había dado un beso. Sin embargo, no preguntó por qué. Hasta la propia Annabelle notaba que las cosas habían cambiado entre sus padres.

El resto de la semana pasó en un suspiro. Alex llevó a su hija a ballet y pasó un tranquilo fin de semana con ella. El lunes siguiente volvió a empezar la pesadilla. Después de la intravenosa se puso peor que nunca. Cuando llegó a la oficina se sentía como si estuviera a punto de morirse y tuvo que volver a casa después del mediodía. Cuando Annabelle la vio, vomitando sin cesar y sin la peluca, se echó a llorar.

Alex fue al bufete al día siguiente, pero el día se le hizo interminable y a duras penas volvió a casa, arrastrándose. Esta vez fue ella la que encontró a Carmen llorando a lágrima viva, y Alex sólo pudo sacarle un histérico torrente de frases en español. Lo comprendió todo cuando vio a su hija. La niña se había cortado a rape sus preciosos rizos pelirrojos para parecerse más a su madre.

222

—Oh, cariño mío, ¿por qué lo hiciste? —exclamó Alex, preguntándose cómo se lo explicaría a su padre.

—Quiero parecerme a ti —replicó Annabelle entre sollozos, sintiéndose culpable por lo que había hecho. La enfermedad de su madre la tenía aterrada y también estaba nerviosa por la ausencia de su padre, que llevaba ya una semana fuera.

Alex intentó volver a explicarle su enfermedad y leyeron juntas *Mamá se va a poner bien*, pero no sirvió de nada. Alex estaba demasiado trastornada para poner mucha convicción o energía en sus explicaciones y Annabelle demasiado nerviosa para atenderlas. La maestra de Annabelle, además, llamó a Alex para comentar que la niña la estaba pasando muy mal y hablaba mucho de la enfermedad de su madre y de sus tratamientos. No lo expresó así, pero la maestra creía que lo que más aterraba a Annabelle era que su madre muriera. Alex estaba demasiado enferma y exhausta para ayudar a su hija, y ninguna de ellas recibía el apoyo de Sam.

Para empeorar las cosas, daba la impresión de que cada vez se ponía más enferma con el tratamiento, en lugar de mejorar. Al final de la semana, ni siquiera pudo ir al bufete, pero se acercaba la fiesta de cumpleaños de Annabelle y era ella quien debía organizarla. Esta fiesta era sumamente importante, porque Annabelle necesitaba recuperar un cierto sentido de la normalidad que la tranquilizara.

Liz se ocupó de comprar la mayoría de los regalos y adornos. Pero cuando llegó el día señalado, el pastelero envió un pastel equivocado y Alex se había olvidado de llamar al payaso. Cuatro chicos, entre ellos la mejor amiga de Annabelle, tenían gripe, así que la fiesta acabó siendo un desastre completo, a pesar de la ayuda de Carmen. Alex se echó a llorar al ver la decepción pintada en el rostro de su hija.

Sam había llegado la noche anterior, cansado por el vuelo transoceánico e irritable. Era evidente que no le había hecho mucha gracia tener que volver, pero cuando vio la cabeza rapada de Annabelle, se puso como loco.

—¿Cómo pudiste dejar que hiciera una cosa así? ¿Cómo pudiste? ¿Por qué dejaste que te viera sin la peluca? —bramó.

—Por Dios, Sam, estaba en el suelo y vomitando. No puedo estar pendiente de mi aspecto a cada momento. Estoy enferma —Alex no se dio cuenta, pero Annabelle los estaba escuchando con los ojos muy abiertos por el miedo.

—Entonces no debería estar contigo —afirmó Sam.

Alex lo miró horrorizada y se lanzó sobre él para darle una bofetada. La niña empezó a llorar descontroladamente, pero sus padres siguieron peleándose.

—¡No vuelvas a decirme eso! ¡La niña no va a irse a ninguna parte! ¡Que no se te olvide! —le gritó Alex.

—No estás en condiciones de cuidarla —replicó él, también a voz en cuello, fuera de sí, mientras Annabelle corría a los brazos de su madre.

—Y tanto que sí —espetó Alex—, y si te atreves a llevártela, hijo de puta, te meteré un pleito por discriminación que te las hará ver negras. Se queda conmigo, ¿está claro? —se aferró a la niña, temblando toda ella.

—Entonces no te quites la peluca —replicó Sam. Empezaba a aplacarse a causa de las amenazas de Alex y del llanto de Annabelle. La niña no quería que la separaran de su madre, pero tampoco le gustaba que sus padres discutieran de aquella manera. Intuía que era por ella, pero no acababa de entender a propósito de qué.

Sam abandonó el apartamento en cuanto se acostó Annabelle. Al día siguiente, Alex y él se sentaron a hablar seriamente. Su acuerdo previo no funcionaba; Sam tenía que irse y ambos lo sabían. Su batalla del día anterior delante de Annabelle los había dejado trastornados. Sin embargo, Sam dejó atónita a Alex comunicándole que no creía que debiera irse hasta que ella acabara el tratamiento. En lo que a él concernía, el incidente del pelo de Annabelle lo demostraba. Opinaba que su presencia era necesaria para poder vigilar a su hija y evitar que se angustiara mientras su madre siguiera enferma.

—No te necesito de niñera, Sam. Puedes marcharte cuando quieras.

—Me iré en mayo, cuando hayas terminado con la quimioterapia —repitió él con absoluta firmeza.

—Te oigo y no lo creo. ¿Te quedas a causa de la quimioterapia?

—Me quedo por el bien de Annabelle, por si te pones demasiado enferma para cuidarla. Me iré cuando termines.

—Estoy asombrada. ¿Y luego qué, Sam? —Alex seguía presionándolo porque quería saber si pensaba casarse con su nuevo amor, y también quién era ella, pero Sam no estaba dispuesto todavía a contar sus secretos.

224

—Aún no lo he decidido.

A Alex le parecía evidente. Veía a su marido rejuvenecido, feliz y enamorado.

—¿Crees que podrás soportarlo? —preguntó Alex.

—Si tú puedes yo también. No estaré en casa continuamente, pero sí cuando Annabelle me necesite.

—Te lo agradezco —dijo Alex a regañadientes, deseando que se fuera, pero temiendo que lo hiciera. En realidad no era más que un aplazamiento de lo inevitable y no valía la pena que siguiera engañándose.

Cuando habló con Brock al día siguiente y le contó el contenido de esta charla, su joven ayudante se quedó de piedra. El arreglo era beneficioso para Annabelle, sí, pero para nadie más. Y nadie más consciente de ello que Daphne. Parecía una niña enfurruñada cuando Sam le dijo que seguiría viviendo con Alex hasta mayo.

—Tenía tantas ganas de que vinieras a vivir conmigo enseguida —se lamentó ella. Las dos semanas en Europa habían sido maravillosas. Después de esquiar en Gstaad habían ido a París, donde Sam se había gastado una auténtica fortuna en Cartier, Van Cleef, Hermès, Dior, Chanel, Givenchy, y en cualquier otra boutique de la que se enamorara Daphne, pero lo que ella quería era a Sam. De todos modos, su apartamento era demasiado pequeño para los dos, y Sam le aseguró que compraría uno para ellos en mayo.

—No falta tanto —añadió. Por otra parte, no era imprescindible que durmiera en su casa, podía pasar la mayoría de las noches con Daphne, como había estado haciendo. También quería que Annabelle conociera a Daphne, pero temía que resultara demasiado confuso para la niña y se lo contara a su madre, y además Daphne no se mostraba muy entusiasmada con la idea. Desde un principio ella le había advertido que no le gustaban mucho los niños. Era una mujer sensual que aprovechaba cualquier momento, cualquier oportunidad. Durante su estancia en Europa habían llegado a hacer el amor en un probador de Givenchy y en otro de Dior.

Alex volvió a verlos brevemente en febrero, un sábado por la tarde. Sam y Daphne acababan de salir de la exposición de joyas que subastaban en Christie's; Sam había dejado una puja por un anillo de esmeraldas para Daphne. Alex los vio subir por Park Avenue ajenos a todo salvo a ellos mismos y se entristeció. Muchas cosas la ponían triste en aquellos días; la expresión de Annabelle cuando su padre se iba, por ejemplo, o cuando preguntaba por él y Alex tenía que buscar excusas para explicar por qué no dormía en casa casi nunca.

No se animó tampoco cuando la doctora Webber le sugirió que recurriera a la cirugía plástica. A Alex no le gustaba lo que veía, pero se había acostumbrado. Se extrañó cuando habló del tema con Brock y éste opinó que debía hacérsela.

—¿Qué diferencia hay entre tener un pecho o dos? ¿A quién le importa? —replicó Alex con tono beligerante, mientras comían en Le Relais durante una de sus mejores semanas.

—Te importa a ti, o debería. No puedes vivir como una monja el resto de tu vida.

—¿Por qué no? El negro me sienta muy bien y ni siquiera tendré que afeitarme la cabeza —señaló la peluca que llevaba, la más larga y espectacular, y Brock hizo una mueca.

—Eres odiosa. Hablo en serio. Llegará el día en que te importe.

—No, no es cierto. Me gusta ser un monstruo. ¿Qué más da? Si alguien me quisiera de verdad, ¿le importaría que me hiciera un implante? Diablos, no estamos hablando de Sam. Para que él me hiciera caso tendría que ponerme nuevas las dos tetas para competir con su putita inglesa.

—Déjate de historias —Brock la miró pensativo—. Sigo creyendo que deberías hacerlo. Te hará sentir bien. No te pondrás histérica cada vez que te mires en el espejo.

—¿Te importaría a ti? —le preguntó Alex sin rodeos—. Si conocieras a una chica con un solo pecho, quiero decir.

—Podría ahorrarte un montón de tiempo —contestó él con tono burlón—. Te ahorraría todo ese montón de decisiones difíciles. No me importaría —añadió—, pero yo no soy un hombre corriente y soy más joven. Las personas de tu edad están más obsesionadas por las apariencias y la perfección.

—Sí, como Sam. Ya sabemos todo eso, gracias. Muy bien, entonces, según tú, lo que necesito es la cirugía plástica o buscarme un hombre más joven.

—Básicamente es eso —admitió él, volviendo a adoptar su tono burlón. Siempre había querido decirle ciertas cosas, pero no parecía hallar nunca el momento adecuado.

—Sigo pensando que tiene demasiados inconvenientes. Incluso la doctora reconoció que es muy doloroso. Y todo el proceso parece repugnante. Te quitan un poco de piel de aquí, otro poco de allá, te hacen túneles y colgajos y bultos y lazos. Diablos, ¿por qué no me pinto uno por si encuentro a alguien que me guste? Me lo podría hacer de cualquier forma, tamaño o color. Mira, creo que ya he dado con la solución.

Brock se echó a reír y le tiró una servilleta.

—Estás obsesionada.

—¿Y te parece raro? Perdí a mi marido junto con mi pecho, y el tipo va y se enreda con una chica que tiene dos. ¿Eso no te indica nada? Por lo menos reconocerás que Sam es un avaricioso.

—Te repito que deberías hacerlo.

—Creo que en vez de eso me haré un *lifting*. O quizá me arregle la nariz.

—Volvamos al trabajo antes de que decidas cambiarte las orejas —a Brock le encantaba estar con Alex y también con Annabelle. Se había encontrado con la niña varias veces cuando iba a casa de Alex para llevarle papeles del bufete. A Annabelle le parecía divertido y le gustaba jugar con él. Incluso había ido con él a patinar un día en que Alex estaba muy mal, Carmen estaba agripada y Sam había desaparecido con Daphne.

En el camino de vuelta al bufete, Brock y Alex charlaron sobre sus últimos casos. Alex no había ido a juicio en cuatro meses, pero aún no había decidido si podía ocuparse del próximo con ayuda de Brock. Le tentaba la idea, pero no quería ofrecer a su cliente menos de lo que merecía. Finalmente decidió cedérselo a Matthew Billings.

En marzo Brock volvió a invitarla a Vermont durante un fin de semana en que Annabelle se marchaba con su padre. Alex aceptó y se la pasó muy bien. En esta ocasión consiguió esquiar incluso. Sólo le quedaban ocho semanas de quimioterapia. Alex ansiaba desesperadamente que llegara el fin, pero también lo temía, porque Sam se iría para siempre. Aunque Alex había llamado putita a su novia, estaba convencida de que acabarían casándose. Siempre que Alex intentaba sonsacarle, él se mostraba muy evasivo. Jamás había reconocido que estuviera con otra, pero era evidente para todos que Alex lo sabía.

El fin del tratamiento significaría también que Alex tendría que emprender una nueva vida. Desde luego que volvería a las salas de los tribunales, pero no sabía qué más quería hacer.

Volvían de la telesilla de Sugarbusch cuando Brock le repitió que lo peor ya había pasado. Alex lo miró pensativamente y comprendió que tenía razón.

Brock había sido su ayuda constante, incluso la había acompañado a la consulta de la doctora Webber en una ocasión para comprender mejor todo el proceso, y no había soltado la mano de Alex en ningún momento. Pocas eran las cosas que no hubiera hecho por ella en los últimos seis meses.

Esa noche volvieron a hablar de la cirugía plástica mientras cenaban lo que había cocinado Alex. Brock bromeaba con ella, afirmando que no era tan buena cocinera como él.

—Y un cuerno. ¿Sabes hacer souflé? —dijo Alex, alardeando de sus habilidades.

—Para nada —mintió Brock.

—Bueno, yo tampoco —reconoció ella riendo, y siguieron hablando de la cirugía. Algunas veces bromeaban para mitigar la seriedad de los temas que abordaban—. No me importa —insistió Alex, que en realidad no quería hablar más de ello.

—Deberías —su argumento era ya familiar. De repente Alex se dio vuelta y se le quedó mirando. Después de tantos meses de tratamiento compartido, no sentía el menor pudor ante él. Alex se preguntaba qué opinaría de su cicatriz si la veía.

—¿Quieres verlo? —inquirió, como una niña ofreciéndose a quitarse las pantaletas delante de uno de sus compañeros de juegos. Por un momento se sintió un poco rara y soltó una risita nerviosa.

—Sí —contestó Brock, mirándola con seriedad—. Siempre me he preguntado cómo sería. En realidad no creí nunca que sea tan horrible como lo pintas.

—Lo es —le advirtió. Sin embargo, sabía que tenía mucho mejor aspecto que en octubre. De repente, sin avisar, se quitó el suéter y se desabrochó lentamente la blusa, se la quitó y, tras una leve vacilación, se quitó también la camiseta térmica y quedó con el torso desnudo. Fue como un *strip-tease* lento y muy respetable.

Brock la miró primero a los ojos. Fue una mirada limpia y sencilla, y con ella Brock le entregaba su corazón. Alex tenía un aspecto joven y dulce, y muy vulnerable con un pecho aún firme y sin el otro. Brock no lo pensó, extendió los brazos hacia ella y la atrajo poco a poco hacia sí. No podía demostrarle más que lo sentía.

La había amado durante demasiado tiempo para ocultarlo en el momento de aquel gesto suyo, tan valiente.

—Eres tan hermosa —le susurró al oído—. Eres tan perfecta y valiente... y tan decente, Alex —la apartó ligeramente para volver a mirarla—. Creo que eres maravillosa.

—¿Con un pecho o con dos? —inquirió Alex con una sonrisa tímida, sorprendida por el súbito cariño con que Brock había reaccionado, y emocionada hasta lo más profundo de su ser.

—Te amo tal como eres. Tenías razón —volvió a estrecharla contra sí—. Te amo de cualquier forma —añadió, más enamorado que nunca.

—Se suponía que ibas a darme una opinión objetiva —protestó Alex con voz queda. También ella se sentía de repente atraída por Brock y estaba sorprendida. Su relación había sido casta durante tanto tiempo que no estaba preparada para aquel impulso de sensualidad y amor.

—Te estoy dando una opinión objetiva —susurró él, rozando su rostro suavemente con los labios—. Eres muy, muy hermosa, y no puedo dejar de tocarte —entonces, muy despacio, con una ternura que Alex no había recibido jamás, Brock la besó mientras con una mano le acariciaba suavemente el pecho y le pasaba la otra dulcemente por la cicatriz; luego recorrió su estómago y su espalda. Mientras la abrazaba estrechamente entre sus fuertes brazos, Alex notó que se quedaba sin respiración y se entregó al apasionado beso de Brock con placer.

—Brock... ¿qué estamos haciendo? —dijo, incapaz casi de pensar—. ¿Qué estamos... qué...? Ohhh... —gimió suavemente, cuando Brock le bajó la cremallera de los pantalones y se los quitó despacio. Sin pensarlo, Alex sacó los pies de los pantalones. Entonces Brock empezó a explorar sus piernas, sus caderas y sus muslos mientras Alex le iba quitando la ropa, hasta que ambos quedaron completamente desnudos. Brock la llevó hasta el sofá que había frente a la chimenea encendida y acarició cada centímetro de su piel con los labios. Le besó el pecho y la cicatriz, y luego dejó que su lengua se moviera lentamente hacia abajo, notando que Alex se arqueaba bajo sus caricias—. Oh, Brock... oh, Brock... —a Alex le costaba creer que estuvieran haciendo el amor. De repente Brock no era sólo un amigo; era parte de su vida y de su cuerpo cuando la penetró y ambos emitieron un largo y suave gemido de deseo infinito. Se movieron rítmicamente durante largo tiempo, calentados por el fuego que chisporroteaba alegremente. De repente Brock soltó un grito y Alex tuvo un estremecimiento salvaje cuando alcanzaron el orgasmo al unísono. Se quedaron entonces inmóviles, en un silencio atónito, el uno en brazos del otro. Brock la había deseado durante mucho tiempo sin que Alex se diera cuenta. Habían crecido juntos lentamente, como dos árboles cuyas hojas iban entrelazándose y cuyas raíces acababan convirtiéndose en una sola.

—Oh, Dios mío, ¿qué ha ocurrido? —Alex sonreía lánguidamente.

Brock volvió a besarla y la apretó contra sí con más fuerza, aún dentro de ella.

—¿Quieres que te lo explique? No sabes, nunca sabrás cuánto te he deseado. Nunca sabrás cuánto te he amado y rezado por que llegase este momento —dijo con una sonrisa.

—¿Dónde estaba yo mientras ocurría todo eso? —comentó Alex con expresión perpleja, pero dichosa. Se sentía muy feliz. Brock era sensible, bueno y muy sexy. Hacía tanto que eran amigos que la transición hacia el amor había resultado sencilla y natural—. ¿Cómo pude pasar por alto tus sentimientos? —volvió a preguntar, sintiéndose muy estúpida.

—Estabas demasiado ocupada vomitando.

—Eso parece. Me alegro de haber hecho algo tan sutil como quitarme la ropa —de repente rompió a reír ante su propia ingenuidad hasta ese momento. Le parecía increíble que hubieran hecho el amor sin intentar ocultar su "deformidad". Y entonces Brock le quitó la peluca y la arrojó a un lado. No había necesidad de artificio alguno entre ellos—. Supongo que esto significa que no habrá cirugía. Me he quedado con el chico joven en su lugar. ¿No era ésa la alternativa? —Alex sonreía radiante, pero de pronto pareció preocupada—. ¿Te das cuenta de la edad que tengo, joven loco? Tengo diez años más que tú. Prácticamente podría ser tu madre.

—Pamplinas. Te comportas como si tuvieras doce años. No sabrías desenvolverte sin mí —replicó Brock, pero sin arrogancia ni fingimiento.

—Eso es cierto, pero sigo siendo mayor que tú.

—No me impresionas.

—Pues debería. Cuando tú tengas noventa yo tendré cien.

—Cerraré los ojos cuando hagamos el amor —le aseguró.

—Te prestaré mi peluca.

—Bien —Brock cogió la peluca y se la puso. Alex prorrumpió en carcajadas, mientras él la besaba, nuevamente excitado. Súbitamente sus besos tenían una premura, una insistencia que sólo el cuerpo de Alex podía saciar. Hicieron de nuevo el amor junto al fuego. Finalmente, temiendo que Alex se agotara, Brock fue a buscar una manta para cubrirse y se durmieron abrazados. Antes de quedar dormido, Brock se dijo que haría cualquier cosa por conservar a Alex, ahora que por fin era suya. Tenía el firme propósito de mantenerse a su lado para siemore.

17

Brock fue con Alex a la sesión de quimioterapia la semana siguiente a la que habían pasado en Vermont, y permaneció sentado tranquilamente junto a ella durante el examen y la intravenosa. Todas las radiografías y pruebas que le habían hecho a Alex con el escáner habían tenido resultados positivos y sólo le quedaban siete semanas de tratamiento. La doctora Webber estaba muy satisfecha e incluyó a Brock en sus explicaciones, tratándolo como si fuera el marido de Alex.

—Es extraño —dijo Alex con una tímida sonrisa cuando volvían al bufete en taxi. Se apoyaba en él y volvía a sentir náuseas, pero estaba muy relajada.

—¿Qué es extraño? —preguntó él, contemplándola para asegurarse de que estaba bien dentro de su estado.

—Nosotros —Alex sonrió y se ajustó la peluca, que se le había torcido—. La gente nos trata como si estuviéramos casados. ¿Te has dado cuenta? Ayer en Sugarbush el tendero pensó que eras mi marido, y la doctora Webber actúa como si hubieras ido conmigo a todas las sesiones. ¿Es que no se da cuenta nadie de que casi podría ser tu madre? —le sorprendía lo fácil que resultaba todo. Su relación física sólo databa de tres días atrás, pero parecía ya completamente natural, no sólo a ellos, sino a cuantos los rodeaban.

—Supongo que no lo notan —comentó él, besándola en la nariz—. Eso quiere decir que no es cierto, ¿verdad, mamá?

—Deberías estar jugando con jovencitas de catorce años, fuertes y sanas.

—Ocúpate de tus propios asuntos, abogada.

Lo cierto era que debían mantener su relación en secreto dentro de la firma si no querían que Brock, como asociado de menor antigüedad, perdiera su empleo.

Durante el trayecto iban charlando. Al cabo de un rato quedaron atascados a causa del denso tráfico. Fue demasiado tiempo; Alex empezó a padecer los efectos de la quimioterapia tres calles antes de llegar a su destino y tuvieron que bajar. Brock la sostuvo suavemente mientras vomitaba en una alcantarilla de Park Avenue delante de docenas de personas que aguardaban en la acera. Fue una experiencia mortificante para Alex, pero no podía evitarlo. Incluso al taxista le dio pena. Brock le pidió que esperara. Alex tardó media hora en estar en condiciones de reanudar la marcha. Brock quería llevarla a casa, pero Alex insistió en volver al despacho con él.

—Déjate de tonterías, por todos los santos. Necesitas descansar.

—Tengo trabajo que hacer —sonrió a pesar de su estado—. No creas que ahora puedes mangonearme porque esté enamorada de ti.

—Eso sería demasiado fácil.

Brock pagó al taxista y la llevó hasta su despacho, sosteniéndola, pero nadie pensó que hubiera nada más. Todos los que los conocían sabían que Alex estaba enferma.

Liz fue a buscarle una taza de té. Alex estuvo una hora en el suelo del cuarto de baño con Brock a su lado. Cuando se sintió un poco mejor, empezaron a hablar sobre uno de sus casos.

—Esto es morboso —dijo Alex por fin—. Trabajamos más en este cuarto de baño que en mi casa.

—Ya no durará mucho —le recordó él.

A las cinco Brock la llevó a casa y luego volvió al bufete, donde estuvo hasta las nueve. Antes de abandonar la oficina la llamó. Sam no estaba y Brock quería saber si podía pasar un rato con ella.

—¿Te encuentras con ánimos? —preguntó amablemente.

—Claro. Me encantaría verte —a Alex todavía le parecía un sueño lo que había ocurrido en Vermont, hasta que Brock apareció media hora más tarde con flores, y la besó. Alex llevaba camisón y bata, y también se había puesto una peluca.

—Estás mejor sin ella. Más sexy.

—Estás loco.

—Por ti —susurró él, acompañándola a la cama y besándola una vez más. Fue después a la cocina y puso las flores en un jarrón.

Alex se sentía mucho mejor que por la tarde, así que Brock se sentó en el borde de la cama y charló con ella durante largo rato mientras recorría su cuerpo con un dedo perezoso, buscando los lugares que más le fascinaban.

—Soy un hombre afortunado —dijo.

—Eres un chico bobo —replicó ella con una sonrisa. En realidad era todo un hombre, que la hacía sentirse protegida y segura.

—¿Dónde está Sam esta vez? —preguntó Brock, como no dándole importancia.

—En Londres otra vez. Apenas lo veo. Creo que está buscando apartamento para cuando acabe mi tratamiento. La semana pasada le llamó un agente de la propiedad por un ático en la Quinta Avenida. Supongo que planea irse a vivir con su nuevo amor —Alex intentaba no parecer afectada, pero lo estaba. Seguía doliéndole la traición de Sam.

—¿Vas a pedir el divorcio?

—Todavía no. No hay prisa. En realidad es como si ya estuviéramos divorciados.

A Brock sí le importaba. Quería que Sam desapareciera de la vida de Alex, tenerla para sí solo. No obstante, sabía que era demasiado pronto para presionarla.

Brock se quedó hasta las once. Arropó a Alex, apagó las luces y se fue.

A la noche siguiente preparó la cena para ellos y Annabelle. Luego estuvo trabajando con Alex. Cuando la acostó, tuvo que controlar sus impulsos; Alex era una mujer muy deseable y él se moría de ganas de hacer el amor con ella, pero Alex no se sentía bien y ninguno de los dos quería arriesgarse a despertar a Annabelle. La niña se divertía jugando con Brock y lo había aceptado como amigo, pero no tenía la menor idea de lo que estaba ocurriendo.

Al llegar el fin de semana Alex volvió a recuperarse. Carmen fue a cuidar a Annabelle el sábado, de modo que Alex pudo pasar el día con Brock en el apartamento de éste. No salieron de la cama en todo el día. Alex no imaginaba que hacer el amor pudiera ser así, sin nada que ocultar ni reprimir, con un abandono total.

El domingo fue Brock quien pasó el día con Alex y su hija. Alex afirmó que tenían que trabajar, pero acabaron yendo al zoológico y a comer. Luego llevaron a Annabelle al parque y la contemplaron jugar con unos niños mientras ellos permanecían sentados como unos padres cualesquiera.

—Deberías salir con alguien de tu edad —comentó Alex, siempre preocupada por el tema, aunque recordando que el día anterior se decía que le sería difícil separarse de él—. Deberías tener hijos propios.

—¿No puedes tener tú? —preguntó Brock con tono despreocupado.

—No lo creo. Estuve intentando quedar embarazada desde que tuve a Annabelle y no lo conseguí, aunque nadie supo decirme por qué. Por otra parte es muy probable que me quede estéril después de la quimioterapia y, en todo caso, tendré que esperar cinco años. Para entonces seré demasiado mayor. Mereces algo mejor, Brock.

—Yo mismo me lo he dicho un montón de veces —afirmó él en broma.

—Hablo en serio —dijo Alex, dándole un empujón.

—No me preocupa. No me obsesiona la idea de tener hijos propios. Creo que la adopción es una buena alternativa. ¿Qué te parece a ti? —inquirió con curiosidad.

—Nunca he pensado en ello, pero podría estar bien. ¿Pero no crees que un día echarás de menos tener un hijo de tu propia sangre? Es algo maravilloso —dijo, mirando a Annabelle—. Yo no lo supe hasta que la tuve a ella y me di cuenta de lo que me había perdido. Ahora desearía haber empezado antes.

—No tenías tiempo, con una profesión como la tuya. Aún no sé muy bien cómo te las arreglas.

—Haciendo malabarismos. Debes tener muy claro qué es lo más importante para ti. A veces las cosas se tuercen, pero funcionan la mayor parte del tiempo. Annabelle es una niña maravillosa y yo estoy con ella tanto tiempo como me es posible. También Sam se porta muy bien, cuando está.

A Brock no le impresionaron estas palabras; nada de lo que sabía sobre Sam lo inclinaba hacia la simpatía.

Esa noche Brock llevó a madre e hija a cenar a un restaurante de la calle Ochenta y cuatro. Brock contaba cuentos divertidos y hacía imitaciones absurdas para Annabelle. Al día siguiente también volvió a acompañar a Alex a la consulta de la doctora Webber, y a pesar de que el tratamiento siguió provocando las mismas náuseas, vómitos y cansancio, el tiempo les pasó volando.

Brock solía quedarse hasta bien entrada la noche en el apartamento de Alex, puesto que Sam no estaba casi nunca, y Alex iba al apartamento de Brock cuando Carmen se quedaba a dormir en el de Alex. Un día se dejaron llevar por sus impulsos en el cuarto de baño del despacho de Alex. Brock salió de él con la camisa mal abotonada y la corbata torcida y ella apenas pudo controlar la risa. Se comportaban como niños, pero ambos merecían esa dicha. A Carmen le gustaba Brock. Seguía furiosa con Sam por haber abandonado a Alex durante su enfermedad y le alegraba verla feliz. También Liz imaginaba lo que estaba ocurriendo y le complacía, pero simulaba no darse cuenta para no ponerlos en un compromiso.

Alex compartía todos sus casos con él y a nadie le extrañaba, puesto que había estado muy enferma y había confiado en él para seguir con su trabajo. Todos parecían muy impresionados por su sistema y los resultados que obtenían.

Incluso Sam llegó a darse cuenta de que Alex había cambiado. Estaba más alegre, y las raras veces que se encontraban para desayunar bromeaba un poco con él y no parecía tan furiosa.

Corría el mes de abril cuando por fin Alex preguntó a su marido cuándo pensaba marcharse. Carmen se había llevado a Annabelle al colegio, mientras ellos terminaban de desayunar y leían el periódico.

—¿Tienes prisa por que me vaya? —preguntó Sam un poco sorprendido.

—No —replicó Alex con una sonrisa triste—, pero los agentes de la propiedad no dejaban de llamarte con sus ofertas. Creía que ya habías encontrado algo. No debe haber muchos apartamentos en venta en Nueva York.

Lo cierto era que Daphne había empezado a quejarse. Había sido muy paciente, pero no quería esperar más. En realidad a Sam no le apetecía volver al apartamento que compartía con Alex por las noches, pero se sentía culpable por Annabelle, como si fuera su obligación estar allí por la mañana.

—Aún no he encontrado nada. Ya te lo comunicaré cuando llegue el momento —explicó Sam fríamente—. De todas formas aún no has acabado con el tratamiento —le recordó acto seguido.

Por un momento Alex tuvo la impresión de que Sam se hacía el remolón a la hora de irse, pero también sabía que a quien no quería dejar era a su hija.

—Terminará dentro de un mes —comentó con alivio. Ella y Brock no hablaban de otra cosa. Esperaban con ilusión el momento de poder hacer miles de cosas juntos. Habían ido al cine y al estreno de una obra de teatro. Alex también quería ir a la ópera, pero aún no tenía fuerzas suficientes. Hablaban incluso de coger un abono para la temporada siguiente, aunque se trataba sin duda de un gran compromiso—. ¿Y qué vas a hacer este verano? —preguntó Alex, intentando parecer indiferente—. ¿O tampoco lo has decidido aún?

—Eh... no, aún no lo sé. Tal vez vaya a Europa un mes o dos —se mostró tan vago como le fue posible, aunque sabía perfectamente que Daphne quería ir al sur de Francia y Simon le había hablado sobre fabulosos yates en alquiler. No se parecía mucho a las habituales vacaciones en Long Island o en Maine que solía pasar con Alex, pero, por otra parte, podía permitírselo. Se lo debía a Daphne por la paciencia demostrada durante el invierno.

—¿Europa durante un mes o dos? —Alex miraba a su marido atónita—. Los negocios deben ir viento en popa.

—Sí. Gracias a Simon.

—¿Y Annabelle? ¿Te la llevarás contigo?

—Una parte de las vacaciones. Creo que se la pasará bien allí. —por su parte Daphne tendría a su hijo un par de semanas, aunque no parecía muy entusiasmada con la idea.

De repente, mientras escuchaba los planes de su marido, Alex se preguntó si la novia de Sam cuidaría bien de su hija; desde luego era algo que debía resolverse antes del verano.

—Annabelle no sabe todavía que te vas —le recordó—. Va a ser muy duro para ella.

—Se enfadará conmigo —dijo Sam entristecido, pero con la esperanza de que a su hija le gustara Daphne, lo cual facilitaría las cosas. Siendo tan joven, guapa y divertida, ¿cómo podía no gustarle?

—Lo superará.

—Tú pareces muy recuperada —comentó Sam, contemplando a su mujer y notando un aire más femenino y vital en ella después de los meses anteriores. Por un lado no le remordería tanto la conciencia abandonarla, pero al mismo tiempo la idea le desagradaba más.

—Estoy muy bien —afirmó Alex. Aun así, hablar con Sam la entristecía siempre. Había vuelto a ver a la otra en un restaurante, sin que Sam se diera cuenta, y se había sentido muy mal.

Cuando Sam se dirigía al trabajo, seguía pensando en Alex. Recordó lo felices que habían sido y muchas de las cosas divertidas que habían hecho juntos. Ahora le parecía una persona más tranquila, diferente, como una extraña, y no pudo evitar preguntarse hasta qué punto la culpa sería suya y no de ella.

—Hoy estás muy serio —lo regañó Daphne cuando lo vio en la oficina poco después.

—No, sólo estoy solucionando los problemas de casa. Tenemos que encontrar un apartamento lo antes posible —quería empezar una nueva vida y olvidar la antigua por completo, salvo a Annabelle, claro está. Tenía muchas ganas de que su hija conociera a Daphne. No era momento ya de andarse con tapujos. De todas formas sospechaba que Alex lo sabía todo, aunque no tenía la menor idea de cómo se había enterado—. ¿Has visto algo que te guste esta semana? —preguntó. Empezaba a exasperarse. Habían visto todos los pequeños edificios de apartamentos de propiedad de Nueva York y en todos encontraban algún detalle. La mayoría necesitaban amplias modificaciones.

—Es una lata —se quejó Daphne—, siempre hay demasiadas habitaciones, o la vista es muy mala, o es un piso muy bajo, o demasiado ruidoso —ellos querían chimenea y, de ser posible, tener vista al parque o al río. Preferían la vista a Central Park y buscaban algo en la Quinta Avenida, por lo que Sam estaba dispuesto a pagar más de un millón, ayudado quizá por una hipoteca y, desde luego, por los beneficios de sus últimos negocios. Alex le había dicho ya que no quería nada de él excepto ayuda para Annabelle.

''No te pongas tan fúnebre —lo regañó Daphne con tono incitador, mientras cerraba con llave la puerta del despacho; luego se sentó sobre su regazo. Sam sonrió tímidamente, consciente de que era estúpido lamentar el pasado. Como de costumbre, cuando deslizó sus dedos bajo la falda de Daphne, no halló barrera alguna. Daphne no llevaba nunca ropa interior. De vez en cuando se ponía ligueros y medias, y tenía una fabulosa colección de brasieres muy eróticos, pero hacía tiempo que prescindía de las pantaletas.

—¿Tengo alguna reunión en mi agenda para esta mañana, señorita Belrose? —preguntó Sam, besándola mientras Daphne abría la bragueta e introducía sus ágiles dedos.

—Creo que no, señor Parker —contestó ella con su tono británico más formal—. Oh, espere un momento... sí... —Daphne fingió que intentaba recordar—. Acabo de acordarme de una... ah, eso es... —le sacó los pantalones y luego lo besó. Sam cayó hacia atrás en un sillón con un gemido de placer. Su "reunión" no duró mucho, pero fue extremadamente agradable. Cuando Daphne salió del despacho sonreía y llevaba la falda ligeramente torcida.

18

La aguja penetró en la vena de Alex por última vez una tarde de mayo. Acompañada de Brock, Alex lloró a causa de las fuertes emociones que le producía el término del tratamiento. Aún le quedaban por tomar seis pastillas de Citoxán, pero después sería libre otra vez. Le hicieron una última radiografía de pecho, un análisis de sangre y una mamografía. Estaba limpia. Había sobrevivido a seis horribles meses de quimioterapia y Brock la había ayudado constantemente.

Alex se despidió de la doctora Webber y pidió cita para una consulta de seguimiento al cabo de seis meses.

—¿Qué hacemos para celebrarlo? —le preguntó Brock cuando se hallaban de nuevo en la calle Cincuenta y siete, mirándose el uno al otro con alivio e incredulidad.

—Tengo una idea —contestó ella con intenciones aviesas, pero los dos sabían que una hora más tarde estaría vomitando, aunque fuera una de las últimas veces.

Volvieron al bufete y pasaron una tarde tranquila. Alex vomitó, efectivamente, pero no fue tan malo como de costumbre; incluso su cuerpo parecía darse cuenta de que había sufrido un último ataque.

Esa noche durmieron juntos con la puerta cerrada, por si se despertaba Annabelle. Sabían que si Sam no había aparecido a las nueve o las diez no iría en toda la noche.

—¿Qué haremos ahora, Alex? —preguntó Brock. Habían estado hablando de alquilar una casa en Long Island para el verano. Uno de los socios del bufete le había ofrecido también su casa de East

241

Hampton, lo que no dejaba de ser tentador—. Me encantaría hacer un viaje contigo —añadió.

—¿Adónde?

—A París... Venecia... Roma... San Francisco —dijo, concluyendo con la posibilidad más realista.

—Hagámoslo —dijo Alex de repente. No había tenido un solo día libre en todo un año, pero aunque le debían muchos días de vacaciones se sentía obligada a abreviarlas a causa de las ausencias provocadas por su enfermedad—. El mes que viene no tenemos ningún juicio, que yo sepa. ¿Por qué no nos vamos unos cuantos días? Sería divertido.

—Trato hecho —contestó él sonriendo—. ¿Aceptarás la casa de East Hampton?

—Creo que sí —decidió Alex, sintiéndose de nuevo como una auténtica persona, con esperanzas, sueños y, si tenía un poco de suerte, con un futuro.

Las semanas siguientes fueron de verdadero frenesí para Alex. Aún no se había puesto totalmente al día y ya empezaba a aceptar casos nuevos. Llegó el último día de la pastilla de Citoxán casi sin que se diera cuenta y para principios de junio se sentía fuerte de nuevo, como en los viejos tiempos. Brock y ella habían decidido ir a San Francisco a finales de mes, pero antes Alex y Sam tenían que decirle a Annabelle que su padre se marchaba de casa.

Por fin Sam había hallado un ático a su gusto. Estaba cerca de donde vivía con Alex, tenía una sala de estar con vistas espectaculares, un bonito comedor, tres dormitorios más cuarto para el servicio y una cocina que había salido en las páginas de *Casa y jardín*. Costaba un ojo de la cara, pero Daphne estaba absolutamente enamorada de él.

—¿Podemos quedárnoslo? —le suplicó como una niña pequeña con una muñeca nueva, y él no tuvo más remedio que decirle que sí, a pesar de su precio. El ático disponía de un dormitorio principal muy grande, otro más pequeño para Annabelle, y una habitación de invitados en la que podía quedarse el hijo de Daphne cuando fuera a visitarla, como señaló Sam. Sin embargo, ella afirmó que prefería ir a Inglaterra a verlo, que Nueva York estaba muy lejos para que viajara hasta allí un niño de cinco años solo, y que sus niñeras eran tan aburridas que no quería ni pensar en tenerlas en casa. En ocasiones Sam se preguntaba si el hijo de Daphne sería un mocoso horrible, o si sencillamente Daphne no tenía demasiado instinto maternal. En todo caso, quien le importaba a él era su hija. Justo antes del *Memorial Day*,[1] tanto Sam como Alex volvieron pronto a casa para hablar con Annabelle.

—¿Papá se marcha? —dijo Annabelle con los ojos llenos de lágrimas y expresión asustada.

—Viviré a tres calles de aquí —le explicó él, intentando sujetarla, pero Annabelle lo rechazó llena de angustia.

—¿Por qué? ¿Por qué te vas? —¿qué había hecho ella?, se preguntaba, ¿por qué tenía que ocurrirle aquello? No lo comprendía.

Sam y Alex tuvieron que reprimir sus propias emociones para intentar consolarla.

—Mamá y yo creemos que es mejor, cariño —dijo Sam, intentando calmarla y explicárselo con sencillez—. De todas formas yo no estoy mucho en casa. Tengo que viajar mucho. Y mamá y yo pensamos que... —¿qué podía decirle a una niña de cuatro años?—. Mamá y yo creemos que todos seremos más felices si ella tiene su apartamento y yo el mío. Puedes venir a visitarme siempre que quieras y muchos fines de semana. Haremos montones de cosas divertidas. Incluso podemos volver a Disneylandia si quieres.

Pero Annabelle era demasiado inteligente para tragarse el cuento y demasiado parecida a su madre para dejarse engatusar por regalos y promesas.

—No quiero ir a Disneylandia. No quiero ir a ningún sitio —entonces llegó la pregunta más dolorosa—. ¿Es que ya no nos quieres, papá?

A Sam le dio un vuelco el corazón al oírla, pero se apresuró a contestar.

—Pues claro que las quiero.

—¿Ya no quieres a mamá? ¿Estás enfadado con ella porque está enferma?

—Desde luego que no —lo más correcto hubiera sido decir que sí, pero Sam no podía ser tan sincero—. Pero nosotros... —Sam tenía un nudo en la garganta— ya no queremos estar casados —añadió, mientras Annabelle se abrazaba a su madre—. Queremos vivir en lugares separados.

[1] Fiesta que se celebra en Estados Unidos el último lunes de mayo en memoria de los caídos en la guerra. (*N. de la T.*)

—¿Se van a divorciar? —preguntó Annabelle, realmente horrorizada. Había oído hablar del divorcio a Libby Weinstein en el colegio. Los padres de su amiga estaban divorciados, su madre se había vuelto a casar y había tenido gemelos. Y eso a Libby no le gustaba nada.

—No, no vamos a divorciarnos —contestó Sam con firmeza, y Alex se preguntó por qué no lo hacían. ¿Qué sentido tenía prolongar aquella situación? ¿Ninguno de los dos estaba preparado aún para dar aquel paso?—. Sólo vamos a vivir en casas separadas.

—Yo no quiero —replicó Annabelle, lanzándole una mirada furiosa. Con un súbito movimiento, se dio la vuelta en los brazos de Alex y también a ella la miró con ira—. Es culpa tuya por ponerte enferma. Se enfadó con nosotras y ahora se va. ¡Has sido muy mala! ¡Has hecho que nos odie! —hablaba con tal vehemencia que sorprendió a sus padres. Al final salió corriendo hacia su habitación, cerró la puerta de golpe, se arrojó en la cama y lloró convulsivamente. Sam y Alex intentaron hablar con ella sin el menor resultado, hasta que Alex decidió dejarla sola durante un rato y se fue silenciosamente a la cocina. Sam también estaba allí, mirándola, mudo por la pena y los remordimientos. No se había sentido peor en toda su vida.

—Como de costumbre todo es culpa mía —dijo Alex con pesar.

—Al final acabará odiándome a mí, no te preocupes —dijo Sam, meneando la cabeza—. No es culpa de ninguno de los dos, sencillamente así son las cosas.

—Lo superará —afirmó Alex con poca convicción—. Comprobará que no te has ido a vivir muy lejos, y si te ve a menudo se le pasará. Tendrás que hacer un esfuerzo.

—Evidentemente —dijo él, molesto por la manera en que Alex lo había planteado—, quiero que pase conmigo tanto tiempo como me permitas.

—Puedes tenerla siempre que quieras —ofreció Alex generosamente, pero incómoda con la idea, como si se estuvieran repartiendo los candelabros—. ¿Qué me dices de este fin de semana? —preguntó.

—Me gustaría llevármela conmigo, si ella quiere venir —contestó Sam, que había alquilado una casa en los Hamptons para cuatro días.

—Está enfadada conmigo, no contigo, ¿recuerdas? —ella y Brock se iban a Fire Island—. Se la pasará bien —dijo Alex, para tranquilizar a su marido, y luego fue a ver a su hija. Annabelle había dejado de llorar, pero por su expresión parecía tener el corazón destrozado.

—Lo siento, cariño —le dijo Alex en voz baja—. Sé que es difícil, pero papá sigue queriéndote y se verán siempre que quieran.

—¿Seguirás llevándome tú a ballet? —preguntó la niña, confusa.

—Por supuesto que sí, todos los viernes. Ya no estaré enferma. He dejado de tomar la medicina.

—¿Toda? —inquirió Annabelle con tono receloso.

—Toda —confirmó su madre.

—¿Te volverá a crecer el pelo?

—Creo que sí.

—¿Cuándo?

—Pronto. Y volveremos a ser gemelas.

—¿Y no vas a morirte? —aquél era el punto clave para todos, y el más difícil de prometer.

—No —en aquel momento era más importante tranquilizar a la niña que ser completamente sincera, porque no existía una certeza absoluta—. No voy a morirme.

—Bien —Annabelle sonrió, dispuesta casi a perdonarla por perder a su padre—. ¿Por qué tiene que irse papá entonces? —preguntó con voz quejumbrosa.

—Porque será más feliz, y eso es importante para él.

—¿No es feliz aquí con nosotras?

—Ahora mismo no. Es feliz contigo, pero no conmigo.

—Yo te dije que estaba enfadado contigo —la reprendió Annabelle—, deberías haberme escuchado.

Alex soltó una carcajada. Todos iban a superar aquel mal sueño y a seguir viviendo.

Alex salió de la habitación de la niña para ver a Sam antes de que se marchara, y lo encontró haciendo la maleta en la habitación de invitados. Pensaba alojarse en Carlyle hasta que el ático estuviera arreglado. No quería mudarse al apartamento de Daphne. Un hotel le parecía un punto intermedio y un lugar agradable para que lo visitara su hija.

—Ahora está bien, un poco trastornada, pero se acostumbrará —dijo Alex con cierta tristeza.

—Entonces la recogeré del colegio el viernes y la llevaré a Southampton. Te la traeré el lunes por la noche.

—Bien —dijo Alex. Su vida entraba por fin en una nueva fase. Habían hablado con Annabelle y su separación se había hecho oficial. Ahora le aguardaba una nueva vida.

—Pobrecilla —dijo Brock cuando Alex le contó lo sucedido—. Para ella debe ser difícil de entender. Ya lo es para los adultos.

—Me echa la culpa a mí. Dice que si yo no me hubiera puesto enferma, él no se habría enfadado con nosotras. Tiene algo de razón en eso, pero creo que el germen ya estaba allí, acechando bajo la superficie. Supongo que mi matrimonio no era tan perfecto como yo creía, de lo contrario no se hubiera deshecho tan fácilmente.

—Creo que lo que tuvieron que pasar hubiera deteriorado cualquier relación —comentó Brock, mostrándose equitativo.

Alex asintió, luego recordó algo.

—Uno de estos días quiero conocer a tu hermana.

Brock asintió también, pero no dijo nada. Luego Alex se distrajo hablando del fin de semana en Fire Island, donde pensaba alojarse en un hotelito de Los Pinos. Alex sabía por experiencia que una vez en el transbordador que llevaba hasta allí, al notar el aire salino en el rostro, cualquiera olvidaba sus problemas. Era justamente lo que ella necesitaba.

Sam recogió a Annabelle y su maleta el viernes. Hicieron un almuerzo rápido antes de reunirse con Daphne y dirigirse a Southampton. Había querido comer a solas con Annabelle para prepararla, pero la niña parecía más perpleja que nunca. La idea de que hubiera otra mujer en la vida de su padre era más de lo que ella podía imaginar.

—¿Va a estar con nosotros el fin de semana? —inquirió—. ¿Por qué?

—Oh... —Sam buscó una respuesta, sintiéndose estúpido de pronto—. Para ayudarme a cuidarte, así nos divertiremos más —era una respuesta tonta, pero no se le ocurrió otra.

—¿Como Carmen, quieres decir?

—No, tonta —dijo Sam con una risita nerviosa—. Como amiga.

—¿Como Brock, entonces? —aquélla parecía una buena referencia y Sam se aferró a ella.

—Exacto. Daphne trabaja conmigo en la oficina, igual que Brock trabaja con mamá —existían más semejanzas de las que él conocía, pero no sospechaba nada—. Además, es amiga mía y pasará con nosotros el fin de semana.

—¿Te pondrás a trabajar con ella, como mamá hace con Brock?

—Mira... quizá... pero en realidad... no, habíamos pensado divertirnos y jugar contigo.

—Bueno —a Annabelle todo aquello le parecía muy tonto, pero al menos estaba dispuesta a conocer a Daphne.

Sin embargo, la idea que tenía Sam sobre el fin de semana no coincidió en absoluto con la de Daphne.

—¿Por qué demonios no has traído una niñera? —Daphne lo miró con incredulidad cuando fueron a recogerla a su apartamento. Annabelle estaba en el coche, Sam había cogido las llaves y la vigilaba desde la ventana—. O al menos una sirvienta. No podremos ir a ninguna parte con una niña de esa edad. Nos fastidiará el fin de semana —protestó, mostrando una faceta de su carácter que Sam no conocía.

—Lo siento, querida —se disculpó él—. No lo había pensado —nunca habían necesitado a nadie cuando él y Alex iban de vacaciones, pero Alex era su madre, claro está—. La próxima vez traeré a Carmen, te lo prometo —con un beso consiguió aplacar un tanto a Daphne, que lucía un vestido azul de algodón bajo el que se percibían las puntas de sus senos—. Te va a encantar —le aseguró mientras bajaban las escaleras—, es una niña adorable.

Desgraciadamente, Annabelle no se mostró en absoluto adorable con Daphne, sino más bien recelosa. El trayecto hasta Long Island estuvo lleno de preguntas, respuestas torpes y mentirillas. Cuando llegaron, Sam sudaba abundantemente y estaba muy nervioso. Llevó las cosas de Daphne a una habitación contigua a la suya, y las de Annabelle a la habitación de enfrente.

—¿Qué es esto, Sam? —inquirió Daphne, echándose a reír al ver la distribución de las habitaciones—. La niña sólo tiene cuatro años, no puede saber de qué se trata —a ella no le importaba lo que pudiera contarle a su madre, pero a Sam sí.

—He pensado que podrías dejar tus cosas en la otra habitación. Ella no tiene por qué saber que dormimos juntos.

—¿Y si tiene una pesadilla?

—Iremos a verla nosotros.

—Y para asegurarte le prohibirás que ponga un pie fuera de la cama bajo pena de muerte, ¿verdad, querido?

—Muy bien, muy bien —Sam se sentía idiota e incómodo. Incluso él, que era su padre, tuvo que reconocer que Annabelle se había portado como una mocosa malcriada durante toda la tarde, que había comido demasiados dulces y pasado demasiado tiempo al sol sin gorro. Para postre, vomitó toda la cena sobre Daphne.

—Encantadora —comentó Daphne con cara de pocos amigos, mientras Sam intentaba limpiarla—. Mi hombrecito también lo hace. He intentado explicarle que resulta sumamente inconveniente.

—Mi mamá vomita todo el tiempo —dijo Annabelle a la defensiva, mirándola con ira. Sabía ya que no eran sólo amigos y que no lo serían nunca, por mucho que dijera su padre. Daphne no se parecía en nada a Brock. Era mala y antipática, y no dejaba de toquetear y besar a su padre, Annabelle lo había visto—. Mi mamá es muy valiente —añadió Annabelle, mientras Sam le quitaba el vestido y lo echaba en el fregadero. Le puso la mano en la frente por si tenía fiebre—. Se puso muy enferma y papá se enfadó con ella y ahora se va a vivir a otro apartamento.

—Lo sé, querida, también yo —anunció Daphne, antes de que Sam pudiera evitarlo—. Lo sé todo. Voy a vivir con él.

—¿En serio? —Annabelle la miró con espanto y salió corriendo hacia la habitación que le habían asignado. Tan pronto como se fue, Daphne se desabrochó los tirantes del vestido, se lo quitó y quedó completamente desnuda ante Sam.

—Me ha vomitado encima —se justificó.

—Lo siento. Creo que no ha podido digerirlo todo de golpe —dijo Sam, sin darse cuenta del juego de palabras.

—Es evidente —comentó Daphne con una sonrisa—. No te preocupes —se acercó a Sam y lo besó.

Sam tuvo que hacer un esfuerzo para mantener las manos quietas.

—Será mejor que te pongas algo. Iré a ver a Annabelle.

—¿Por qué no la dejas que lo piense un rato? Tendrá que acostumbrarse. No es bueno mimar a los niños.

—Bajaré enseguida —dijo Sam, preguntándose qué entendería Daphne por mimar a un niño, y si sería por eso que había dejado a su hijo en Inglaterra. Annabelle estaba llorando cuando su padre entró en la habitación, y siguió haciéndolo hasta que se durmió en sus brazos. Sam estaba destrozado. Quería que su hija y Daphne se llevaran bien porque ambas eran importantes para él.

Annabelle se despertó a las seis de la mañana del día siguiente y encontró a Daphne desnuda en brazos de su padre, que tampoco llevaba nada. A Sam no se le había ocurrido pedirle a Daphne que se pusiera un camisón. Annabelle entró en el dormitorio silenciosamente y se les quedó viendo con la boca abierta y una mirada horrorizada. Sam le dijo a su hija que los esperara abajo. A Daphne no le hizo ninguna gracia que la despertaran tan temprano y estuvo de mal humor toda la mañana.

La situación se hizo tan insoportable que Sam acabó por llevarse a Annabelle a la playa, pero cuando volvieron para comer Daphne se enfureció porque no quería que la niña fuera con ellos.

—¿Y qué sugieres que haga, por el amor de Dios? ¿Dejarla sola en casa?

—No se morirá, ¿sabes? No es un bebé. En Norteamérica tratan a los niños de una manera increíble. Están terriblemente malcriados y son el centro de todo. No es saludable para ellos. Te lo aseguro, debe ser tratada como una niña, Sam. Sería mucho más feliz en casa con una niñera o una sirvienta que siguiéndote a todas partes. Si su madre quiere hacerlo de otra manera, para llenar su reducida y patética vida, me parece muy bien, pero te lo advierto, yo no estoy dispuesta a soportarlo. Yo no voy a cargarte con mi hijo más de cinco días al año, así que no esperes que juegue a la niñera con la tuya —dijo malhumoradamente.

Por primera vez en seis meses Sam se sintió dolido y decepcionado con Daphne. Se preguntó entonces si algún episodio de su infancia le había producido tal aversión por los niños, porque le parecía increíble que alguien pensara así. Sin embargo, recordó que ella ya le había advertido desde un principio. Sólo le quedaba la esperanza de que estuviera dispuesta a cambiar.

Finalmente fueron los tres a comer, pero la tensión seguía siendo patente. Annabelle no apartó los ojos de su plato y apenas comió. Había oído todo lo que Daphne le había dicho a su padre, la odiaba y quería volver con su mamá. Eso fue lo que le dijo a Sam después de la comida, pero éste tuvo que explicarle que Alex también había ido a pasar el fin de semana fuera.

Preguntando a los vecinos, Sam logró encontrar una niñera de dieciséis años para esa noche. Él y Daphne se fueron al club de campo de Conscience Point para cenar y bailar, lo que animó a

Daphne considerablemente. Al volver a casa, Sam le pidió que se pusiera un camisón. Ella se echó a reír y afirmó que no tenía ninguno.

El día siguiente fue muy similar, así que los tres se sintieron muy aliviados cuando llegó la hora de volver a la ciudad.

Alex ya estaba en casa cuando ellos llegaron. Daphne aguardó en el coche mientras Sam acompañaba a Annabelle.

—¿Se la han pasado bien? —preguntó Alex, sonriendo, vestida con vaqueros, camisa blanca y alpargatas. Sam no pudo evitar fijarse en lo guapa que estaba después de haber tomado el sol.

Annabelle alzó los ojos anegados en lágrimas hacia su madre. Sam acarició suavemente el hombro de su hija.

—Hemos tenido unos pequeños problemas de adaptación. Creo que no he obrado con prudencia. Nos ha acompañado una amiga y no ha sido fácil para Annabelle. Lo siento —se disculpó, dirigiéndose a madre e hija.

Alex miró a su marido y a Annabelle con consternación, preguntándose qué habría pasado. Annabelle miró a Sam con expresión enojada y espetó, volviendo la vista hacia su madre:

—La odio.

—No odias a nadie —la corrigió Alex, mirando a Sam de reojo. Debía haber sido un fin de semana muy desagradable. A Alex le hubiera gustado saber qué había hecho la chica inglesa, pero imaginó que su sola presencia había despertado el resentimiento de la niña—. Has de ser simpática con los amigos de papá, Annabelle. Cuando eres grosera con ellos también lo eres con papá —explicó con tono afable, pero Annabelle no iba a callarse tan fácilmente.

—Se paseaba desnuda todo el tiempo. Era repugnante. Y dormía con papá —miró a sus padres con el entrecejo fruncido y se dirigió a su habitación con aire furioso, sin despedirse de Sam.

—Tal vez deberías hablar con tu amiga —comentó Alex, un poco sorprendida por su falta de discreción—. Si lo que dice Annabelle es cierto, no creo qu ea bueno para ella ver esas cosas.

—Lo sé —replicó Sam, apesadumbrado—. Para serte sincero, no ha habido quien aguantara a ninguna de las dos.

Alex debería haber sentido lástima por él; además, la cosa tenía su gracia, pero estaba preocupada por su hija.

—Tendrás que hallar una solución cuando vaya la niña, si es que vas a vivir con esa mujer —comentó Alex, reconociendo la existencia de Daphne por primera vez—. Es demasiado pequeña para ver esas cosas.

—Lo sé. Y yo soy demasiado viejo. Lo arreglaré. No vio nada que no debiera —se justificó con aire cansado—. Ah, y el viernes vomitó, por cierto.

—Te la has pasado en grande, ¿eh? —Alex se echó a reír, haciendo que Sam recordara los viejos tiempos, cuando bromeaban juntos.

Sam fue a dar un beso a Annabelle, pero la niña seguía enfadada y se negó a despedirse de él. Finalmente, Sam le lanzó un beso y se despidió de su mujer con un ademán antes de marcharse.

—¿Feliz de nuevo, amor mío? —le preguntó Daphne, acercándose a él en el coche, pero Sam no le hizo caso. Estaba muy decepcionado y siempre que veía a Alex se sentía perturbado por los fantasmas de otros tiempos.

—Siento que las cosas no fueron del todo bien —dijo Sam con voz queda.

—Se le pasará —afirmó Daphne con tono confiado, y empezó a hablar del nuevo apartamento.

Sin embargo, cuando por fin Sam se mudó al Carlyle en junio, la situación empeoró. Daphne estaba siempre con él y Annabelle comprendió que era una intrusa.

—¡La odio! —exclamaba invariablemente cada vez que volvía con su madre.

—No, no es cierto —le decía Alex con firmeza.

—Sí, la odio.

Sam y Daphne llevaron a la niña a ver el nuevo apartamento y ella dijo que también lo odiaba. Lo único que le gustaba era la limonada y las galletas de chocolate del Carlyle. Por su parte, Sam intentaba organizar las vacaciones. Tenía ya el yate y una casa en Cap d'Antibes, y Alex había accedido a que Annabelle los acompañara.

Pero Daphne se opuso con ardor. No quería que Annabelle fuera con ellos a Europa, ni siquiera acompañada por una niñera.

—Es mi hija, por todos los santos —exclamó Sam. Le horrorizaba la actitud de la mujer con la que iba a vivir. Seis semanas era mucho tiempo para no ver a su hija.

—Bien. Entonces tráela cuando tenga dieciocho años. El yate y una casa en el sur de Francia no son lugares para una niña de su edad. ¿Y si se cae por la borda? No voy a pasar las vacaciones preocupándome por ella. Tampoco mi hijo vendrá —de hecho, sólo pensaba pasar con él una semana en Londres.

La discusión se prolongó durante días, porque Sam no quería dar su brazo a torcer, pero fue Annabelle quien puso fin al problema. No quería ir a Europa con ellos, quería quedarse con su madre. A Alex un crucero por las costas de Francia, Italia y Grecia le parecía un sueño, pero su hija no pensaba lo mismo.

—Quizá sea demasiado pequeña —comentó Alex amablemente, charlando con Sam—. Quizá el año que viene —suponía que para ese entonces Sam se habría casado con la chica y Annabelle se habría acostumbrado a ella. Era extraño, porque Sam aún no le había pedido el divorcio, pero esperaba que lo hiciera en cualquier momento.

—¿Qué vas a hacer con ella? —quiso saber Sam, preocupado por su hija, y triste por no verla en todo el verano.

—He alquilado una casa en East Hampton. Le pediré a Carmen que se quede allí con ella durante la semana y pasaremos el fin de semana juntas.

A Sam le pareció bien la idea y Annabelle se mostró encantada.

—¿No tengo que ir con papá y Daphne? —exclamó con incredulidad—. ¡Yupiii!

Esta reacción dolió a Sam profundamente y miró a Daphne con enfado cuando se reunió con ella en el Carlyle.

—Oh, por el amor del cielo, no me pongas cara —se burló Daphne, sirviéndole un vaso de Cristal—. Sólo es una niña, no le hubiera gustado. Y nosotros hubiéramos pasado unas vacaciones horribles, siempre vigilándola y preocupados por ella —sonrió, inmensamente aliviada por haberse librado de la niña—. ¿Qué quieres hacer esta noche? ¿Salimos o nos quedamos en casa? —la vida era una fiesta constante para ella, cuando no una orgía.

—Tal vez debería trabajar un poco para variar —respondió él con expresión sombría. En los últimos tiempos había abandonado el negocio en manos de sus socios. Él y Simon se habían ocupado de aportar nuevos clientes, pero era Simon quien manejaba los detalles. Sam había estado demasiado ocupado en viajar y cambiar de vida.

—Oh, ahora no —se opuso Daphne—. Hagamos algo divertido —antes de que Sam pudiera sugerir nada, Daphne montó a horcajadas sobre él y se subió la falda, haciendo que Sam no deseara más que una cosa. La tumbó sobre el sofá de la habitación y la poseyó con más fuerza de lo habitual. Sus sentimientos hacia ella oscilaban entre el enojo y el amor, decepcionado pero víctima de una pasión que en ocasiones llegaba a enloquecerlo.

19

Alex y Brock se instalaron en su casa de veraneo a finales de junio. Era una casa sencilla pero cómoda, con cortinas a cuadros blancos y azules y suelos de sisal. La cocina, grande y rústica, estaba alicatada con baldosines portugueses, y había también un precioso jardincito para que jugara Annabelle. A la niña le encantó la casa cuando la llevaron por primera vez el fin de semana de la fiesta del Cuatro de julio.

A Annabelle no pareció sorprenderle que Brock estuviera allí. De todas formas Alex fue mucho más cuidadosa que Sam con Daphne. "Oficialmente" Brock dormía en la habitación de invitados de la planta baja, a donde volvía cada mañana antes de que Annabelle se despertara; y una mañana en que la niña estuvo a punto de pillarlos, Brock se puso los vaqueros y fingió que arreglaba algo en el cuarto de baño.

Annabelle estaba a sus anchas con Brock, de modo que los tres podían ir juntos a cualquier parte. Alex se recuperaba rápidamente y volvía a sentirse pletórica de facultades. A mediados de julio sorprendió a su hija y a Brock al bajar las escaleras sin peluca. Los cabellos le habían crecido en suaves rizos, que aún llevaba muy cortos.

—¡Qué guapa estás, mamá! ¡Igual que yo! —Annabelle rió y se fue a jugar fuera.

Brock sonrió a Alex y estuvo a punto de hacerla caer de su silla al preguntarle:

—Bueno, ¿y cuándo nos casamos, señora Parker?

Alex lo miró con una sonrisa vacilante. Estaba muy enamorada de él, pero nunca había pensado en el futuro por diversas razones.

—Sam no ha pedido aún el divorcio.

—¿Por qué esperar? ¿Por qué no se lo pides tú cuando vuelva de Europa?

—No sería justo para ti, Brock —dijo Alex, muy seria y cautelosa—. Ahora estoy bien, pero ¿y si vuelve a pasarme lo mismo más adelante? Tienes derecho a un futuro más seguro.

—Ésas son tonterías —dijo él, mirándola con enfado—. No puedes quedarte sentada durante cinco años esperando a ver qué pasa. Tienes que seguir con tu vida y ocuparte después de lo que pueda venir. Quiero casarme contigo —afirmó, cogiéndole la mano y besándola—. No quiero esperar más. Quiero vivir con ustedes y cuidarlas. No quiero que esto acabe después del verano.

—Yo tampoco —replicó Alex con sinceridad, pero seguía pensando en la diferencia de edad y en su problema—. ¿Qué diría tu hermana de todo esto? ¿No la entristecería? Deberías casarte con una buena chica y tener un montón de niños.

—Me diría que hiciera lo que me pareciera mejor para mí. Y lo mejor eres tú. Alex... hablo en serio. Quiero que le pidas el divorcio a Sam cuando vuelva de Europa, y que nos casemos cuando lo consigas.

—Te amo —Alex le sonrió cariñosamente. Desde la ventana podían contemplar a Annabelle jugando en el jardín. Alex se sentía conmovida y halagada por el deseo de Brock de casarse con ella cualesquiera que fueran las circunstancias.

—Quiero casarme contigo y no voy a dejar de acosarte hasta que me digas que sí —repitió Brock obstinadamente.

—No es que yo no quiera —replicó Alex con una carcajada—. ¿Y tu trabajo? —preguntó luego en serio. No podía casarse con ella y seguir trabajando en el mismo bufete.

—He tenido un par de ofertas este año. Eran bastante buenas. Seguramente me iría mucho mejor en otro sitio, pero antes de irme me gustaría hablar con los socios de la firma. Tal vez se avengan a hacer una excepción con nosotros teniendo en cuenta lo de tu enfermedad.

—Puede ser. Son buenas personas. Y el año que viene podrían proponerte para socio.

—Hablaremos con ellos —dijo Brock tranquilamente—, pero primero habla tú con Sam.

—Aún no he accedido —dijo Alex, mirándolo con aire travieso.

—Lo harás.

Tenía razón; a finales de esa misma semana, Alex estaba de acuerdo.

—Debo estar loca —comentó—. Soy mucho mayor que tú.

—Sólo son diez años más, y en realidad pareces más joven que yo —así era, en efecto, desde que había terminado con la quimioterapia se había quitado un montón de años de encima.

Los fines de semana los pasaban jugando en la playa como niños. Alex volvía al trabajo muy relajada los lunes por la mañana. Carmen iba a Long Island el domingo por la noche para que tuvieran tiempo de volver a Nueva York, y ellos regresaban el jueves lo antes posible. En verano la mayoría de abogados tenía libres los viernes, y el resto de la semana se cerraba a mediodía como muchas empresas de Nueva York.

Annabelle los esperaba siempre feliz y excitada. Fue un verano perfecto. Sam llamó a su hija varias veces desde Cap d'Antibes, y le mandó una docena de postales, pero no llamaba nunca cuando estaba Alex; de todos modos ella no quería pedirle el divorcio por teléfono.

Un día de mediados de julio en que estaban tumbados en la playa, Alex sorprendió a Brock mirándole el traje de baño. Luego se inclinó sobre ella y la besó.

—Eres muy hermosa —le dijo ardientemente, y Alex le sonrió. Annabelle estaba cerca, pero la perspectiva de una pequeña "siesta" después de comer resultaba muy tentadora.

—Estás ciego —replicó ella, mirándolo con los ojos entrecerrados para protegerse del sol. Brock le acarició el pecho y un hormigueo recorrió el cuerpo de Alex.

—Creo que deberíamos ver a un cirujano plástico muy pronto.

—¿Por qué? —Alex intentó parecer despreocupada, pero no le gustaba tocar aquel tema.

—Porque creo que es lo mejor.

—¿Quieres que me arregle la cara o qué?

—No seas idiota. Eres demasiado joven para pasarte la vida ocultándote. Deberías ir desnuda, luciéndote —dijo Brock con rostro circunspecto.

—O sea que quieres que corra desnuda por ahí como la inglesita.

—Olvídate de ella. Ya sabes a lo que me refiero. Al menos habla con el cirujano e infórmate. Podrías hacerlo este verano y dejarlo todo resuelto.

—A mí me parece horrible, y es muy doloroso.

—¿Cómo lo sabes?

—Lo han comentado otras mujeres del grupo de ayuda, y también me lo dijo la doctora Webber. Por lo que me explicó, debe ser repugnante.

—No sabía que fueras tan cobarde —ambos sabían en realidad que no lo era, pero Brock quería que se sintiera fuerte y confiada, así que siguió insistiendo, e incluso mencionó a Greenspan, un famoso cirujano plástico que le había recomendado un amigo, también cirujano.

—Te he pedido cita —comentó simplemente una tarde en la oficina.

—No debiste hacerlo —protestó Alex. No quería ir, así que estuvieron discutiéndolo durante media hora, y al final Alex se negó rotundamente.

—Sí que irás, yo te llevaré. Tú habla con él. Eso no te hará ningún daño.

Alex seguía enfadada el día de la visita, pero acabó acompañándolo. El cirujano la sorprendió por lo diferente que era del doctor Herman. Éste era frío y metódico y exponía únicamente hechos y peligros; Greenspan, en cambio, sólo hablaba de mejoras y de hacer que las personas se sintieran bien consigo mismas. Era un hombre bajo y regordete, afable y con sentido del humor. Primero hizo reír un rato a Alex y poco a poco, amablemente, fue derivando la conversación hacia el tema que le interesaba. Examinó la cicatriz del pecho y el otro seno, y aseguró a Alex que podrían hacer un magnífico trabajo. Existían dos posibilidades: un implante o una extensión de tejido que requeriría dos meses de inyecciones semanales de una solución salina hasta conseguir la forma deseada. Alex prefería la inmediatez del implante, pero aún no estaba convencida. El costo sería elevado, ciertamente, y el procedimiento resultaría doloroso, pero a la edad de Alex valía la pena.

—No querrá seguir así el resto de su vida, señora Parker. Nosotros podemos devolverle un hermoso seno —además del implante se tomaba parte del pezón del otro seno y se tatuaba la areola. A Alex le seguía pareciendo horrible, a pesar de todo lo que le dijera el médico para animarla.

Sin embargo, después de hacer el amor esa noche, preguntó a Brock si le importaría que no se hiciera la cirugía plástica.

—Pues claro que no —contestó él con toda sinceridad—. Pero creo que deberías hacerlo por ti. Claro que tú decides. Te amaría igual aunque no tuvieras ningún pecho, que Dios no lo quiera.

Alex meditó su decisión durante dos semanas sin decir nada a Brock, hasta que una mañana a fines de julio lo sorprendió declarando:

—Voy a hacerlo —se había sentado junto a Brock después de fregar los platos. Él leía el periódico del domingo.

—¿Hacer qué? —preguntó Brock, alzando la vista—. ¿Tenemos algo que hacer hoy?

—Hoy no. Llamaré el lunes.

—¿A quién? —Brock se sentía como si se hubiera perdido la parte más importante de una conversación.

—A Greenspan.

—¿Quién es? —estaba medio dormido aún. Tal vez fuera un nuevo cliente.

—El médico al que me llevaste. El cirujano plástico —parecía muy resuelta, pero también un poco nerviosa.

—¿En serio? —Brock sonrió complacido—. ¡Bien por ti! —exclamó, dándole un beso.

El lunes, fiel a su palabra, Alex llamó al médico y le comunicó que se había decidido por el implante. El cirujano le sugirió hacerlo a fines de aquella misma semana, puesto que se había producido una cancelación, y le informó que pasaría cuatro días en el hospital, pero que después podría volver al trabajo.

Alex se tomó el día libre el jueves y pidió a Carmen que se quedara el fin de semana con Annabelle. A la niña le dijo que se iba en viaje de negocios, porque no quería volver a inquietarla hablándole de hospitales. Sólo se lo contó a Carmen y a Liz, a quienes les pareció una idea estupenda. Todos estaban entusiasmados menos ella, que seguía aterrorizada, y el miércoles no durmió en toda la noche, deseando no haberse comprometido.

Brock la llevó a Lenox Hill a las siete de la mañana del jueves. Una enfermera y un anestesiólogo les explicaron todo el procedimiento. Una vez vestida con el camisón del hospital, y en cuanto la enfermera le puso la inyección intravenosa, Alex estalló en sollozos. No podía pensar más que en la quimioterapia y en su anterior operación, aunque se sentía absolutamente estúpida.

Apareció entonces el doctor Greenspan y ordenó que le pusieran una inyección de Valium.

—Queremos que aquí todo el mundo sea feliz —dijo sonriendo, y luego miró a Brock con aire divertido—. ¿Quiere usted una también?

—Me encantaría.

Alex estaba medio dormida cuando la llevaron en camilla al quirófano. Brock la aguardó en su habitación, presa de los nervios, y recorrió los pasillos una y otra vez hasta que volvió el doctor Greenspan cinco horas más tarde y le dijo que todo había salido bien.

—Creo que quedará muy complacida con los resultados —Alex tendría que someterse a cuidadosas revisiones para prevenir posibles pérdidas, y sabía también que habría de formar parte de un grupo de control para proporcionar datos sobre el implante de silicón—. Tendrá que volver dentro de un mes o dos para los últimos toques —el implante del pezón y el tatuaje se harían con anestesia local—. Pero estoy convencido de que todo irá sobre ruedas.

Alex tardó dos horas más en bajar de la sala de reanimación, y aún estaba un poco aletargada.

—Hola —susurró—. ¿Cómo estuvo?

—Muy bien —la tranquilizó él.

Los siguientes cuatro días en el hospital fueron sumamente incómodos para ella, más incluso de lo que esperaba. Seguía teniendo fuertes dolores el lunes, al volver al bufete, y el vendaje era engorroso, pero consiguió sacar adelante su trabajo. La mayoría de los socios estaba de vacaciones, de modo que nadie se enteró de la operación. Alex permaneció en su despacho todo el día. Llevaba una camisa de Brock sobre el vendaje. Brock le llevó la comida al mediodía y fueron al apartamento de él al finalizar la jornada. El jueves siguiente le quitaron los puntos y pudieron marcharse a East Hampton. Annabelle se puso contentísima al verlos, pero notó que su madre se movía con cierta cautela al abrazarla.

—¿Te has hecho daño, mamá? —preguntó la niña muy preocupada y de nuevo temerosa.

—No, estoy bien —le aseguró Alex.

—¿Estás enferma otra vez? —inquirió Annabelle con los ojos muy abiertos, y su madre la abrazó estrechamente al darse cuenta de que la niña temblaba.

—Estoy bien —repitió, pero había comprendido que tendría que decírselo de alguna manera. Le explicó muy sencillamente que cuando se había hecho daño en el pecho izquierdo diez meses antes, le habían tenido que quitar una parte, pero que ahora se la habían vuelto a poner. Esa noche, cuando llamó Sam, su hija le contó que mamá había encontrado su pecho y se lo había vuelto a poner, lo que a ella le parecía una buena noticia, pero con la que sorprendió a su padre. Sam supuso que se refería a una prótesis.

Sam y Daphne se hallaban en el yate con algunos de los selectos amigos ingleses de ella. Se trataba de un grupo de gentes mundanas con pasatiempos muy refinados, que se pasaban la mayor parte del tiempo visitando a veraneantes de otros yates y de las villas que había a lo largo de la Riviera. Pocos días después el yate partía con rumbo a Cerdeña.

Por su parte Brock le recordaba a Alex todos los días que debía hablar con Sam tan pronto como éste volviera de Europa.

—Lo sé, lo sé —le decía ella, besándolo para tranquilizarlo—. Relájate. Le llamaré en cuanto llegue —si presentaban la demanda de divorcio en otoño, ella y Brock podrían casarse en primavera. En ocasiones la impaciencia juvenil de Brock hacía que Alex se sintiera muy vieja, pero en general no notaba la diferencia de edad, y cuando percibía que a Brock le hacía falta algo de madurez, intentaba pasarlo por alto.

El verano pasó volando para todos ellos. Sólo la pasión por Sam consiguió que Daphne se decidiera a volver de Europa. Hablando con él reconoció que empezaba a sentir nostalgia de Londres. Sam esperaba que se distrajera con el nuevo apartamento y le prometió que viajarían más y pasarían más tiempo en el extranjero. Tenía muchas obligaciones en Nueva York, pero buena parte de sus clientes eran de fuera de Estados Unidos. Sam estaba dispuesto a cualquier cosa por hacerla feliz. De hecho, había descuidado gravemente sus negocios por pasar tanto tiempo con ella.

También Alex y Brock veían con pesar el final del verano. Tenían alquilada la casa hasta el día del Trabajo,[1] pero Sam regresó antes y se llevó a Annabelle a Bridgehampton, donde pensaba pasar un fin de semana. Daphne había accedido a que la niña los acompañara después de las seis semanas y media que habían permanecido fuera.

—¿Crees que les irá mejor esta vez? —comentó Alex con Brock, pensando en la desastrosa experiencia anterior, y cuando Sam llevó a su hija de vuelta a East Hampton, el domingo por la tarde, era evidente que algo había ocurrido. Sam estaba muy tenso, y sólo cruzó dos palabras con Alex antes de subir al coche y salir disparado.

—¿Qué ha ocurrido? —preguntó Alex a su hija.

—No lo sé. Papá tuvo muchas llamadas. Se pasó todo el tiempo hablando por teléfono y gritando. Y hoy me dijo que tenía que irse. Me hizo la maleta y me trajo. Daphne también gritaba mucho. Decía que si no era simpático con ella se volvería a Inglaterra. Eso me gustaría. Creo que es mala y estúpida.

El asunto era importante, sin duda, pero era imposible saber de qué se trataba por el relato de Annabelle. Alex lo descubrió a la mañana siguiente, cuando ella y Brock fueron a la ciudad en tren y recibieron la sorpresa de ver la fotografía de Sam, Larry y Tom en primera página de los diarios y luego leyeron que el gran jurado iba a procesarlos por inversiones fraudulentas y otros cargos de igual gravedad, incluyendo el de malversación de fondos.

—Cielo santo —exclamó Alex, tendiendo un periódico a Brock.

—¡Caray! —Brock soltó un silbido mientras leía. También Simon estaba implicado, aunque aún no lo habían acusado formalmente—. Sam tiene problemas muy serios, no me extraña que ayer estuviera tan trastornado.

Alex se había quedado atónita. ¿Qué había hecho Sam con su vida en los últimos meses? Los cargos que le imputaban podían significar una condena de veinte a treinta años. ¿Qué demonios había ocurrido?

—Lo llamaré cuando volvamos al bufete —dijo pensativamente, tratando de digerir todo aquello.

Cuando llegó a su despacho descubrió que Sam ya había llamado dos veces. Marcó su número y Sam contestó de inmediato.

—Gracias por llamarme —dijo. Parecía extremadamente nervioso.

—¿Qué ha ocurrido? —quiso saber Alex, preguntándose aún si lo habría llegado a conocer tan bien como creía.

—No estoy seguro todavía. Algo sé, pero no todo. Ni siquiera estoy seguro de si llegaré a saberlo todo. Estoy en un aprieto, Alex, necesito un abogado —tenía un abogado muy bueno, pero no se ocupaba de asuntos penales.

—Yo no soy penalista, Sam —replicó Alex, sintiendo lástima por él y por el modo en que había lanzado su vida por la borda. Se preguntó si la inglesa tendría algo que ver. Estaba segura de que Simon era culpable, aunque aún no lo hubieran acusado.

—Pero eres abogada litigante. Al menos podrás aconsejarme sobre lo que debo hacer. ¿Podemos hablar personalmente? ¿Puedo ir a verte, Alex? Por favor —suplicó Sam.

Después de diecisiete años de matrimonio, Alex se creyó en la obligación de escucharlo al menos. Además, a pesar de todo lo sucedido, seguía queriéndolo.

—Veré lo que puedo hacer, pero al final te recomendaré un penalista, Sam. Sería una estúpida si intentara ayudarte y te perjudicara por culpa de mi ignorancia, pero haré cuanto pueda por ti. ¿Cuándo quieres venir?

—¿Ahora? —no podía soportar la tensión ni un momento más.

Eran las diez de la mañana y Alex estaba libre hasta la una y media, hora en que tenía una cita.

—Muy bien. Te espero —después de colgar fue a ver a Brock para contarle lo que iba a hacer.

—¿No deberías pasárselo a uno de los penalistas desde el principio?

—Primero quiero hablar con él. ¿Quieres estar presente? —la petición era un tanto extraña, pero se trataba de una reunión profesional y Alex valoraba en mucho la opinión de Brock.

—Si tú quieres. ¿Me dejarás darle un puñetazo en la nariz cuando hayamos terminado? —dijo con una sonrisa. No se sentía especialmente inclinado a ayudarlo. No se le ocurría mejor final para un cabrón como Sam Parker que veinte años en la cárcel. Sólo estaba dispuesto a escucharlo por Alex.

—No puedes pegarle hasta que pague los honorarios —replicó Alex, también sonriente.

—Bueno, no olvides hacerle la pregunta del millón de dólares —comentó él, refiriéndose al divorcio.

—Tranquilo. Ahora se trata de un asunto profesional.

Sam llegó veinte minutos después, pálido a pesar del bronceado y con ojeras. Cuando se sentó al otro lado de la mesa de la sala de juntas, frente a Alex y Brock, le temblaban las manos visiblemente.

Alex le preguntó si le importaba que Brock estuviera presente y Sam aceptó, aunque no le entusiasmara la idea, si ella creía que podía ser útil. Le estaba muy agradecido a Alex. Le dijo que era el mejor abogado que conocía y que respetaba sus opiniones. Intercambiaron una mirada antigua y familiar. Se habían amado durante demasiado tiempo para olvidarlo tan fácilmente.

El relato de Sam, aunque incompleto, presentaba un panorama desolador. Por lo que había podido averiguar, lenta pero regularmente, Simon había estado introduciendo clientes poco escrupulosos en su negocio, falsificando sus historiales y los informes de diversos bancos europeos. Después, con procedimientos que Sam no conocía aún muy bien, Simon había estado escamoteando dinero. Había embaucado a sus socios y robado el dinero de los clientes honrados. También había blanqueado dinero negro procedente de Europa. Sam admitió, sin acusarla, que durante el tiempo en que Alex había estado enferma y su relación se deterioraba, él había dejado de prestar la atención debida a su negocio. No quería hablar, a menos que lo obligaran, de su aventura con Daphne.

Lo que sí explicó fue que no estaba seguro de si Simon había introducido a su prima en el negocio como señuelo, pero desde luego su llegada había sido muy oportuna.

Sam admitió también que en primavera había empezado a sospechar que había algo raro en los tratos de Simon con uno de sus clientes, y que ciertos fondos habían sido mal utilizados. Sin embargo, al hablar de ello con sus socios, Larry y Tom habían insistido en que no debía fiarse de las apariencias y él acabó por pensar que no había de qué preocuparse. Se daba cuenta ahora de que en realidad había hecho todo lo posible para que lo convencieran. Era curioso, confesó, que precisamente en aquellos momentos Alex le hubiera recordado sus sospechas acerca de Simon y él las rechazara con vehemencia.

—Fui un auténtico idiota —dijo—. Simon es un canalla. Tú tenías razón. Ahora he descubierto que Larry y Tom estaban confabulados con él. Al principio no, pero al parecer en febrero descubrieron algo de lo que había hecho y él los silenció con dinero; un millón de dólares para cada uno en una cuenta numerada de Suiza. Así que en los últimos seis meses han sido sus cómplices en los fraudes, robos y malversaciones. Es increíble lo estúpido y ciego que he sido, o he querido ser. Incluso dejé que Simon me arreglara dos meses de vacaciones en Europa para quitarme de en medio mientras ellos llevaban a cabo algunas de sus peores fechorías. Y mientras yo no estaba, alguien del banco abrigó sospechas e informó a la Comisión de Cambios y Valores y al FBI, y éstos acudieron al Ministerio de Justicia y todo el castillo de naipes se derrumbó sobre nosotros. Y a mí me han pillado con ellos como a un imbécil. Me olí algo cuando fui a Londres y hablé con uno de los socios anteriores de Simon. Supuso que yo sabía más de lo que en realidad sabía. El caso es que cuando llamé a Larry y a Tom para preguntarles qué estaba pasando, ellos lo encubrieron por miedo. Y mientras seguía en Europa, cerraron negocios turbios por valor de veinte millones de dólares en mi nombre. Estoy hundido en la mierda hasta el cuello —Sam miró a su mujer con expresión aterrada y miserable. Había perdido su reputación y su vida estaba en juego.

—Pero tú no estabas aquí cuando se realizaron semejantes negocios —señaló Alex—, ¿no te servirá eso de nada?

—No lo creo. Mira, aún falta lo peor. Yo llamaba por teléfono casi todos los días, ellos me enviaban cosas por correo y yo, a pesar de mis sospechas, firmaba. Tal como me lo presentaban parecía todo muy respetable. Y ahora soy tan responsable como ellos. Yo quería que mis sospechas no fueran ciertas, sencillamente no quería admitir lo que estaban haciendo. Pero cuando volví la semana pasada y empecé a hacer preguntas, me asusté y me puse a escarbar. No tienes ni idea de lo que he llegado a encontrar, ni del perjuicio que han causado a mi negocio. Estoy acabado, Alex —Sam miró a su mujer con lágrimas en los ojos—. Todo lo que había construido se ha desmoronado. Esos dos idiotas me vendieron por un millón de dólares y ahora todos vamos a acabar en la cárcel por culpa de Simon —cerró los ojos para intentar recobrar la compostura. Alex sintió lástima, pero no tanta como hubiera podido esperar. En cierto sentido Sam se lo merecía. Había confiado en quien no debía, sin hacer caso de su primera impresión negativa, y había cerrado los ojos mientras Simon destruía toda su vida. En aquel momento los abrió para mirar a Alex con un terror no disimulado—. ¿Qué posibilidades tengo? —preguntó.

—Bastante malas, Sam —contestó Alex tras unos instantes de vacilación—. He tomado unas notas y ahora quiero llamar a uno de nuestros socios, pero no creo que puedas salir indemne sólo con tus explicaciones. Hay mucha responsabilidad implícita por tu parte. Será muy difícil convencer al gran jurado, o a cualquier otra persona, de que no sabías lo que estaba ocurriendo, aunque sea la verdad.

—¿Tú me crees?

—Hasta cierto punto —contestó Alex con sinceridad—. Creo que no quisiste enterarte de lo que pasaba y que dejaste que ocurriera.

Brock estaba completamente de acuerdo con ella, pero no dijo nada.

—¿Qué debo hacer? —preguntó Sam absolutamente aterrorizado.

—Decir la verdad. Sobre todo a tus abogados. Diles todo lo que sepas, Sam. Es tu única esperanza de salvación. ¿Qué hay de Simon?

—Lo acusarán formalmente esta tarde.

—¿Y la chica? ¿Su prima? ¿Qué papel tenía ella en todo esto?

—No lo sé todavía —respondió, desviando la mirada—. Ella dice que no ha participado en nada, que no lo sabía. Yo creo que lo sabía cuando entró en el negocio, pero que luego decidió mantenerse al margen. O tal vez no, tal vez esté implicada.

Mientras hablaba Sam, Alex pensó que su marido había pagado un alto precio por su aventura, pero seguía queriendo ayudarlo. Llamó entonces a Phillip Smith, uno de los socios del bufete que se había especializado en fraude fiscal y delitos bursátiles. Phillip prometió bajar a los cinco minutos.

—¿Y tú? ¿Seguirás en el caso? —preguntó Sam con voz patética, haciendo que Brock deseara más que nunca pegarle un buen puñetazo.

—No te haría ningún bien —contestó Alex—, ésta no es mi especialidad —no lo dijo, pero no quería verse involucrada tan directamente.

—¿Y como consejera, o asociada? Alex... por favor...

Brock volvió la cara. No quería presenciar el numerito de Sam.

—Veré lo que puedo hacer, pero no me necesitas a mí, Sam. Esperaremos a ver lo que dice Phillip Smith —le hablaba con una amabilidad que exacerbó el resentimiento de Brock.

—Te necesito —susurró Sam cuando llegó Phillip y Brock tuvo que ausentarse unos minutos.

Alex hizo las presentaciones y mostró sus notas a Phillip. Éste asintió y frunció el entrecejo. Luego se sentó junto a Alex.

—Debería dejarlos solos —dijo ella, y se levantó. Sam la miró con ojos suplicantes. Era en verdad una figura patética.

—No te vayas —Sam miró a su mujer como un niño asustado. De repente Alex recordó su propio miedo y su soledad cuando le dijeron que tenía cáncer y él se había negado a ayudarla.

—Ahora vuelvo —dijo tranquilamente. No quería animar a Sam a que dependiera de ella. El caso iba a ser muy difícil e indudablemente acabaría en juicio, que tardaría meses, si no años, y ella no quería comprometerse demasiado.

Cuando llegó a su despacho se encontró a Brock paseando furiosamente de un lado a otro.

—Maldito hijo de puta llorón —exclamó Brock, mirando a Alex con ira, como si fuera culpa suya—. No ha hecho nada por ti en un año, si es que antes hacía algo, cosa que dudo, y ahora se echa a llorar porque está a punto de ir a la cárcel. ¿Pues sabes lo que te digo? Que deberías dejar que fuera. Ese cabrón tan amigo suyo y su prima lo han embaucado como a un tonto y ahora viene a que lo salves —estaba tan enfadado que no podía dejar de moverse.

—Tranquilízate, Brock. Todavía es mi marido.

—No por mucho tiempo, espero. Menudo pedazo de mierda. Se sienta ahí con su traje caro y su reloj de diez mil dólares, recién llegado de su yate en el sur de Francia, y se sorprende de que sus socios sean unos timadores y de que a él lo vaya a procesar el gran jurado. Bueno, pues a mí no me sorprende. Creo que estaba en el ajo desde el principio.

—Yo no —replicó Alex con calma, sentándose en su mesa mientras él paseaba—. Creo que seguramente ha ocurrido todo tal como él lo cuenta. Estaba divirtiéndose por ahí sin prestar demasiada atención al negocio y los otros lo jodieron. Eso no es disculpa; debería haber estado más atento. Tiene su responsabilidad, pero fueron los otros los que cometieron los delitos.

—Sigo pensando que se lo merece.

—Tal vez —Alex aun no estaba segura sobre qué pensar.

A las dos y cuarto, cuando se marchó el cliente con el que estaba citada a la una y media, Sam seguía hablando con Phillip Smith. Poco después le pedían que se uniera a ellos. Brock no acudió. Alex comprendió que se había equivocado al solicitar su presencia la primera vez. No era justo esperar de él que fuera objetivo.

—¿Y bien? —preguntó Alex, al sentarse en la sala de juntas. Al mirarla Sam se dio cuenta de que su figura había recuperado su naturalidad, pero tenía demasiados problemas en los que concentrarse—. ¿Dónde estamos? —Alex quería enfocar todo aquel asunto de la manera más impersonal posible.

—En una posición no demasiado buena, me temo —Phillip se explicó sin tapujos. Creía que Sam la tenía muy difícil y que, de hecho, era probable que el gran jurado presentara nuevos cargos. Estaba seguro de que habría juicio, y no se podía predecir qué ocurriría delante de un jurado. Era probable que Sam lo perdiera, sobre todo si el jurado no le creía. Tenía a su favor que realmente no sabía qué estaba sucediendo hasta el último momento. Phillip también tenía la impresión de que Larry y Tom caerían con Simon, pero Sam tenía una oportunidad de salvarse si conseguían separar su caso de los otros y despertar las simpatías del jurado. Su esposa tenía cáncer, él estaba fuera de sí por la preocupación y por los cuidados que ella necesitaba y no había prestado atención a los negocios. Había confiado en sus socios, sin cometer jamás ningún hecho delictivo conscientemente.

A Alex todo aquello le pareció muy bien legalmente, pero era injusto que la utilizaran como defensa cuando tan poco había hecho Sam por ayudarla.

—¿Servirá eso en tu opinión? —le preguntó Phillip, pues sabía que estaban separados.

—Tal vez —respondió ella cautelosamente—, si nadie lo mira con lupa. Creo que la mayoría de la gente sabe que nuestro matrimonio se estaba deshaciendo y que Sam no me ayudaba mucho.

Sam miró a su mujer parpadeando, pero no pudo objetar nada.

—¿Sabían que no te "ayudaba"?

—Unas cuantas personas. Yo no fui haciendo propaganda por ahí, pero creo que Sam estaba muy "ocupado" por aquella época —miró a su marido a los ojos—. Ha estado saliendo con otra mujer abiertamente desde el otoño pasado, o al menos desde bastante antes de Navidad.

Phillip miró a Sam fríamente.

—¿Es eso cierto?

Sam detestaba tener que admitirlo, pero sabía que debía ser sincero por embarazoso que resultara delante de Alex. Y se había

268

quedado consternado al comprender que su mujer lo sabía todo casi desde el principio.

—Sí, es cierto. Es la mujer de la que le he hablado. La prima de Simon, Daphne Belrose.

—¿Está implicada también ella?

—No lo sé, pero no tiene miedo de que la acusen. Habla de volver a Inglaterra en cuanto surja algún problema.

—Eso sería una estupidez —dijo Smith con gravedad—. La convertiría inmediatamente en fugitiva de la justicia. Además, podrían pedir su extradición. ¿Cuál es su situación con ella en este momento?

—Estoy viviendo con ella —contestó Sam, sintiéndose un completo idiota—, al menos hasta esta mañana.

—Comprendo —a Smith no le hacía falta más—. Bueno, señor Parker, necesitaré cierto tiempo para estudiar su caso. Mientras tanto esperaremos al siguiente movimiento del gran jurado. ¿Cuándo tiene que declarar?

—Dentro de dos días.

—Eso nos da cierto margen para decidir nuestra estrategia —el abogado no parecía complacido en el caso, ni le gustaba Sam especialmente, pero estaba dispuesto a aceptar su defensa como favor a Alex. El caso, además, sería de los gordos, y muy interesante. Phillip Smith se fue entonces, después de asegurar a Sam que le llamaría al día siguiente. Era la primera vez que Alex y Sam estaban a solas antes del verano.

—Lo siento. No me había percatado de cuánto sabías —dijo Sam con expresión de auténtico pesar e insólitamente humilde.

—Sabía lo suficiente —dijo ella tristemente. No quería hablar de ese tema, ya no tenía sentido—. Creo que estás metido en un buen lío, Sam. Lo siento. Espero que Phillip pueda ayudarte.

—También yo —su mirada expresó entonces una profunda desdicha—. Siento haberte arrastrado a todo esto y haberte avergonzado. No te lo mereces.

—Tampoco tú. Merecías un buen puntapié en el trasero —comentó con una sonrisa—, pero no tan fuerte.

—Quizá sí —replicó él, consumido por los remordimientos—. ¿Cuándo te enteraste de lo de Daphne?

—Los vi salir de Ralph Lauren justo antes de Navidad. Su comportamiento lo decía todo. No me fue muy difícil imaginar el resto. Supongo que me pasó lo mismo que a ti con Simon, que al principio no quería darme cuenta. Era demasiado doloroso y tenía muchas otras preocupaciones.

Sam la miró y deseó que el reloj retrocediese para cambiar las cosas, pero era demasiado tarde.

—Creo que perdí el norte por un tiempo. Lo único en lo que podía pensar era en mi madre y en cómo murió. Se me metió en la cabeza que eras como ella y que me ibas a arrastrar contigo, igual que le ocurrió a mi padre. Me entró el pánico. Dejé de pensar con claridad y descargué toda mi rabia infantil sobre ti. Estaba como loco. Supongo que la aventura con Daphne también fue una locura. Era mi manera de negar la realidad, pero le he hecho daño a todo el mundo. Ahora no sé qué pensar. No sé si fue una encerrona o si Daphne era sincera. Ni siquiera estoy seguro de conocerla.

—Tal vez las cosas ocurren porque tienen que ocurrir, Sam —dijo Alex con cierto estoicismo. Aunque fuera demasiado tarde para arreglar su matrimonio, por fin Sam había recuperado el juicio y comprendía por qué la había abandonado.

—Supongo que querrás el divorcio —dijo Sam. Pero Alex lo vio tan dolido, asustado y vulnerable que no tuvo ánimos para presionarlo.

—Podemos hablar de ello cuando resuelvas tus problemas —no le parecía justo pedírselo en ese momento. Un mes o dos no supondrían tanta diferencia.

—Mereces algo mucho mejor de lo que yo te he dado —afirmó Sam, sintiéndose un miserable. Por un momento estuvo a punto de decir algo más, pero tuvo la sensatez de no abusar de la generosidad de Alex.

—Quizá no tuviste otra opción —comentó ella, intentando ser justa.

—Deberían haberme dado de patadas. Fui un estúpido.

—Saldrás de ésta, Sam. Eres un buen hombre en lo fundamental y Phillip es muy buen abogado.

—También tú, y una buena amiga —dijo él, esforzándose por contener las lágrimas, al tiempo que ambos se levantaban.

—Gracias, Sam —dijo Alex con una sonrisa—. Me mantendré al tanto de lo que ocurra. Llámame si me necesitas.

—Dale un beso a Annabelle de mi parte. Intentaré ir a verla este fin de semana, si no estoy en la cárcel.

—Ni lo pienses. Hasta pronto.

Alex volvió a su despacho, donde la aguardaba Brock, siempre paseando de un lado a otro. Liz le había dicho que Alex estaba en la sala de juntas y él había visto a Phillip abandonarla.

—¿Se lo has dicho?

—Más o menos. Él ha comentado que imaginaba que yo pediría el divorcio, y yo le he contestado que hablaremos de ello cuando se aclare este lío.

—¿Qué? ¿Por qué no le has dicho que lo querías ahora? —Brock estaba furioso.

Por su parte Alex estaba cansada y exasperada. Había sido muy duro para ella hablar con Sam acerca del fracaso de su matrimonio y, además, para Annabelle sería traumático que su padre fuera a la cárcel.

—No se lo he dicho porque no importa que pida el divorcio este mes o el que viene, por el amor de Dios. Respetémoslo un poco, o al menos compadezcámoslo. Lo van a juzgar por fraude y malversación. Después de diecisiete años de matrimonio y una hija creo que puedo ser indulgente con él unas semanas más.

—¿Y qué me dices de su indulgencia en los últimos meses? Qué compasivo fue, ¿te acuerdas? —bramó Brock, adoptando una postura muy poco habitual en él. A Alex le pareció que actuaba como un chiquillo, pero no lo dijo.

—Lo recuerdo perfectamente, pero no creo que tenga que echárselo en cara continuamente. Se ha terminado, Brock. No importa cuándo nos den el certificado de defunción, nuestro matrimonio está muerto. Los dos lo sabemos.

—No estés tan segura con ese cabrón. Si su putita lo deja colgado, pronto aparecerá en tu puerta. Ya he visto cómo te miraba hoy.

—¡Por todos los santos, basta ya! Esto es ridículo —Alex se negó a seguir discutiendo con él. Brock fue a su despacho hecho un basilisco y ella no lo volvió a ver hasta que abandonaron juntos el bufete a las siete de la noche. Pero Brock siguió de mal humor durante la cena.

En el ático de la Quinta Avenida, Daphne no se portaba mejor con Sam. De hecho, se dedicaba a dar portazos, romper vasos y tirar toda clase de objetos por los aires, y Sam no lo encontraba divertido.

—¿Cómo te atreves a acusarme de eso, cabrón? —gritaba Daphne—. ¿Cómo te atreves a decir que yo te metí en una trampa? Yo no me prestaría a una cosa así. Ése sí que es un truco sucio, intentar culparme de tus faltas. Bueno, pues no creas que te vas a salir con la tuya. Simon me ha dicho que va a contratar un abogado para mí si lo necesito, pero no pienso quedarme aquí, me iré a Londres. No pienso quedarme sentada aquí mientras te juzgan y tú intentas arrastrarme a la cárcel contigo.

—En realidad, querida, creo que serías una compañía bastante mala, por lo que estoy viendo —miró los objetos rotos en derredor. Ya no tenía fuerzas para seguir peleando—. ¿Qué pensarías tú en mi lugar? Me has tenido bailando alrededor de tu cama durante los últimos meses, y muy agradable que era, debo admitirlo, y mientras tanto Simon se dedicaba a arruinar mi negocio. Resulta difícil de creer que no supieras nada, aunque me gustaría. Y ahora descubro que mi mujer lo sabía todo desde el principio. Desde luego hay que reconocerle el mérito de haberlo aguantado admirablemente. La traté peor que a un perro mientras ella no dejaba de echar las tripas por culpa de la quimioterapia, y tuvo la elegancia de no decir que lo sabía todo. Me quito el sombrero. Es toda una dama —al contrario que Daphne, pensaba.

—Y entonces, ¿por qué no vuelves con ella? —preguntó Daphne, sentándose en un sillón de piel negra. Cruzó las piernas para que Sam viera lo que tenía entre ellas, pero el hechizo se había roto.

—Alex es demasiado inteligente para volver a aceptarme —respondió él tranquilamente—. No la culpo lo más mínimo. Creo que al menos he de tener la decencia de no acercarme a ella.

—Creo que se merecen el uno al otro. El señor y la señora Perfectos. El señor honrado y puro, que no tenía ni idea de cómo multiplicaba Simon sus millones. ¿Tan ingenuo eres, Sam? O, para ser franca, ¿tan estúpido? No me vengas con eso de que no sabías nada. No le ayudé a montar todo este tinglado, pero, por el amor de Dios, hasta yo me di cuenta de lo que pasaba. No me digas que tú no.

—Lo más estúpido de todo es que no prestaba atención. Estaba demasiado ocupado en meterme debajo de tu falda para darme cuenta. Tú me cegaste, querida mía. Fui un completo estúpido y supongo que ahora merezco lo que me está pasando.

—No está pasando nada, Sam. Todo ha terminado. Estás acabado —dijo Daphne con tono despreciativo, como si la situación le divirtiera.

—Lo sé. Gracias a Simon.

—Cuando esto termine no conseguirás trabajo ni de cajero en un banco.

—¿Y tú, Daphne? ¿Qué te parece a ti? ¿Te quedarás para prepararme la cena cuando vuelva a casa de mi miserable y patético trabajo de vendedor de chinchetas? —comentó sarcásticamente, mirándola con un desprecio absoluto. Ahora ya la conocía.

—No lo creo —contestó Daphne, descruzando las piernas para volver a mostrar todo lo que Sam había querido de ella hasta entonces—. La diversión se ha acabado, Sam. Ya es hora de que me vaya. Pero ha sido divertido, ¿verdad?

—Mucho —admitió Sam.

Daphne se acercó a él lentamente y deslizó la mano por la abertura de la camisa. Le acarició el pecho, los pezones y el estómago. Sam no se movió y ella intentó desplazar la mano más abajo, pero él la detuvo. Entre ellos sólo había existido sexo, y en abundancia, pero el precio que había pagado por el placer era demasiado alto.

—¿Me echarás de menos? —preguntó Daphne, acercándose más aún. Era como si quisiera demostrar que podía embrujarlo una vez más.

—Te echaré de menos —contestó Sam, pesaroso—. Echaré de menos la ilusión —amargamente se dijo que había cambiado la vida real por una fantasía y que había perdido a Alex por su culpa.

Daphne apretó sus labios contra los de Sam y lo acarició hasta que notó que él se excitaba y la besaba con el último vestigio de pasión que le quedaba. Pero Sam acabó apartándose y mirándola con tristeza, comprendiendo que nunca llegaría a saber si había colaborado en su destrucción o si todo lo había hecho su primo.

—Una última vez —pidió Daphne con voz ronca. Sam había llegado a gustarle más de lo que pretendía. No era mujer de compromisos largos, pero con él había sido diferente. Sin embargo, todo había acabado.

Sam negó con la cabeza y abandonó el apartamento para dar un largo paseo. Tenía mucho en qué pensar. Cuando volvió dos horas y media más tarde, el ático estaba tan vacío como su corazón.

Daphne se había llevado todo lo que Sam le había dado, dejándole únicamente recuerdos y preguntas. Esa noche, en las noticias de las once, anunciaron que el gran jurado había presentado dieciséis cargos de fraude y malversación contra Simon Barrymore. No se mencionaba a su prima y posible cómplice, Daphne Belrose, quien en ese mismo momento volaba hacia Londres.

20

La declaración de Sam ante el gran jurado fue terrible y agotadora. Duró todo el día. Y al final, los cargos no fueron retirados. Samuel Livingston Parker iba a ser juzgado por nueve acusaciones diferentes. Contra Larry y Tom habían presentado trece.

Alex no presenció la declaración, pero llamó a su marido después de hablar con Phillip Smith en el bufete.

—Lo siento, Sam —dijo.

Sam tendría que defenderse de las acusaciones o aceptar un trato a cambio de una reducción de condena. El juicio daría comienzo hasta el 19 de noviembre, de modo que les quedaban tres meses para preparar la defensa.

Phillip había reclutado a tres de los mejores abogados del bufete para ayudarle. Otra firma representaba a Larry y Tom. A Simon lo defendía un abogado del que Alex no había oído hablar nunca.

—¿Y la chica? —preguntó Alex—. No la han acusado de nada. ¿Cómo consiguió librarse tan fácilmente?

—Suerte, supongo.

—Debe estar muy satisfecha —comentó Alex con frialdad.

—No tengo ni idea. Se ha ido a Londres. Ha decidido que los buenos tiempos han acabado.

Daphne estaba en lo cierto. También Sam sabía lo que le aguardaba después de un escándalo como aquél. No lo había intentado, pero estaba seguro de que si llamaba a La Grenouville, a Le Cirque o al Four Seasons, sólo le darían reservación para última hora y en una mesa junto a la cocina. Su reputación se había hundido con él,

275

e inmediatamente, a\pesar de sus dos décadas de trabajo honrado, el nombre de Sam Parker sería enterrado.

Lo extraño era que siempre había dicho que todo aquello no le importaba, pero ahora que lo había perdido se daba cuenta de que no era verdad. Saber que su nombre era arrastrado por el fango y que se había quedado sin reputación y sin negocio le hacía sentirse acabado como persona. De repente comprendió lo que debió sentir Alex al perder un pecho y, con él, su sentido de la femineidad y la capacidad para tener hijos. Él no la había ayudado, desde luego; se había marchado con una mujer y ahora se lamentaba por todo lo perdido.

—Phillip ha reunido un equipo formidable —le dijo Alex para darle ánimos.

Lo peor para Sam era que Alex no parecía guardarle resentimiento, y por lo visto había puesto paz en su situación. Evidentemente, Sam no sabía nada de su relación con Brock.

—¿Estarás tú en ese equipo? —preguntó Sam con cierto azoramiento. Se sentía tan desvalido como un niño. Ni siquiera sabía qué haría antes del juicio. La oficina iba a cerrarse, se estaban liquidando sus diversos negocios y habían embargado sus bienes. Él intentaba compensar a cuantos clientes le era posible con sus propios fondos, pero serían muchos los que tendrían pérdidas cuantiosas. Se sentía muy culpable, pero ya nada podía hacer sino recibir su castigo, fuera cual fuera. Algunas veces pensaba que merecía ir a la cárcel solamente por su estupidez, y así se lo dijo a Alex antes de que ésta pudiera contestar a su pregunta.

—Que yo sepa, eso no es delito, todavía. Y no, no voy a estar en el equipo, pero seguiré el caso de cerca.

Sam sabía que no podía ir más allá y no discutió con ella.

—Gracias. Cerraremos la oficina dentro de una semana o dos. Prácticamente se han ido ya todos. Supongo que después no quedará más que prepararse para el juicio —después de unos instantes de silencio, añadió—: Voy a vender el ático. Ya no me sirve y, francamente, necesito el dinero. Además, si voy a la cárcel no tendrás que preocuparte tú por él. Me alojaré en el Carlyle.

—A Annabelle le gustará —Alex intentaba levantarle los ánimos, pero las perspectivas eran muy negras. Todos sus defectos, flaquezas, estupideces y pecados quedarían expuestos y él estaría a merced de doce hombres y mujeres, en cuyas manos estaba su futuro. Recordó entonces que se acercaba el día del Trabajo—. ¿Te llevarás a Annabelle el fin de semana?

—Me gustaría —tenía ganas de estar a solas con su hija y disfrutar con ella.

Carmen llevó a la niña a la ciudad desde East Hampton, y cuando Sam pasó a recogerla Alex no estaba en casa. Tampoco la vio él en el bufete esa semana, cuando estuvo allí hablando con Phillip. Alex no quería que Phillip la considerara una intrusa y, de todas maneras, le había prometido a Sam que estaría en el juicio con él.

Cuando Alex y Brock fueron a East Hampton el viernes por la tarde, estaban exhaustos. Él seguía enfadado porque Alex no había cogido el toro por los cuernos en el asunto del divorcio, y ella creía que se estaba portando de un modo muy poco razonable, infantil. El viernes por la noche volvieron a pelearse por lo mismo y, por primera vez desde que se iniciara su relación, fueron a dormir enfadados.

Sin embargo, a la mañana siguiente, cuando despertaron, Brock la abrazó y le pidió perdón.

—Siento haberme portado como un idiota en todo esto. Lo que pasa es que Sam me da miedo —confesó.

—¿Sam? —dijo Alex, mirándolo con asombro—. ¿Por qué? El pobre prácticamente está en la cárcel y tiene un montón de problemas. ¿Qué te da miedo?

—El pasado. El tiempo. Annabelle. No importa que antes haya sido un hijo de puta contigo, sigue siendo tu marido y vivieron juntos diecisiete años. Debe ser muy difícil librarse de él.

—No tienes por qué preocuparte, Brock —afirmó Alex, pasándole una mano por los cabellos en un gesto maternal. Sabía que tenía razón, pero también era cierto que existía una historia, aunque más breve, entre ella y Brock, y que lo amaba—. No te preocupes por él. Conseguiré el divorcio cuando se acabe el juicio, pero no me parece correcto hacerlo antes. Me pasa lo mismo que a Sam cuando no quiso irse hasta que acabara la quimioterapia, y eso que debía tener ganas. En el fondo se trata de una mínima decencia y buena educación —Alex sonrió y Brock consiguió relajarse por primera vez en muchos días.

—Tú asegúrate de que la buena educación no te mantenga casada con él, o perderé la mía rápidamente. Podría cargármelo

Alex sabía que no hablaba en serio y no lo culpaba por apremiarla, pero estaba resuelta a solicitar el divorcio en el momento más adecuado.

Pasaron un agradable fin de semana en la playa y recogieron todas sus cosas con pesar el lunes. Brock había alquilado un coche familiar para volver. Precisamente lo estaban descargando frente al apartamento de Alex cuando llegó Sam con Annabelle y tuvo un pequeño sobresalto. De repente, al verlos juntos allí, Sam comprendió que no eran sólo compañeros de trabajo.

—¿Les echo una mano? —preguntó cortésmente, y llevó una caja hasta el vestíbulo. De pronto se sentía como un extraño en lo que antes era su casa. Brock se mostró tan amable con él que resultó patético y Alex estuvo muy simpática, pero cuando Sam vio a su hija con ellos, se dio cuenta de que formaban una unidad en la que no podía entrometerse.

Se marchó poco después, completamente abatido, dejando a Brock con una expresión muy complacida. No cabían dudas, el mensaje había sido muy claro: "Ahora es mía", y Sam lo había entendido a la primera.

21

Annabelle regresó al colegio después del día del Trabajo, y los adultos a su rutina normal. Alex había vuelto a hacerse cargo de su habitual volumen de casos y tenía que trabajar en los tribunales casi todos los días. Brock seguía ayudándola, pero también tenía sus propios casos y no podían pasar tanto tiempo juntos como durante la quimioterapia, lo que ambos echaban de menos.

Varios de sus socios la habían encomiado por su fortaleza y perseverancia durante la enfermedad, y Alex había acabado por convertirse en una especie de leyenda en el bufete.

Brock pasaba todas las noches con Alex y Annabelle, pero seguía manteniendo su apartamento, a donde iba a dormir. Ni él ni Alex creían conveniente para la niña que vivieran juntos abiertamente, así que Brock se levantaba en plena noche para volver a su casa. Sólo dormía toda la noche en la habitación de invitados los fines de semana. Ambos estaban ansiosos por regularizar su situación, aunque sólo fuera para dormir bien, como decía Brock bromeando. De todas formas, Annabelle le tenía tanto cariño que seguramente no le hubiera importado que viviera con ellas.

Durante el mes de octubre Sam tuvo que pasar muchas horas con Phillip Smith y su equipo. Todos sabían que el caso era muy difícil y ni siquiera Sam se hacía ilusiones. Su oficina ya estaba cerrada. Finalmente había quedado claro que el importe total de las estafas se elevaba a más de veintinueve millones de dólares. Podría haber sido peor si Sam no hubiera hecho todo lo posible por reducir las pérdidas de sus clientes, y no hubiera recurrido a todo tipo de pólizas de seguros para reembolsar a los perjudicados. Sus esfuerzos no estaban encaminados a reforzar su defensa, sencillamente volvía a ser el de siempre y se sentía algo mejor, aunque estaba tenso cuando Alex lo veía en las reuniones con Phillip. Le aterrorizaba la perspectiva de ir a la cárcel, y sabía que era lo más probable.

A finales de octubre empezaron a hacerse tratos. Los fiscales pretendían que todos se declararan culpables, cosa que no habían conseguido hasta entonces. Ofrecían reducciones de condena a cambio, pero no parecían demasiado atractivas, sobre todo a Sam, cuya defensa se basaba en que había sido increíblemente estúpido, pero no había delinquido intencionadamente.

—¿Crees que funcionará? —le preguntó Brock a Alex un fin de semana, mientras contemplaban a Annabelle, que jugaba en el parque.

—No estoy segura —contestó Alex tras unos minutos de reflexión—. Espero que sí, por su propio bien, pero si yo formara parte del jurado y me dijera que era demasiado idiota para enterarse de que sus socios lo engañaban mientras él se dedicaba a sus jueguecitos sexuales, creo que me partiría de risa y lo mandaría directo a la cárcel.

—Eso es lo que yo pensaba —comentó Brock, pero no lo lamentaba, y en eso Alex no se mostró de acuerdo.

—No se puede enviar a alguien a la cárcel sólo porque se haya portado mal con su mujer mientras estaba enferma, Brock. Es una tontería. Eso no lo convierte en un delincuente, sino en un cabrón. La cuestión no es si me engañaba a mí, sino si engañaba a sus clientes —dijo Alex, adoptando el punto de vista más profesional.

—Lo sabía, no me digas que no lo sabía. No quería aceptarlo, pero sabía de sobra que Simon no era trigo limpio. Incluso tú te diste cuenta.

—Me pareció que era un fraude —replicó Alex, pensativa—, pero Sam siempre lo defendía. Era muy fácil dejar que el dinero siguiera entrando y cerrar los ojos.

—Debería haber tenido más cuidado.

—Sí, es cierto. Ahí es donde creo que se interpuso su vida sentimental.

—Va a ser un juicio muy jugoso —predijo Brock, y así fue.

Los periódicos le dedicaron amplios reportajes desde el momento en que empezaron las declaraciones. Hacia mediados de noviembre, quienes formaban parte del mundo financiero hacían apuestas sobre quién iría a prisión y quién no. Todos creían que Simon conseguiría librarse de alguna manera. De hecho, había seguido con sus turbios negocios en Europa mientras aguardaba el inicio del juicio y nada parecía detenerlo. Se auguraba que Larry y Tom irían sin duda a prisión, pero sobre Sam nadie quería pronunciarse. Había tenido muy buena reputación durante mucho tiempo y algunos de sus más antiguos conocidos le creían, aunque los jóvenes cachorros de Wall Street no se tragaran su historia.

El juicio dio comienzo por fin. Alex presenció la elección del jurado y charló con Sam en los pasillos para distraerlo. Él tenía cuatro abogados, y había cinco para los otros tres acusados. Era un gran acontecimiento y la sala del tribunal estaba llena de periodistas.

Brock no había querido asistir. Sólo esperaba que se terminara todo de una vez. No acababa de creer que Alex pediría el divorcio y se lo concederían, a pesar de que ella se lo prometía constantemente. Brock comprendía que Alex obraba bien, pero estaba demasiado celoso para razonar, cosa que fastidiaba y conmovía a Alex al mismo tiempo.

El juicio propiamente dicho empezó la tarde del tercer día en medio de una atmósfera tensa. El jurado había sido escogido cuidadosamente y se le había explicado que los asuntos que allí se examinarían serían de cierta complejidad por tratarse de altas finanzas. El caso de Sam se presentó en último lugar, y a Alex le pareció que el juez lo había expuesto con claridad. Era un buen juez, con el que ella siempre había tenido experiencias positivas, pero eso no le serviría de nada a Sam.

Las declaraciones de los testigos se prolongaron durante tres semanas, y el día de Acción de Gracias pasó sin que le prestaran mucha atención. Alex y Brock comieron el pavo en casa de éste, mientras Annabelle lo hacía en el Carlyle con Sam. Pero nadie tenía ganas de celebraciones. Alex recordaba el día de Acción de Gracias del año anterior, cuando la tensa cuerda de su matrimonio había acabado por romperse, y Sam se decía que el trauma de aquel día lo había arrojado finalmente en brazos de Daphne, y cuánto lo lamentaba ahora.

El día siguiente Sam apareció en el tribunal muy elegante con su traje oscuro. Alex se acercó para preguntarle cómo estaba.

—Gracias por venir —le susurró él. Parecía preparado para aceptar la decisión del juez. Sabía que le concedería treinta días para arreglar sus asuntos, si perdía, antes de ir a prisión, justo después de Navidad. Esta idea lo atormentaba cuando el juez utilizó el mazo para imponer orden en la sala.

La segunda semana de noviembre fue también la última semana de juicio. Sam subió al estrado para declarar y dio un testimonio conmovedor. Incluso tuvo que interrumpirse en una o dos ocasiones, abrumado por la emoción, de lo que los periodistas tomaron buena nota. Alex sabía, sin embargo, que era sincero. Lo que le sorprendía era la frialdad con que ella escuchaba a su marido, como si no creyera que Sam podía acabar en prisión. Ni siquiera quería pensar que lo había amado en otro tiempo; era demasiado doloroso.

Cuatro de los abogados hicieron después su alegato final ante el jurado. A Alex le pareció que el discurso de Phillip era muy claro y que se atenía a los hechos, poniendo el énfasis en lo que había declarado Sam en el estrado: que la enfermedad de su esposa y su propia estupidez le habían impedido darse cuenta de lo que los otros hacían, y que jamás había cometido fraude alguno a sabiendas.

El jurado deliberó durante cinco días y pidió ver las pruebas y las actas de los testimonios. Sam y los otros acusados estaban sentados, muy pálidos, cuando por fin el jurado entró en la sala. Alex notó que Sam fingía mostrarse despreciativo, pero que estaba muy nervioso. Ella sólo se compadecía de Sam y de Annabelle, a quien alguien en el colegio le había contado lo de su padre y el juicio. Sam y Alex habían intentado explicárselo, pero era demasiado complejo para una niña.

El portavoz del jurado era una mujer que leyó los veredictos con voz alta y clara. Empezaron con Tom, al que encontraron culpable de todos los cargos presentados. Lo mismo ocurrió con Larry y con Simon. En la sala se produjo un gran alboroto, los periodistas intentaban conseguir fotografías y el juez daba furiosos golpes con el mazo.

Llegó entonces el turno de Sam. Lo declararon "no culpable" de todos los cargos de malversación de fondos, pero culpable de los de fraude y conspiración para cometer fraude. Alex miró a Sam, que permaneció inmóvil mientras el juez decretaba que habrían de presentarse de nuevo a los treinta días para oír la sentencia y les informaba que se asesoraría debidamente. Los cuatro acusados quedaban en libertad hasta entonces bajo fianza de quinientos mil dólares, lo que significaba una garantía de cincuenta mil, que Sam había aportado ya al ser detenido. El juez también les recordó que no podían abandonar el estado ni el país. Luego dio un golpe con el mazo y cerró el juicio. El clamor fue inmediato. Alex tuvo que abrirse paso con esfuerzo para llegar hasta donde estaba su marido.

Sam parecía presa de una fuerte conmoción y tenía lágrimas en los ojos. Las esposas de Larry y Tom sollozaban sin reparo, pero Alex no les dirigió la palabra. Y Simon se marchó inmediatamente con su abogado.

—Lo siento mucho, Sam —dijo Alex, mientras alguien les hacía una foto.

—Salgamos de aquí —dijo él con amargura. Alex se inclinó hacia Phillip para preguntarle si quería hablar con su cliente, y él negó con la cabeza. El veredicto había supuesto una gran decepción para Phillip. Todos sus esfuerzos se centrarían a partir de aquel momento en reducir la sentencia, por pocas que fueran las posibilidades.

Alex salió detrás de Sam, esquivando cámaras y micrófonos. Por fin consiguieron atravesar aquella multitud y meterse en un taxi.

—¿Estás bien? —preguntó Alex. Por su aspecto temió que a su marido le diera un ataque al corazón o algo parecido.

—No lo sé. Creo que estoy como paralizado. No dejo de decirme que lo esperaba, pero supongo que no era cierto... Vayamos al Carlyle.

Al llegar al hotel se encontraron con que los aguardaban los periodistas. Rodearon el hotel hasta la puerta de la avenida Madison y se apresuraron a entrar. Sam le pidió que subiera con él unos minutos. Una vez en su habitación, llamó y pidió un whisky para él y un café para Alex.

—No sé qué decir —comentó Alex con toda sinceridad. Se avecinaba un mes duro para todos hasta que se conociera la sentencia—. ¿Puedo ayudarte en algo? —preguntó. Se sentía casi tan impotente como el día en que le dijeron que tenía cáncer.

—Cuida bien de Annabelle —dijo Sam y estalló en sollozos. Estuvo sentado con el rostro entre las manos durante largo rato. Alex se acercó a él y le rodeó los hombros con el brazo. Cuando llegó el camarero, firmó e introdujo la bandeja ella misma. Sam cogió el whisky y se disculpó por su vergonzoso comportamiento.

—No seas tonto, Sam. No pasa nada —dijo Alex amablemente. Sam echó un trago y la miró.

—No debiste sentirte mejor cuando te dijeron que tenías cáncer.

—Cierto —confirmó ella, y luego sonrió con tristeza—. Pero prefiero la quimioterapia a la cárcel.

Sam soltó una carcajada irónica y echó otro trago.

—Gracias, pero creo que no te dan la oportunidad de escoger.

—Créeme, no te gustaría.

—Lo sé —dijo, pesaroso—. Dios mío, qué enferma estabas. Y yo me negaba a creerlo porque no podía soportarlo. La misma Daphne me ayudaba en eso. Me tenía lástima a mí y no a ti, y yo estaba de acuerdo. Menuda pareja —miró a Alex, agradeciendo al cielo que hubiera sobrevivido a su enfermedad.

—¿Has sabido algo de ella? —preguntó Alex.

—Ni una palabra. Estoy seguro que se fue en busca de pastos más verdes. Caerá de pie allá donde vaya. Es muy lista —miró entonces a su mujer y dijo con pesadumbre—: ¿Qué haces que no me abandonas de una vez?

—Te he amado durante mucho tiempo. No se puede olvidar una cosa así tan fácilmente.

—Será mejor que lo olvides pronto —dijo Sam—. Me quedan treinta días. Por cierto, voy a aprovecharlos para pedir el divorcio. Estoy convencido de que será un gran alivio para tu joven amigo. El pobre me mataría con la mirada si pudiera. Dile que ya puede tranquilizarse, desapareceré dentro de poco.

Alex sonrió ante la ironía de sus palabras. Se conocían demasiado bien, y Sam había acabado por adivinar la naturaleza de su relación con Brock.

—¿No es un poco joven para ti? —su tono delataba que estaba algo celoso y Alex volvió a sonreír al recordar a Brock. Los dos hombres se comportaban como niños.

—Se lo digo cada día, pero es muy tozudo —contestó—. Se portó increíblemente bien conmigo cuando estuve enferma. Se pasó los cinco primeros meses de quimioterapia ayudándome, mientras yo vomitaba en el cuarto de baño de mi despacho, antes de pedirme que saliera con él.

—Es un buen hombre —dijo Sam, haciéndole justicia—. Ojalá yo hubiera tenido la decencia de hacer lo mismo —recordó el juicio y se encogió de hombros—. Quizá haya sido mejor que no siguiera a tu lado. No quiero que te derrumbes conmigo por culpa de todo esto. Necesitas ser libre.

—También tú —replicó ella.

—Díselo al juez —Sam se levantó. Sabía que no tenía derecho a retenerla allí por más tiempo, y estar cerca de ella sólo servía para que se sintiera peor—. Dile a Annabelle que iré mañana a recogerla —quería pasar su último mes de libertad con su hija. Le hubiera gustado que también estuviera Alex, pero nunca se lo pediría, sabía que no era posible.

Alex estaba triste cuando llegó a casa esa noche. Brock llamó para decirle que lo había visto todo en la tele y que lo lamentaba. Se encontraba aún en el despacho trabajando, pero iría al apartamento cuanto antes. Cuando llegó, se mostró tan complacido de que hubieran declarado culpable a Sam que Alex acabó enojándose.

—Creo que veinte años en prisión son un precio demasiado elevado por sus faltas, ¿no crees? ¿Quién demonios no ha cometido errores? Fue un estúpido egoísta y un ingenuo, de acuerdo, pero no merece perderlo todo por eso ni Annabelle merece perder a su padre.

—Debería haberlo pensado antes de meterse en negocios con Simon. Diablos, Alex, aquel tipo era transparente. Tú misma lo dijiste.

Alex no pudo negarlo, y lamentó que Sam hubiera confiado tanto en él.

Al día siguiente, cuando Sam fue a buscar a Annabelle, parecía completamente agotado. Alex consideró que Brock era innecesariamente grosero con él, y así se lo señaló cuando padre e hija se marcharon.

—Ya tiene Sam bastante para que encima tú seas desagradable con él.

—No he sido desagradable, sino frío, que es distinto.

—Has sido algo más que frío, Brock —regañándolo se sentía como si fuera su madre—. A cualquiera podría haberle ocurrido lo mismo que a él. Se dejó llevar por el oropel y las riquezas que otros le ponían delante para utilizarlo. ¿Tan seguro estás de que tú serías inmune?

—¿Por qué lo defiendes? —inquirió Brock, preocupado por la actitud de Alex—. ¿Es que sigues enamorada de él?

—No lo creo —contestó Alex—. Me preocupa. Lamento su situación.

—¿No crees que se merece todo lo que le ocurre?

—No, no lo creo. Es normal que pierda su negocio... su posición en la sociedad... incluso su reputación, pero no debería ir a prisión por algo que no hizo intencionadamente, Brock. No es justo.

—Eres demasiado blanda —Brock la miró unos instantes, luego se acercó y la rodeó con los brazos—. Supongo que por eso te quiero —cerró los ojos y la estrechó contra sí con tal fuerza que Alex apenas podía respirar—. No quiero perderte, eso es todo. Veo en tus ojos que todavía sientes algo por él. Su relación aún no ha terminado, por mucho que digas. Él sigue viviendo en tu corazón... Tal vez sea normal después de diecisiete años y una hija... no sé... pero no quiero perderte —repitió, y se inclinó para besarla. Y cuando se separaron para respirar, Alex le sonrió y acarició sus labios.

—No me perderás, Brock. Te amo —y lo decía con el corazón.

—Pero también lo amas a él.

—Tal vez, pero no estoy segura. No lo amo en el sentido romántico de la palabra. Estuvimos mucho tiempo juntos... y de repente todo se vino abajo y no comprendía por qué. Ahora veo su sufrimiento. Creo que comprendo sus razones. Sé lo que siente. Es difícil de explicar a otra persona, o que deje de sentirlo porque las cosas hayan cambiado.

—¿Estás segura de que han cambiado?

—Del todo —contestó ella con firmeza—. Ya no soy su mujer, sino alguien diferente. No estoy segura de que se pueda rehacer nuestro matrimonio después de todo lo pasado. Sólo se puede ir hacia adelante —y eso era lo que estaba haciendo con Brock, pero no era suya, no era de nadie. Por primera vez en muchos años era completamente libre, y eso le gustaba.

—No dejes de decírmelo si cambias de opinión —dijo él mirándola a los ojos y algo más tranquilo por lo que veía en ellos. Comprendía los sentimientos contradictorios de Alex, que en cierto modo amaba a los dos hombres y quería hacer lo correcto para ambos.

—No digas esas cosas —lo reprendió ella—. Nada va a cambiar. Sólo quiero ayudarle en estos momentos tan difíciles.

—¿Por qué? Él no te ayudó.

—Quizá por los viejos tiempos.

—No lo sientas tanto por él —le advirtió Brock, besándola de nuevo—. Yo te necesito —susurró.

—Y yo a ti —replicó ella. Esa mañana hicieron el amor en la cama que antes Alex compartía con Sam. El pasado para ella era ya historia.

Esa tarde, mientras Brock se encargaba de comprar lo necesario para la cena en Gristede's, Alex fue al Carlyle a recoger a Annabelle. Encontró a Sam pensativo. Era como si hubiera digerido el veredicto después de veinticuatro horas y el pánico se hubiera apoderado de él. No estaba ya tan filosófico ni locuaz como la noche anterior después de beberse un whisky. La compañía de Annabelle le había recordado todo lo que iba a perder, sentimiento que se exacerbaba al ver a Alex.

—¿Se la han pasado bien? —preguntó Alex con una sonrisa.

—Ha sido fantástico —respondió Sam con tono apagado—. Hemos ido a patinar —Sam envió a la niña a la otra habitación a recoger su jersey y su muñeca, y se volvió hacia Alex con expresión angustiada—. Siento lo de tu amigo esta mañana. Parecía molesto. Creo que lo pongo nervioso.

Alex asintió. Vaciló antes de hablar, porque no estaba segura de lo que debía decir, pero acabó expresándose con toda franqueza, como era su costumbre.

—Tiene miedo de todo el tiempo que hemos estado casados, Sam. Es normal. Teme que la lealtad sea más fuerte que el amor. No comprende que es una tontería.

—¿Lo es? —preguntó Sam con voz queda, alzando los ojos hacia ella. Vio a una mujer a la que había herido profundamente—. ¿Sólo es lealtad? Siento oír eso. Supongo que tengo suerte de que al menos quede algo después de lo que te hice —se había pasado toda la noche, y aun el día, pensando en ella y el sufrimiento que le había causado.

—Sam, no... —protestó Alex con suavidad. Era demasiado tarde para recriminaciones.

—¿Por qué no? Ya sé que no debería decir nada, pero tengo la horrible sensación de que el tiempo se me escapa de las manos, y no es una broma, después del veredicto del viernes. Tal vez sea importante decir las cosas ahora, por si no hay ocasión de decirlas más adelante. Yo aún te amo —susurró cuando Annabelle volvía de la otra habitación—. Lo digo en serio.

Alex se volvió, deseando que no lo hubiera dicho. No tenía derecho a hacerlo. Ayudó a su hija a ponerse el jersey y luego el abrigo y el sombrero con manos temblorosas, sin decir nada a Sam hasta que la niña fue a llamar el ascensor.

—No hagas las cosas más difíciles de lo que ya son. Sé que estás en un momento muy malo y lo siento muchísimo, pero Sam... no vuelvas a hacernos daño a todos.

—No pretendía hacerte daño —replicó Sam—. Supongo que debería tener el valor suficiente para dejarte en paz, cualesquiera que sean mis sentimientos, sobre todo si van a encerrarme. Me lo había prometido a mí mismo, pero quizá sea un gran error dejarte marchar sin al menos decirte que te amo. Sé que no tengo ningún derecho sobre ti. Diablos, ahora ya no me siento ni un hombre. Todo lo que formaba parte de mi identidad lo he perdido... Supongo que así te sentías tú cuando perdiste el pecho, pero ambos somos unos estúpidos. Tu feminidad no estaba en tu pecho y mi masculinidad no estaba en la oficina, sino en nuestro corazón, en lo que somos y creemos. No sé por qué antes no lo entendía. Ahora lo veo todo mucho más claro, y lo peor es que ahora es demasiado tarde. Quisiera que no hubiera pasado un año y que volviéramos a empezar.

—No puedo, Sam —dijo Alex, consternada por las palabras de su marido. Cerró los ojos unos instantes para no ver el dolor y el amor que había en los de él. ¿Por qué no se había comportado así un año antes?—. No me digas esas cosas... ya no puedo retroceder, ni dejar a Brock.

—¿Y qué estás haciendo con él? —preguntó Sam con tono de súbito fastidio—. Es un chico. Un chico muy amable, eso lo comprendo. Ha sido bueno contigo, pero ¿y dentro de diez años? ¿Puede darte él lo que tú necesitas?

—No es lo que pueda darme —replicó ella con firmeza—, ya me ha dado mucho. Ahora me toca a mí.

—No puedes entregarle tu vida sólo para compensar lo que él hizo por ti, igual que yo no puedo compensarte por lo que no hice, pero yo te amo, Alex... aún eres mi mujer. Ya sé que no tengo ningún derecho sobre ti, pero quiero que sepas que siempre te amaré. Incluso en los momentos de mayor locura... siempre te amé. No quería irme, pero tampoco quería quedarme. Huía de todo, de ti, del fantasma de mi madre, de la realidad. Y tenía que arrancarme a esa chica de la sangre. Sabía que estaba mal, pero me estaba volviendo loco. Y tú también. Pero nunca quise hacerte daño —Sam quería que oyera todo aquello antes de ir a la cárcel, pero

288

había tocado una fibra de Alex que dolía demasiado, porque ella ya no quería amarlo.

La voz de Alex era grave y triste cuando respondió, mirando a Annabelle, que los aguardaba en el rellano.

—Sería mucho más fácil, Sam, si nos separáramos tranquilamente. No mires hacia atrás, no llores por el pasado... ¿de qué sirve ahora?

—Quizá no sirva, pero no se puede hablar de "tranquilidad" después de tantos años. En realidad somos una sola persona —dijo con lágrimas en los ojos—. ¿De verdad puedes dejarme así? ¿Me estás diciendo que no sientes nada más aparte de lealtad? No te creo.

Tampoco ella estaba convencida, pero la ponía furiosa lo que intentaba hacer Sam. De repente quería confesar todos sus pecados, desnudar su alma. En el último momento, a pesar de todo lo que le había hecho no quería perderla.

—¿Qué quieres de mí, Sam? —le preguntó indignada—. ¿Que admita que te amo para que te sientas mejor antes de irte...? Déjame marchar... deja que los dos seamos libres, como dijiste ayer. Ambos lo necesitamos. No te vayas así a la prisión.

—No puedo dejarte marchar —replicó Sam—. No sé cómo hacerlo —dijo, tocándole un brazo, anhelando poder besarla—. Pero ya es demasiado tarde —Sam también lo sabía, pero no estaba dispuesto a ceder. Annabelle agitó la mano cuando se abrieron las puertas del ascensor, y Alex miró a Sam—. No sigas, Sam, por favor... por el bien de todos.

—Lo siento, Alex —se disculpó él con expresión de inmensa desdicha—. ¿Podré verte alguna vez? —añadió con pánico en la voz. El ascensor aguardaba.

—No —Alex sacudió la cabeza y se apresuró a reunirse con Annabelle—. No puedo, Sam, lo siento.

Se metió en el ascensor junto con su hija. Sam le lanzó una última mirada ardiente mientras las puertas se cerraban.

Camino de su apartamento, Alex intentó sacarse de la mente todo lo que le había dicho Sam y pensar únicamente en Brock.

—¿Estaba enfadado contigo papá? —preguntó Annabelle con expresión perpleja. El viento era muy frío y los transeúntes caminaban con prisa.

—No, cariño —mintió Alex, preguntándose por qué los niños siempre se daban cuenta de todo.

—Parecía triste cuando nos marchamos.

—Seguramente era porque te ibas, pero no estaba enfadado en absoluto.

Fue un alivio llegar a casa y encontrar en ella a Brock y los ricos olores que surgían de la cocina. Él estaba preparando la salsa para los espaguetis y pan de ajo. Alex había prometido pasta, sopa, ensalada y helado con chocolate caliente.

—¿Ha ido todo bien? —preguntó Brock, mirándola mientras ella se quitaba el abrigo y se calentaba las manos. Le pareció que Alex estaba helada y algo nerviosa.

—Sí —contestó Alex con una sonrisa; luego lo abrazó esforzándose por olvidar a Sam. Sin embargo, hiciera lo que hiciera esa noche, y por mucho que se aferrara a Brock mientras estaban en la cama, las palabras de Sam siguieron acosándola como espectros inoportunos.

22

Annabelle pasó una semana con Sam a partir del día de Navidad. Alex se empeñó en no verlo cuando fue a llevar a la niña al Carlyle, dejándola subir sola en el ascensor. No sabía nada de Sam desde la última vez que se habían visto, y suponía que había recuperado la sensatez.

Ella y Annabelle habían pasado una Nochebuena maravillosa con Brock. Y habían alquilado una casa en Vermont para la semana de vacaciones de Navidad. Esta vez Alex pudo esquiar sin problemas. Llevaba ya una melena corta que a Brock le parecía muy sexy. Él comprendió que había sido un estúpido por preocuparse tanto y olvidó a Sam.

Mientras estaban en Vermont se enteraron de que Sam había pedido el divorcio, lo que alivió a Alex sobremanera. Ella y Brock hablaron de casarse en junio con una ceremonia sencilla; incluso hicieron planes para la luna de miel mientras estaban tumbados junto a la chimenea la noche de Fin de Año. Alex comentó que le encantaría ir a Europa.

—Creo que podría arreglarse —dijo Brock con voz cálida y susurrante. Acababan de hacer el amor y estaban medio dormidos. Alex le acariciaba el pelo suavemente.

El día de Año Nuevo emprendieron el largo trayecto de vuelta a Nueva York. Primero fueron al apartamento para dejar las maletas y los esquís, y luego Alex fue caminando al Carlyle para recoger a Annabelle, vestida aún con la ropa de esquiar. Llamó a Sam desde la recepción y éste le pidió que subiera un momento. Alex vaciló, pero decidió que no había nada malo en ello, puesto que Sam había pedido el divorcio.

Sin embargo, cuando llegó arriba y Sam le abrió la puerta, Alex se quedó pasmada al ver su aspecto demacrado. De repente volvió a recordarlo todo y sufrió por él al pensar que iba a ir a prisión. En cierto modo, al verlo acudieron de nuevo todas las emociones que había estado esquivando.

Annabelle no parecía ser consciente de la tensión que debía soportar su padre cuando afirmó que la había pasado muy bien.

—Me alegro, cariño —Alex la besó y la estrechó contra sí, mientras Sam le dirigía una mirada anhelante.

—Te he echado de menos —dijo en voz baja, cuando Annabelle fue en busca de sus cosas. No quería que su hija lo oyera.

—No deberías —replicó Alex con calma, y le dio las gracias por presentar la demanda de divorcio.

—Al menos eso te lo debía —dijo Sam con tristeza, buscando en los ojos de Alex algo que no parecía estar allí, o que ella le ocultaba—. Te debo muchas cosas, la mayoría de las cuales no podré pagarte nunca.

—Ya has hecho suficiente —observó Alex, sin pretender ofenderlo. Se refería a los buenos tiempos y a su papel de padre—. No me debes nada.

—No podría pagarte por lo que te he hecho aunque estuviera contigo toda una vida —era lo único en lo que podía pensar, en el horror de haberle fallado, de no haberla ayudado.

—No seas tonto, Sam —dijo Alex, intentando animarlo—. Deja de pensar en eso. Ya se ha terminado. Ahora tienes que seguir adelante.

—¿Lo dices en serio? —preguntó Sam, acercándose lentamente a ella. Alex hubiera deseado ir a ayudar a Annabelle, pero no quería entrar en el dormitorio de Sam. Miró al que todavía era su marido, de pie ante ella, muy cerca, casi sin resuello, y vio en sus ojos todo lo que en otro tiempo había amado, pero ella había cambiado. ¿O no?—. Alex... —Sam pronunció su nombre con un ansia infinita. Luego la rodeó con los brazos y la besó suavemente en los labios antes de que Alex pudiera detenerlo. Cuando ella intentó apartarse, Sam la abrazó con más fuerza. De repente, Alex ya no recordaba por qué debía apartarse, por qué no había querido que la besara. Fue como si nada hubiera cambiado. Pero en ese momento recordó a Brock y se preguntó si tal vez deseaba que aquello ocurriera y por eso había subido a la habitación.

—¡No! —fue la única palabra que pronunció cuando dejaron de besarse. Se sentía mareada y muy asustada—. Sam, no puedo... —sus ojos se llenaron de lágrimas y Sam se sintió como un completo cabrón. Se estaba aprovechando de ella y no debía hacerlo.

—Lo siento, Alex... Al parecer no consigo alejarme de ti —Alex lo encontraba increíblemente atractivo en su vulnerabilidad y su amor por ella, y dolorosamente familiar.

—Pues intenta comportarte —dijo Alex, con la voz un poco ronca—. Ya sé que es muy difícil —añadió sonriendo tristemente; quería ponerse furiosa, pero veía a Sam demasiado derrotado—, pero inténtalo, por favor.

Sam asintió con expresión tímida. Annabelle salió entonces del dormitorio con su pequeña maleta y la bolsa de regalos que le había comprado su padre por Navidad. Sam las acompañó hasta el vestíbulo para despedirlas agitando la mano mientras se alejaban. Alex no quiso volver la vista atrás, temiendo lo que pudiera ver en Sam. Le aterrorizaba haber descubierto que en su interior seguía existiendo algo que la unía a él, porque no podía ceder, no podía amar a dos hombres a la vez.

Brock la esperaba en el apartamento. Alex se arrojó a su cuello y lo besó.

—¿A qué viene esto? — preguntó Brock, complacido por el ardor de sus besos.

Por la noche prepararon juntos la cena. Luego Alex ayudó a Annabelle a deshacer su maleta, mientras él ponía música y fregaba los platos. Annabelle se había acostado ya y Brock estaba dándose una ducha cuando llamó Sam.

Alex estaba sentada en el estudio, pensando en él, y dio un respingo al descolgar el teléfono y oír su voz.

—Sólo quería que supieras que no lamento haberte besado —dijo Sam, y Alex no supo si reír o echarse a llorar—, pero quiero saber una cosa.

—¿Qué? —preguntó Alex, sintiéndose culpable por el simple hecho de seguir hablando con él.

—Quiero saber si tú lo lamentas, Alex. Si es así, si ya no me amas, te dejaré en paz, a pesar de mis sentimientos —su voz sonaba más fuerte y segura, como si hubiera recuperado una parte de sí al besarla.

—No te amo —replicó Alex con un tono poco convincente. Sam dejo oír su risa, antaño tan familiar, que la hacía sentirse halagada.

—Eres una mentirosa —Alex tuvo la impresión de verlo sonreír al decirlo.

—Es cierto —protestó ella.

—No lo lamentas lo más mínimo. Me has devuelto el beso —dijo, sin dejar de reír. Y Alex no tuvo más remedio que sonreír al contestar:

—Eres un cabrón. No necesito más complicaciones en mi vida Sam —y poniéndose seria otra vez, añadió—: Quiero que todo sea muy simple.

—Todo será muy simple para ti dentro de unas semanas, cuando esté en la cárcel —señaló Sam—. Quiero verte.

—Ya me has visto hoy —dijo Alex, intentando aparentar más firmeza de la que sentía.

—Ya sabes a lo que me refiero —insistió él—. Salgamos juntos a cenar.

—No quiero.

—Por favor...

—¡Basta ya!

—Alex, por favor.

Alex se negó repetidamente y acabó colgándole cuando Brock salió de la ducha. Aún se sentía incómoda al día siguiente cuando Sam volvió a llamarla a su despacho.

—¿Qué quieres de mí? —dijo al final, completamente exasperada.

—Una velada, eso es todo. Después no volveré a molestarte.

—¿Por qué? —preguntó Alex con un suspiro—. ¿Con qué objeto?

—Significaría mucho para mí.

Por fin Alex accedió a salir con él una única vez. No se lo contó a Brock, a pesar de que se sentía horriblemente mal por mentirle. Salió una noche en que Brock estaba muy ocupado con sus clientes y dejó a Annabelle con Carmen.

—¿Has tenido que escabullirte? —dijo Sam con tono burlón cuando se encontraron.

—No te hagas ilusiones —le espetó ella con una mirada de desaprobación.

—Lo siento.

Cenaron pasta regada con vino en un pequeño restaurante de East Eighties. Durante aquel breve intervalo fue como si el tiempo no hubiera transcurrido, pero ambos sabían que era el final, no el principio. Volvieron paseando lentamente, recordando cosas, charlando sobre personas y lugares en los que habían estado, como si estuvieran mirando un viejo álbum de fotos. Y de repente, cuando se detuvieron en el semáforo de una esquina, Sam la estrechó contra sí y la besó. Alex le devolvió el beso a su pesar y no dijo nada cuando reemprendieron la marcha. Al cabo de un rato, Sam la atrajo suavemente hacia un portal y volvió a besarla.

—Qué no hubiera dado porque hicieses esto hace un año —dijo Alex con amargura.

—Fui tan estúpido, Alex —se disculpó Sam, besándola una vez más. Alex recordó todo el sufrimiento pasado y, sin embargo, era mucho más real estar allí con él, y más importante. Tal vez, se dijo, perdonar era simplemente olvidar.

—He aprendido muchas cosas desde entonces —dijo Alex pensativamente, arropada por sus brazos.

—¿Como qué?

—Como no depender de nadie, ni vivir para nadie que no sea uno mismo. Sobreviví simplemente porque me negué a morir... ha sido una elección importante. Tal vez te vaya bien recordarla en la prisión.

—Ni siquiera me lo imagino —susurró Sam. Luego la miró con una sonrisa cordial—. Gracias por esto, por dejarme abrazarte... y besarte. Podrías haberme dado con el zapato en la cabeza, o haber pedido auxilio. Me alegro de que no lo hayas hecho.

—Yo también —de repente dejó de resistirse—. Voy a echarte de menos.

—No debes. Tendrás a Annabelle y al Chico Maravilla —añadió sarcásticamente. Alex soltó una carcajada y echaron a andar de nuevo.

—Es fantástico con Annabelle —dijo.

—Me alegro. ¿Es bueno contigo?

—Mucho.

—Entonces me alegro por ti —dijo, pero no era cierto.

—Cuídate —le dijo Alex cuando giraron por la calle Sesenta y seis en dirección al Carlyle. Ella vivía a media calle y quería irse sola, pero él no se lo permitió.

—Lo intentaré. No tengo la menor idea de adónde piensan enviarme. Tal vez a Leavenworth. Espero que al menos sea civilizado.

295

—A lo mejor Phillip logra hacer un milagro, como conseguirte un trato en el último momento —comentó Alex, pero tanto ella como Sam sabían que era muy improbable. Aun así, tenía posibilidades de que lo transfirieran a una de las "granjas" prisión al cabo de unos meses, o de los primeros años.

Cuando pasaron por delante del Carlyle, Sam intentó convencerla para que subiera, pero Alex no confiaba ni en él ni en sí misma. Y cuando llegaron al edificio de su apartamento, lo besó en la mejilla y le dio las gracias por la agradable velada. Luego subió sumida en sus pensamientos.

Brock no le preguntó dónde había estado la noche anterior, pero por la mañana había una atmósfera extraña entre ellos, como si lo supiera pero no quisiera preguntárselo. Al final, mientras comían un sandwich en el despacho de Alex, ya no pudo aguantar más.

—Saliste con él anoche, ¿verdad?

—¿Con quién? —preguntó Alex tontamente, notando que se le aceleraba el corazón.

—Tu marido —respondió Brock con frialdad.

—¿Sam? —Alex hizo una pausa, preparándose para una nueva mentira. Al final decidió que no debía mentirle, pero le daban miedo sus celos y también sus propios sentimientos. Se debía a Sam por los viejos tiempos y a Brock por el año anterior. Pero ¿y ella? Ésa era la pregunta para la que no tenía respuesta—. Quería cenar conmigo para hablar sobre Annabelle... No creí que te importara —explicó, volviendo a mentir.

—¿Por qué no me lo dijiste? —quiso saber Brock.

—Porque tenía miedo —contestó ella sinceramente— de que te enfadaras y yo quería verlo.

—¿Y por qué querías verlo?

—Porque se va a ir por mucho tiempo y me da pena. Además, como tú mismo dices, aún es mi marido —sus ojos delataban que había algo más.

—¿Te besó?

—Brock, olvídalo.

—No has contestado a mi pregunta.

—¿Qué más da?

—A mí no me da igual.

Por la mente de Alex cruzó brevemente la idea de que los había seguido, pero no lo creía capaz.

—Muy bien, lo besé, ¿y qué? No ocurrió nada más.

—Ese tipo es un auténtico hijo de puta —estalló Brock, paseándose de un lado a otro por el despacho—. Se va a la cárcel y quiere volver a hacerte daño. ¿Qué pretende, que lo esperes veinte años? ¡Qué vida para ti! ¿Es que no te das cuenta de que es un egoísta?

—Muy bien, tú ganas, es egoísta, pero también es humano, está asustado y a su modo también me ama.

—¿Y tú lo amas a él?

—Después de tantos años de casados algo ha de haber, aunque sea sólo amistad. Creo que quiere reconciliarse con todo y con todos antes de irse. No intenta arrastrarme consigo. Pidió el divorcio, ¿no?

—¿Y si no se va? —inquirió Brock, volviéndose bruscamente hacia ella, que se sobresaltó.

—No va a salir con bien de ésta, Brock. Ya lo sabes.

—Pero si lo hiciera, ¿volverías con él?

Era una pregunta difícil que Alex no quería contestar.

—Una cosa no tiene nada que ver con la otra. Si lo amara de verdad me quedaría con él, tanto si fuera a la cárcel como si no. Pero estoy contigo, Brock. Eso debe querer decir algo.

—Sí, pero cuando se vaya, te escribirá, te pedirá que lo visites. Aún sigues enamorada de él, Alex. ¿Por qué no lo admites de una vez?

—Las viejas heridas tardan tiempo en curarse, Brock —replicó Alex, enfadada con él por intentar precipitar las cosas. Ella sabía que las cosas en la vida no se resolvían con tanta facilidad—. Ten paciencia.

—¿Por qué no admites lo que sientes? Creo que vas a volver con él.

—¿Por qué no maduras de una vez, Brock, y dejas de presionarme? —le espetó ella como respuesta.

—Porque te amo —sus ojos se llenaron de lágrimas. No tenía sentido negar que Alex seguía amando a Sam, por mucho que él deseara lo contrario.

Alex se abrazó a él para llorar juntos. No había nada sencillo en la vida. Alex quiso explicarle que necesitaba tiempo para olvidar a Sam y, para cambiar de tema, empezó a hablar de la hermana de Brock, pero éste, de repente, pareció turbarse. Alex le preguntó el motivo y al principio él no quiso contárselo, pero había llegado el momento de decir la verdad, pues antes le había mentido por su propio bien.

—Mi hermana murió, Alex —respondió finalmente con gran pesadumbre—. Murió hace diez años. Tenía lo mismo que tú. Le hicieron una mastectomía y empezaron a darle quimioterapia, pero ella lo dejó. Era demasiado duro y no pudo soportarlo. Murió. En realidad su tumor se había extendido ya antes de que la operaran, pero lo cierto es que se rindió —Brock se echó a llorar al recordarlo mientras Alex lo contemplaba con mudo asombro—. Tardó un año en morir... Yo tenía veintiún años y estuve cuidándola. Quería que viviera, pero estaba demasiado enferma. Y su marido se portó como un auténtico cabrón, igual que Sam —miró a Alex fijamente—. No movió un dedo por ella hasta que murió, y se casó seis meses más tarde. Mi hermana tenía treinta y dos años y era tan guapa... —se sentó y permaneció en silencio durante largo rato, mientras Alex lo abrazaba y lloraba.

—Oh, Dios mío, lo siento mucho. ¿Por qué no me lo dijiste? —se sentía fatal al darse cuenta de todo lo que había tenido que sufrir por su hermana.

—No quería que tú te rindieses como ella —explicó Brock, enjugándose las lágrimas. En muchos aspectos Alex había sido su segunda oportunidad—. Por eso quería que siguieras con la quimioterapia... No quería que te pasara lo mismo.

—Deberías habérmelo dicho —le reprochó Alex, mientras Brock se sonaba la nariz con una servilleta de papel que le había tendido ella.

—Estoy tan asustado —admitió Brock—. Tengo tanto miedo de que vuelvas con él... Él te ama todavía. Lo noté en su rostro... No puedo soportar verte con él.

Tras esta escena, volvieron al trabajo. Al día siguiente Alex tenía que preparar el cumpleaños de Annabelle. Esperaba que Brock no se pusiera más nervioso aún cuando apareciera Sam en la fiesta, pero él decidió que sería mejor para todos que no asistiera.

—Me pregunto qué edad tendré cuando salga —comentó Sam mientras se comía un trozo de pastel de cumpleaños. Y Alex gimió ante semejante falta de sutileza. Algunas veces Sam no podía resistirse a poner su toque de humor negro, aunque parecía más animado después de su última velada juntos.

—Cien, espero. Demasiado viejo para recordarme —replicó Alex.

—No cuentes con eso —dejó el trozo de pastel sobre el plato—. Me gustaría volver a cenar contigo la semana que viene, antes de que me lean la sentencia, si estás de acuerdo. Hay un montón de detalles sobre Annabelle que quiero discutir contigo. He reservado una cantidad de dinero para su sostenimiento y educación —había vendido el apartamento nuevo el mes anterior. Parte del dinero había servido para pagar a sus abogados, pero quería darle el resto a Alex para su hija.

—¿Puedo confiar en ti? —preguntó Alex, y él soltó una carcajada. El problema era que no confiaba en sí misma.

—Puedes traerte guardaespaldas, si quieres, pero que no sea el Chico Maravilla.

—Deja de llamarle así. Se llama Brock.

—Lo siento. No sabía que eras tan susceptible sobre ese tema. —puso entonces una mano sobre su brazo, serio por fin, y preguntó—: ¿Será el padrastro de Annabelle?

—Creo que sí —respondió Alex. Suponía que la tensión entre ella y Brock desaparecería cuando Sam se fuera, pero odiaba pensar que Sam se iría para siempre.

—¿Cenarás conmigo? —insistió Sam.

—Lo intentaré.

—No tengo mucho tiempo, Alex. No juegues conmigo. ¿El lunes en el Carlyle?

—De acuerdo, allí estaré.

—Gracias.

Esta vez Alex se lo dijo a Brock, y éste puso el grito en el cielo.

—Oh, por el amor de Dios. Podría haberte mentido...

—¿Por qué quiere verte?

—Porque quiere darme dinero para Annabelle.

—Dile que te envíe un cheque.

—No —replicó Alex, también furiosa, cansada de los ataques de celos de Brock—. Deja de comportarte como un chiquillo. Voy a cenar con mi futuro ex marido —exclamó, y cerró la puerta del dormitorio con un golpe. Cuando volvió a salir, Brock se había marchado, pero Alex no lo lamentó; la estaba presionando demasiado.

El lunes por la noche Alex llegó a la hora convenida a la suite de Sam en el Carlyle. Halló a Sam muy serio con su traje gris oscuro, la camisa blanca y la corbata Hermès azul marino. Se había pasado la tarde con sus abogados en el bufete, aunque Alex no lo había visto.

—¿Qué tal te fue hoy? —se interesó Alex, sentándose en el sofá y dándose cuenta de que parecía muy cansado y envejecido.

—No muy bien. Phillip Smith cree que el juez me va a poner a la sombra una buena temporada, y eso me recuerda lo que te trae hasta aquí —sacó dos cheques y los puso sobre la mesa—. Me han dado un millón ochocientos mil dólares por el apartamento. Después de pagar unas cuantas deudas que la señorita Daphne Belrose dejó a mi cargo y la comisión del agente inmobiliario, me han quedado un millón quinientos mil. Aquí tienes medio millón para Annabelle. Quiero que lo dejes en fideicomiso para ella. Me quedó medio millón para mí, por si algún día salgo de la cárcel. Los otros quinientos mil son para ti, como acuerdo de divorcio, si quieres llamarlo así. Te mereces mucho más, pero no hay más, cariño.

—Dios mío —exclamó Alex atónita—. No quiero dinero tuyo, Sam.

—Te lo mereces.

—¿Por hacer qué? ¿Estar casada contigo? Entonces deberías darme mucho más —bromeó, consiguiendo que Sam se echara a reír—. No, no puedo aceptarlo. Guárdatelo, o dáselo a Annabelle. —Sam insistió y al final accedió, pensando en ponerlo en una cuenta a su nombre. Él iba a necesitarlo mucho más que ella, que tenía un trabajo y gustos no demasiado caros.

Sam pidió entonces la cena; bistec para él y pescado para Alex. Mientras comían charlaron sobre diversos temas, esquivando siempre el de la cárcel. Alex se alegró de haber ido; Sam parecía tranquilizado, y no le puso la mano encima hasta que, al final, cuando Alex se embutía el abrigo, se inclinó sobre ella y la besó.

—Buenas noches... gracias por venir... —dijo, y volvió a besarla. Alex no se movió, sorprendida como siempre por su incapacidad para resistírsele.

—Será mejor que lo dejemos aquí —susurró, pero acto seguido le rodeó el cuello con los brazos y lo besó; por los viejos tiempos, se dijo.

—¿Por qué dejarlo ahora? —susurró él.

—Intento recordarlo —contestó Alex, sintiéndose culpable, pero disfrutando del momento a pesar de todo.

—Te amo —musitó Sam a su oído. Alex se apartó entonces como si comprendiera que no podía seguir adelante, pero Sam la atrajo hacia sí y la besó, ya no suavemente, sino con todo el ardor de quien dos días después habría de marcharse. Le desabrochó el abrigo y lo dejó caer en una silla detrás de Alex. Luego, siempre muy suavemente, recorrió su costado derecho hasta el seno tan familiar que había amamantado a su hija. De repente pasó la mano hacia el lado izquierdo y tuvo un sobresalto. Alex sonrió.

—Ha vuelto a crecer —dijo maliciosamente, haciéndolo sentir avergonzado.

—¿Por qué no me lo habías dicho? —le reprochó él, y volvió a besarla.

—No era asunto tuyo —replicó Alex, excitada a su pesar.

Lenta y deliberadamente se desnudaron. La atracción era mutua e irresistible.

—Eres muy hermosa —dijo Sam, apartándose para mirarla.

Alex sabía que estaba cometiendo una locura, pero era su modo de decirle adiós, de hacerle saber lo mucho que lo había amado.

—Te quiero, Sam.

—Yo también te quiero... tanto, tanto... —Sam apenas podía hablar por la excitación. Se había prometido que la poseería una última vez y que luego la dejaría en paz. Sólo quería aquel último regalo, y era evidente, por el modo en que ella le devolvía los besos, que también lo estaba deseando.

Hicieron el amor sin prisas, con armonía y belleza. Era algo que ambos habían deseado mucho tiempo sin atreverse a reconocerlo. Había en aquel acto pasión, tranquilidad y perdón.

—Te he amado tanto... —dijo Alex después.

—Y yo a ti —confesó Sam con lágrimas en los ojos, pero sonriendo—. Aún te amo y siempre te amaré. No porque vaya a la cárcel, sino porque soy un estúpido y aprendo la lección cuando ya es demasiado tarde. Sé más lista que yo, Alex... no arruines tu vida.

—Tú no lo has hecho —replicó Alex.

—¿Cómo puedes decir eso? Fíjate en mi situación. Qué estúpido fui —permaneció tumbado de espaldas, pensando en el pasado.

Alex se inclinó sobre él y lo besó. Sam la miró a los ojos y vio todo el cariño del mundo reflejado en ellos. Brock Stevens era un hombre afortunado.

Alex hubiera querido pasar la noche con él, pero no se atrevió. Annabelle se hubiera preocupado si se despertaba, y Brock se pondría como loco si llamaba y no la encontraba.

—Debo irme a casa —dijo Alex con tristeza.

—Qué idiotez, ¿no? Estamos casados y no podemos pasar la noche juntos —hizo una pausa antes de añadir—: Quiero que sepas que desearía haber obrado de modo diferente. Cuando te pusiste enferma, quiero decir. Estaba demasiado asustado y no quería escucharte. Ya es tarde para cambiarlo, pero si pudiera, estaría contigo, Alex. No creo que lo hiciera tan bien como tu joven amigo, pero nunca me perdonaré no haber estado a tu lado.

—Sé que estabas aterrorizado —dijo Alex, convencida de su sinceridad.

—No te lo imaginas. Estaba como enloquecido y me parecía que estaba viendo a mi madre. Qué loco, qué estúpido —se lamentó, abrazándola.

—Lo sé. A veces la vida tiene cosas extrañas —no tenía ningún sentido atormentar a Sam por lo que había hecho y ella ya lo había perdonado.

Sam acompañó a su mujer a casa, andando despacio. Al llegar a la puerta se demoraron un rato y volvieron a besarse.

—Gracias —susurró Alex—. Nos veremos mañana.

Sam quería despedirse de su hija al día siguiente. Alex había cogido el cheque para Annabelle, pero había dejado el suyo sobre la mesa del Carlyle sin que él se diera cuenta.

—Te amo —dijo Sam por última vez. Se quedó mirándola mientras ella entraba y luego volvió al hotel con lágrimas en los ojos.

Sola en su cama, Alex recordó los momentos que acababa de pasar con él, mejores incluso que en sus buenos tiempos. Sólo le quedaba por desear que estuviera a salvo y que hallara un motivo para seguir viviendo. Ella tenía un futuro con Brock, por mucho que siguiera amando a Sam, pero, ¡Dios, cómo lo echaría de menos!

23

La despedida de Sam y Annabelle, al día siguiente, fue terrible para todos. Alex le había pedido a Brock que no fuera por allí hasta la noche. Sam se marchó sollozando, y Alex, Carmen y la niña se quedaron llorando. A Annabelle le había explicado que papá trabajaba con unos hombres malos que habían hecho cosas malas, y que él no les había prestado atención. Aquellos hombres habían robado dinero a la gente y tenían que ir todos a la cárcel.

Podían haberle contado que emprendía un largo viaje, pero Sam no quiso mentir a su hija. Aseguró a Annabelle que algún día podría ir a verlo, pero que no era un lugar agradable y prefería que esperara a ser un poco mayor. Le pidió que fuera buena, que cuidara de su madre y recordara siempre lo mucho que él la quería. Luego la abrazó con fuerza durante largo rato. La niña estaba confusa y trastornada por las explicaciones, pero no concebía lo que eran veinte o treinta años. En realidad parecía toda una vida.

Alex acompañó a su marido hasta el ascensor y se aferró a él. Poco después le llamó al Carlyle.

—¿Estás bien? —le preguntó, hondamente preocupada.

—Sí. No creía que pudiera despedirme jamás de ella. Ni tampoco de ti —hubiera preferido estar muerto.

—Estaré allí contigo mañana —le prometió ella, deseando poder pasar la noche con Sam, pero no quería complicar más la situación.

Sin embargo, Alex sentía que seguía perteneciendo a Sam cuando hablaba con él o lo veía. Sus antiguos vínculos habían vuelto a cobrar fuerza en unos días. Él también lo sabía y por eso no le pidió que fuera al hotel. La amaba y quería protegerla.

303

—Nos veremos en el tribunal —dijo Sam con tono despreocupado, elegante hasta el final.

Cuando Brock llegó al apartamento esa noche, todas seguían trastornadas, incluso Carmen. Annabelle se había dormido llorando, a pesar de los esfuerzos de su madre por consolarla, y Alex no quería comer ni hablar.

—Rayos, cómo me alegraré cuando todo esto acabe —exclamó Brock con una aspereza que no agradó a Alex en absoluto.

—Y yo. No creas que ninguno de nosotros la está pasando bien, ni siquiera Sam —replicó Alex con tono cortante. ¿Por qué no podía ser más comprensivo con Sam, cuando ya no tenía nada que temer de él?

—Todo este lío es culpa suya —señaló Brock—. No lo olvides.

—Eso no es totalmente cierto. ¿No has pasado por alto algunos hechos?

—Oh, vamos, basta ya, Alex. Ese tipo es un timador, aunque sea tu marido —tenía tanto miedo de perder a Alex que no veía el momento de que metieran a Sam en la cárcel, y en ocasiones Alex lo odiaba por eso.

La discusión se prolongó hasta que Brock decidió que no quería pasar la noche con ella, pero antes de marcharse volvió a ponerse furioso cuando supo que Alex iría al tribunal al día siguiente.

—Quiero estar con él cuando el juez dicte sentencia —explicó Alex, como si estuviera hablando con un retrasado.

—Como si lo acompañaras a la guillotina, ¿no? —replicó Brock con su voz más desagradable.

Pero el meollo de la cuestión surgió minutos después.

—¿Y si no le encierran, Alex? ¿Y si queda libre?

—¿Por qué me acosas continuamente con lo mismo, Brock? Estás obsesionado con él. ¿Cómo quieres que sepa lo que ocurrirá?

—Sigues enamorada de él.

—Estoy enamorada de ti.

—Pero también de él, ¿no es verdad?

—¡Brock, basta! —gritó Alex. Ya no le importaba si despertaba a Annabelle o a Carmen—. Te quiero. Me ayudaste cuando nadie más lo hizo. Sin ti hubiera muerto. ¿Es que eso no te basta? ¿Tengo que borrar todo mi pasado para demostrar que te amo? Él es el padre de mi hija. Es el hombre con el que me casé. Me hizo mucho daño, pero ya ha terminado. No puedo decirte qué haría si siguiera libre. Pero eso ya no importa, porque lo encerrarán.

—Yo sí puedo decírtelo —replicó Brock lúgubremente.

Alex meneó la cabeza con desesperación. Todo aquello empezaba a ser grotesco.

—Estás destruyendo nuestra relación al intentar destruirlo a él. Déjalo, Brock, antes de que se rompa del todo. Por favor... no lo hagas —suplicó, echándose a llorar.

—Si él queda libre, yo volveré a Illinois.

Era la primera noticia que tenía Alex, quien comprendió de repente que Brock había estado haciendo planes sin ella, atormentado por los celos.

—¿Por qué?

—Porque tú ya no me necesitas. Eres suya. Lo sé. Por mal que se portara contigo, sigues siendo suya. Me lo dice el corazón —sollozaba al hablar, pero Alex no pudo negar la verdad de lo que decía—. Si lo encierran, serás libre. Pero si no, volveré a casa, Alex. Me fui después de lo que le pasó a mi hermana, pero tú me has ayudado a curar esa herida. Siempre me sentí responsable de que abandonara la quimioterapia, pero ahora sé que no hubiera cambiado nada. Fue decisión suya —su tono era más pacífico y maduro que nunca. Era duro madurar, muy doloroso.

—Tú me salvaste la vida, Brock.

—Lo hubieras logrado igualmente sin mí, porque no eres de las que se rinden. Por eso sigues amándolo. ¿No es cierto?

—Creo que tu ayuda fue fundamental —dijo Alex, reconociendo sus méritos aunque también supiera que estaba en lo cierto.

—Es agradable que pienses así, pero no lo sabremos nunca —miró a Alex con pesar—. Siempre te querré, ¿lo sabes?

—Lo dices como si fueras a marcharte tú en lugar de Sam.

—Tal vez debería hacerlo de todas formas —dijo Brock, encogiéndose de hombros. Los últimos tres meses habían sido una terrible prueba para ellos. Curiosamente, se llevaban mejor cuando la ayudaba con la quimioterapia.

—No te vayas, Brock. Sam no tiene ninguna oportunidad.

—Aunque así sea, tú siempre lo amarás.

—Eso es cierto —admitió ella—, pero es el pasado, y tú eres el futuro. Has de decidir si puedes vivir sabiendo que lo amé.

Brock asintió, pero no dijo nada, y cuando abandonó el apartamento, Alex tuvo el raro presentimiento de que no iba a volver, de que jamás sería capaz de aceptar la relación que habían tenido Sam y ella durante tanto tiempo. Brock quería una mujer sin pasado, y eso era imposible. En cualquier caso, Sam se iría por mucho tiempo y a ella no le quedarían alternativas. Brock maduraría o no, la aceptaría tal como era o la dejaría. Alex tenía la impresión de que, al final, los diez años de diferencia habían supuesto un abismo imposible de cruzar y que Brock también se había dado cuenta. En cierto sentido se habían curado el uno al otro y ya no tenían por qué seguir juntos. Era triste pensarlo, pero Alex había aprendido mucho sobre resignación. Tal vez había llegado el momento de vivir sola.

Y aunque esa noche pensó en Brock, era en Sam en quien tenía puesta el alma, porque formaba parte de su ser para siempre. Comprendiéndolo, se sintió por fin en paz consigo misma.

Se levantó a las seis de la mañana. A las siete se había puesto un traje de chaqueta negro. No le dijo a Annabelle adónde iba, pero Carmen lo sabía. Alex se marchó con expresión sombría al terminar el desayuno.

La sala del tribunal estaba abarrotada cuando llegó. Alex no quiso sentarse con los abogados de Sam para no estorbar, aunque hubiera podido hacerlo. Había un gran revuelo porque Simon Barrymore había huido del país la noche anterior y el juez estaba hecho una furia. Finalmente, después de decretar orden de búsqueda y captura contra él, el juez se dispuso a dictar sentencia.

Una vez más, Larry y Tom fueron los primeros. A cada uno le cayeron diez años de prisión y una multa de un millón de dólares. La sala se llenó de murmullos y, como de costumbre, los periodistas se precipitaron a hacer sus fotos y tuvieron que ser reprendidos por el juez, que daba frenéticos golpes con el mazo.

Después pidió a Sam que se levantara, y éste obedeció con expresión seria y tranquila. En la sala se oyeron susurros. Siempre se había admitido que el caso de Sam era diferente de los otros y por ello el jurado lo había absuelto de los cargos de malversación de fondos, pero no de los de fraude.

El juez le lanzó una larga y dura mirada. Luego, con voz parsimoniosa, dictó la sentencia:

—Samuel Livingstone Parker, de sus bienes personales le condeno a pagar una multa de quinientos mil dólares, y a diez años de prisión —la multitud prorrumpió en exclamaciones y los fotógrafos intentaron de nuevo acercarse, mientras el juez no paraba de dar mazazos. Sam cerró los ojos unos instantes y Alex sintió unas náuseas muy parecidas a las que le había producido la quimioterapia—. Diez años de prisión —repitió el juez, lanzando miradas furiosas a la multitud— que se reducen desde este momento a diez años de libertad condicional. Este tribunal le recomienda que se busque otro trabajo, señor Parker. De perrero, si le parece bien, pero manténgase alejado de las inversiones y de Wall Street.

Sam se quedó mirando fijamente al juez, igual que el resto de los presentes. Se hizo un silencio momentáneo. Diez años de libertad condicional. Era libre.

Y entonces el tribunal se convirtió en un pandemónium.

Los abogados se estrechaban las manos. A Larry y Tom se los llevaron, y Sam permanecía inmóvil mientras los reporteros de todos los diarios del país lo fotografiaban. Alex no pudo acercarse a su marido en los veinte minutos siguientes y se quedó mirándolo con asombro. Phillip Smith había hecho un buen trabajo, pero también el juez y el departamento de libertad condicional, que a fin de cuentas era quien recomendaba que se concediera o no la libertad. Alex recordó entonces el cheque de quinientos mil dólares que se había negado a aceptar de Sam dos días antes y que ahora iba a serle muy útil.

Alex esperó a que Sam saliera al pasillo para hablar con él. Felicitó a Phillip Smith y al resto de su equipo y, de repente, se encontró mirando a Sam, que le sonreía con expresión cohibida.

—Ha sido toda una sorpresa, ¿no? —comentó.

—Casi me caigo del asiento —admitió Alex—. Pensaba que te iba a encerrar y a tirar la llave —Alex sonrió, sintiéndose tan aliviada como al terminar con la quimioterapia.

—Pobre Annabelle... todo lo que le hemos hecho pasar para nada... Vayamos al colegio a recogerla —propuso Sam. Luego miró a su mujer con una expresión extraña y susurró—: Vayamos a hablar a alguna parte.

—¿Qué te parece tu hotel? —le propuso ella al oído, y Sam asintió.

—Nos encontraremos allí dentro de media hora —dijo él, y se alejó con Phillip.

Alex pensó en llamar a Brock, pero en realidad no sabía qué decirle. Sospechaba que él ya había tomado una decisión. En todo caso, no había vuelto a llamarla.

Sam entraba de nuevo en su vida, inopinadamente, y ella no sabía qué pensar. Lo amaba, sí, pero ¿confiaba en él? ¿Eran auténticas sus promesas o producto de la pesadilla que acababa de vivir?

La cabeza le daba vueltas cuando tomó un taxi para dirigirse al Carlyle. Cuando llegó, Sam la aguardaba frente a la puerta, paseándose nerviosamente de un lado a otro. El portero del hotel le abrió la portezuela y Alex bajó del taxi. Sam la miró a los ojos y ella supo que Brock tenía razón: se amaban, así de sencillo.

Sam había olvidado las reglas durante un tiempo, pero ella no. "En lo mejor y lo peor..." las palabras, y lo que éstas representaban, seguían siendo válidas. Alex había querido ser diferente, o moderna, o fuerte, pero no lo era. Era un ser humano. Era fiel, y seguía amando a su marido.

—Hola, Sam —musitó.

Entraron en el hotel cogidos del brazo. Él aún estaba conmocionado por lo que había sucedido en la sala del tribunal, pero se sentía muy humilde y afortunado.

—¿Te parece bien que subamos? —preguntó cortésmente.

Alex asintió con una sonrisa y atravesaron la puerta giratoria en dirección a los ascensores.

Mientras subían Alex se preguntó qué ocurriría a partir de aquel momento, cómo recompondrían su matrimonio y olvidarían lo pasado, qué le dirían a Annabelle y qué le diría ella a Brock.

Pero Brock ya lo sabía, esa misma mañana estaba haciendo las maletas. La noche anterior se habían despedido para siempre, aunque ninguno de ellos lo hubiera expresado con palabras.

Todas las preocupaciones de Alex parecieron desvanecerse cuando salieron del ascensor en el octavo piso, y Sam se volvió para mirarla con la llave de la habitación en la mano. Alex le sonrió con cierta tristeza, pero también había sabiduría en su expresión. Se habían enseñado mutuamente muchas cosas.

Sam metió la llave en la cerradura y abrió. Luego entró con Alex en brazos. La miró primero con expresión interrogativa, como pidiéndole permiso, y ella asintió. Disfrutaban de un raro regalo en esta vida: una segunda oportunidad. Debían aferrarse a ella y comenzar de nuevo. Cuando Sam la dejó en el suelo, Alex volvió a sonreír y él cerró la puerta suavemente.

grijalbo pocket
Lo mejor del BESTSELLER mundial

- *El regalo* Danielle Steel
- *El cuarto poder* Jeffrey Archer
- *La ley del amor* Laura Esquivel
- *Las vírgenes del paraíso* Barbara Wood
- *El tercer gemelo* Ken Follet
- *Poder absoluto (Por orden del presidente)* David Baldacci
- *Clones* Michael Marshall
- *Cujo* Stephen King
- *La mamma* Mario Puzo
- *La hija del general* Nelson DeMille
- *El ópalo negro* Victoria Holt
- *Accidente* Danielle Steel
- *Post mortem* Patricia Cornwell
- *Honor entre ladrones* Jeffrey Archer
- *Las llaves de la calle* Ruth Rendell
- *La segunda dama* Irving Wallace
- *El retrato de Rose Madder* Stephen King
- *El gran león de Dios* Taylor Caldwell
- *La profetisa* Barbara Wood
- *Joyas* Danielle Steel
- *Jurado 224* Georges Dawes Green
- *El cuerpo del delito* Patricia Cornwell
- *Kane y Abel* Jeffrey Archer
- *El ojo del huracán* Jack Higgins
- *Dolores Claiborne* Stephen King
- *Una fortuna peligrosa* Ken Follet
- *La carrera hacia el poder* Jeffrey Archer
- *La semilla del diablo* Ira Levin
- *El padre ausente* Elisabeth George
- *El vals del diablo* Jonathan Kellerman
- *Una cruel bendición* Danielle Steel
- *La casa maldita* Barbara Wood
- *El todopoderoso* Irving Wallace
- *La hija pródiga* Jeffrey Archer
- *Madame Du Barry* Jean Plaidy
- *Terreno peligroso* Jack Higgins
- *Juego de espejos* Daniel Silva
- *Casino* Nicholas Pileggi
- *El documento R* Irving Wallace
- *La escultora* Minette Walters
- *Relámpago* Daniel Steel